第一推动丛书: 综合系列
The Polytechnique Series

皇帝新脑
The Emperor's New Mind

[英] 罗杰·彭罗斯 著　许明贤 吴忠超 译
Roger Penrose

湖南科学技术出版社

THE
FIRST
MOVER

总序

《第一推动丛书》编委会

科学，特别是自然科学，最重要的目标之一，就是追寻科学本身的原动力，或曰追寻其第一推动。同时，科学的这种追求精神本身，又成为社会发展和人类进步的一种最基本的推动。

科学总是寻求发现和了解客观世界的新现象，研究和掌握新规律，总是在不懈地追求真理。科学是认真的、严谨的、实事求是的，同时，科学又是创造的。科学的最基本态度之一就是疑问，科学的最基本精神之一就是批判。

的确，科学活动，特别是自然科学活动，比起其他的人类活动来，其最基本特征就是不断进步。哪怕在其他方面倒退的时候，科学却总是进步着，即使是缓慢而艰难的进步。这表明，自然科学活动中包含着人类的最进步因素。

正是在这个意义上，科学堪称为人类进步的“第一推动”。

科学教育，特别是自然科学的教育，是提高人们素质的重要因素，是现代教育的一个核心。科学教育不仅使人获得生活和工作所需的知识和技能，更重要的是使人获得科学思想、科学精神、科学态度以及科学方法的熏陶和培养，使人获得非生物本能的智慧，获得非与生俱来的灵魂。可以这样说，没有科学的“教育”，只是培养信仰，而不是教育。没有受过科学教育的人，只能称为受过训练，而非受过教育。

正是在这个意义上，科学堪称为使人进化为现代人的“第一推动”。

近百年来，无数仁人志士意识到，强国富民再造中国离不开科学技术，他们为摆脱愚昧与无知做了艰苦卓绝的奋斗。中国的科学先贤们代代相传，不遗余力地为中国的进步献身于科学启蒙运动，以图完成国人的强国梦。然而可以说，这个目标远未达到。今日的中国需要新的科学启蒙，需要现代科学教育。只有全社会的人具备较高的科学素质，以科学的精神和思想、科学的态度和方法作为探讨和解决各类问题的共同基础和出发点，社会才能更好地向前发展和进步。因此，中国的进步离不开科学，是毋庸置疑的。

正是在这个意义上，似乎可以说，科学已被公认是中国进步所必不可少的推动。

然而，这并不意味着，科学的精神也同样地被公认和接受。虽然，科学已渗透到社会的各个领域和层面，科学的价值和地位也更高了，但是，毋庸讳言，在一定的范围内或某些特定时候，人们只是承认“科学是有用的”，只停留在对科学所带来的结果的接受和承认，而不是对科学的原动力——科学的精神的接受和承认。此种现象的存在也是不能忽视的。

科学的精神之一，是它自身就是自身的“第一推动”。也就是说，科学活动在原则上不隶属于服务于神学，不隶属于服务于儒学，科学活动在原则上也不隶属于服务于任何哲学。科学是超越宗教差别的，超越民族差别的，超越党派差别的，超越文化和地域差别的，科学是普适的、独立的，它自身就是自身的主宰。

湖南科学技术出版社精选了一批关于科学思想和科学精神的世界名著，请有关学者译成中文出版，其目的就是为了传播科学精神和科学思想，特别是自然科学的精神和思想，从而起到倡导科学精神，推动科技发展，对全民进行新的科学启蒙和科学教育的作用，为中国的进步做一点推动。丛书定名为“第一推动”，当然并非说其中每一册都是第一推动，但是可以肯定，蕴含在每一册中的科学的内容、观点、思想和精神，都会使你或多或少地更接近第一推动，或多或少地发现自身如何成为自身的主宰。

再版序
一个坠落苹果的两面：极端智慧与极致想象

龚曙光

2017年9月8日凌晨于抱朴庐

连我们自己也很惊讶，《第一推动丛书》已经出了25年。

或许，因为全神贯注于每一本书的编辑和出版细节，反倒忽视了这套丛书的出版历程，忽视了自己头上的黑发渐染霜雪，忽视了团队编辑的老退新替，忽视好些早年的读者，已经成长为多个领域的栋梁。

对于一套丛书的出版而言，25年的确是一段不短的历程；对于科学研究的进程而言，四分之一个世纪更是一部跨越式的历史。古人“洞中方七日，世上已千秋”的时间感，用来形容人类科学探求的速律，倒也恰当和准确。回头看看我们逐年出版的这些科普著作，许多当年的假设已经被证实，也有一些结论被证伪；许多当年的理论已经被孵化，也有一些发明被淘汰……

无论这些著作阐释的学科和学说，属于以上所说的哪种状况，都本质地呈现了科学探索的旨趣与真相：科学永远是一个求真的过程，所谓的真理，都只是这一过程中的阶段性成果。论证被想象讪笑，结论被假设挑衅，人类以其最优越的物种秉赋——智慧，让锐利无比的理性之刃，和绚烂无比的想象之花相克相生，相否相成。在形形色色的生活中，似乎没有哪一个领域如同科学探索一样，既是一次次伟大的理性历险，又是一次次极致的感性审美。科学家们穷其毕生所奉献的，不仅仅是我们无法发现的科学结论，还是我们无法展开的绚丽想象。在我们难以感知的极小与极大世界中，没有他们记历这些伟大历险和极致审美的科普著作，我们不但永远无法洞悉我们赖以生存世界的各种奥秘，无法领略我们难以抵达世界的各种美丽，更无法认知人类在找到真理和遭遇美景时的心路历程。在这个意义上，科普是人类极端智慧和极致审美的结晶，是物种独有的精神文本，是人类任何其他创造——神学、哲学、文学和艺术无法替代的文明载体。

在神学家给出“我是谁”的结论后，整个人类，不仅仅是科学家，包括庸常生活中的我们，都企图突破宗教教义的铁窗，自由探求世界的本质。于是，时间、物质和本源，成为了人类共同的终极探寻之地，成为了人类突破慵懒、挣脱琐碎、拒绝因袭的历险之旅。这一旅程中，引领着我们艰难而快乐前行的，是那一代又一代最伟大的科学家。他们是极端的智者和极致的幻想家，是真理的先知和审美的天使。

我曾有幸采访《时间简史》的作者史蒂芬·霍金，他痛苦地斜躺在轮椅上，用特制的语音器和我交谈。聆听着由他按击出的极其单调的金属般的音符，我确信，那个只留下萎缩的躯干和游丝一般生命气息的智者就是先知，就是上帝遣派给人类的孤独使者。倘若不是亲眼所见，你根本无法相信，那些深奥到极致而又浅白到极致，简练到极致而又美丽到极致的天书，竟是他蜷缩在轮椅上，用唯一能够动弹的手指，一个语音一个语音按击出来的。如果不是为了引导人类，你想象不出他人生此行还能有其他的目的。

无怪《时间简史》如此畅销！自出版始，每年都在中文图书的畅销榜上。其实何止《时间简史》，霍金的其他著作，《第一推动丛书》所遴选的其他作者著作，25年来都在热销。据此我们相信，这些著作不仅属于某一代人，甚至不仅属于20世纪。只要人类仍在为时间、物质乃至本源的命题所困扰，只要人类仍在为求真与审美的本能所驱动，丛书中的著作，便是永不过时的启蒙读本，永不熄灭的引领之光。

虽然著作中的某些假说会被否定，某些理论会被超越，但科学家们探求真理的精神，思考宇宙的智慧，感悟时空的审美，必将与日月同辉，成为人类进化中永不腐朽的历史界碑。

因而在25年这一时间节点上，我们合集再版这套丛书，便不只是为了纪念出版行为本身，更多的则是为了彰显这些著作的不朽，为了向新的时代和新的读者告白：21世纪不仅需要科学的功利，而且需要科学的审美。

当然，我们深知，并非所有的发现都为人类带来福祉，并非所有的创造都为世界带来安宁。在科学仍在为政治集团和经济集团所利用,甚至垄断的时代，初衷与结果悖反、无辜与有罪并存的科学公案屡见不鲜。对于科学可能带来的负能量，只能由了解科技的公民用群体的意愿抑制和抵消：选择推进人类进化的科学方向，选择造福人类生存的科学发现，是每个现代公民对自己，也是对物种应当肩负的一份责任、应该表达的一种诉求！在这一理解上，我们将科普阅读不仅视为一种个人爱好，而且视为一种公共使命！

牛顿站在苹果树下，在苹果坠落的那一刹那，他的顿悟一定不只包含了对于地心引力的推断，而且包含了对于苹果与地球、地球与行星、行星与未知宇宙奇妙关系的想象。我相信，那不仅仅是一次枯燥之极的理性推演，而且是一次瑰丽之极的感性审美……

如果说，求真与审美，是这套丛书难以评估的价值，那么，极端的智慧与极致的想象，则是这套丛书无法穷尽的魅力！

题献

谨将此书献给未能活到见证它问世的我亲爱的母亲。

敬启读者

我在本书的许多地方引用数学公式，而毫不在乎时常听到的警告——放进去的每条公式都会把我的读者数目减半。如果你是这样的一位对数学公式恐惧的读者（大多数人都是这样的），那么我就介绍一种当这种可恨的一行出现时自己通常采用的步骤。大体就是完全不理睬这一行，而跳到正文的下一行去！但也并非完全如此；人们要仔细地推敲这一可怜的公式，而不仅是做表面上的理解，然后再继续前进。过了一阵，如果你又重新充满自信，则可回到刚才忽略了的公式，努力抓住一些显著的特征。正文本身也许可帮助你了解什么是关键的，什么东西被忽略后并没有什么影响。如果做不到这些，也不必担心，干脆不理该公式就是了。

译者序

许明贤　吴忠超
1992年1月9日
纽约　长岛

牛津大学的罗杰·彭罗斯的《皇帝新脑》一书的出版是国际书界的一件大事。剑桥大学前年曾为它专门举行了一次学术会议。

这本洋洋大观的贯穿了计算机科学、数学、物理学、宇宙学、神经和精神科学以及哲学的巨著，体现了作者向哲学上最大的问题之一“精神-身体关系”挑战的大无畏精神。

迄今为止的科学基本上都可纳入形而下学的范畴，而这本书可认为是首次对形而上学进行的严肃尝试。历史上曾重复地出现过还原主义的思潮，最近代的便是人工智能专家的断言：电脑最终能代替人脑甚至超过人脑。彭罗斯的论断却是：正如皇帝没有穿衣服一样，电脑并没有头脑。电脑具有智慧吗？人们的共识是用通过图灵检验来定义智慧。彭罗斯认为要制造出满意地通过这种检验的机器还是非常遥远的事。即使它真的通过了，我们还是不能断定其真有理解力，塞尔中文屋子的理想实验强有力地表明，用图灵检验来定义智慧还是远远不够充分的。

希尔伯特曾经有过一个非常宏伟的计划，一旦公理和步骤法则给定，一切真理都应该能被推导出来。著名的哥德尔定理使这个计划的宏图化为泡影。以算法来获取真理的手段是非常受局限的，在任何一个形式系统中总存在不能由公理和步骤法则证明或证伪的正确的命题。康托尔关于无理数集合的不可数性、罗素集论的理发师悖论、哥德尔定理以及电脑停机问题都是一脉相承地沿用了康托尔对角线法而给予证明的。一言以蔽之，世界万花筒般的复杂性不可能用可数的算法步骤来穷尽。

灵感和直觉在发现真理方面比逻辑推导重要得多。彭罗斯和柏拉图相认同，发现真理是精神和数学观念的柏拉图世界进行接触。正如询问宇宙在大爆炸之前是什么样子的问题是没有意义的一样，柏拉图世界是超越时空的，具有“遗世独立”的品格。柏拉图世界至少和物理世界一样地具有实在性甚至两者是合二为一的。他认为著名的芒德布罗集一定是栖息在这个世界中，否则的话何以这么美丽呢？真可谓：“此曲只应天上有，人间能得几回闻？”

牛顿力学、麦克斯韦电磁学、爱因斯坦相对论和量子论给人类带来了神速的技术进步，在使人们充满了自信心的同时也给套上了宿命论的枷锁。我们宇宙的一切都已完全为第一推动所决定。过去人们将第一推动归于上帝，而量子宇宙论却把第一推动也都摒除了，宇宙在时空上是有限无界的！这肯定是自以为具有自由意志的人类所不能忍受的，什么人愿意生活在这种宇宙中呢？远离平衡态的热力学耗散结构也许是生命现象的雏形，动力系统的不稳定性导致混沌之中又隐含着新的秩序，这些是对理解生命的努力，也是半个世纪前人们始料不及的，但这还不是形而上学的精神。彭罗斯猜测，宇宙也许的确是宿命论的，但同时是不可计算的。我们的宇宙究竟有自由意志的存身之所吗？

人类智慧的最伟大工程之一是爱因斯坦的统一场论。其主要困难在于量子论和相对论之间的不协调。绝大多数物理学家都责备相对论，认为广义相对论只是一种唯象的理论。其实，就理论的美丽和经济性而言，相对论是远远地比量子力学优越。前者是人类智慧的产物，而后者是人们不得不接受的规则。量子力学的解释中仍有许多问题，譬如波函数的坍缩、薛定谔猫佯谬和爱因斯坦-波多尔斯基-罗森“矛盾”。这些困难也许在超越过它们的量子引力中可以得到解决。广义相对论的美丽和经济性体现在非线性之中，彭罗斯曾提出过非线性引力子的概念，这是从他早年对引力波碰撞的研究中得到启发的。他猜测到，发生量子波函数的坍缩的判据在于其引力效应超过单引力子的阈值。

彭罗斯镶嵌是除了芒德布罗集之外的对柏拉图观念存在性的有力支持。这两个例子的共同性是它们的发现和近代科学的进展基本无关。准晶体的五重准对称性是这种镶嵌的三维体现。彭罗斯猜测，准晶体生长的神经元行为既涉及单引力子判据又涉及量子引力的非定域性。

时间及其方向也许是意识的最大秘密。彭罗斯提出了外尔曲率猜测，宇宙的引力熵由外尔曲率来度量，而在大爆炸奇点处它必须为零，可惜迄今连这种关系的表达式都还没有找到，也许它必须是非定域的。他认为时间流逝的方向是由此衍生而来的。

原子时间、生物时间和宇宙时间以及时间箭头只不过是对时间概念的粗糙近似。爱因斯坦–波多尔斯基–罗森“矛盾”表明波函数坍缩是和狭义相对论的定域性以及因果性相矛盾，更遑论广义相对论了。在精神现象中，甚至时序都发生混乱，在灵感、直觉过程中或者在与柏拉图世界接触时似乎时间被不可思议地压缩了，它们甚至不发生在时间里。我们在洋洋自得的同时，又发现科学理论的成就还是这么贫弱。要完全弄清时间的含义得有待于量子引力的成功，这也是推动精神物理发展的关键。

彭罗斯对引力物理有过许多重要贡献，他（和霍金一道）证明了广义相对论的奇点的不可避免性，提出了黑洞的捕获面，以及克尔黑洞的能层概念。他发明了研究时空拓扑结构的主要工具即彭罗斯图。他对类空、类时和零无穷的阐释使引力辐射的图像更具形象。他把旋量引进引力物理，使辐射问题的研究更新，这就是纽曼–彭罗斯形式，在此框架中他证明了剥皮定理，即向无穷远辐射的引力可按照其衰弱方式被分成4个层次（电磁波只有两个层次）。

本书充满了许多猜测，正如历史上的许多猜测的命运一样，一些会存活，另一些会被淘汰。不管它们的命运如何，这正是当代思想家、哲学家和科学家必须去做正面冲突的问题。本书的字里行间充满了作者探索真理的灵感和激情。译者历经一个寒暑的辛苦，终于把这个译本奉献在读者面前。但愿在浏览此书之时，会有王献之行走于山阴道上目不暇接之感。人们在忙碌于都市生活之余，抽空到兰亭一游不也是件赏心乐事吗？

前言 马丁·加德纳

许多伟大的数学家和物理学家觉得，要写一本外行能理解的书，如果不是不可能的话，也是非常困难的。直到今年，人们也许还认为，罗杰·彭罗斯，这位世界上最博学和最有创见的数学物理学家之一，也属于这个范畴之内。我辈读过他的非专业性的文章和讲演，稍微了解一些底细。尽管如此，当发现彭罗斯在他的研究之余花费大量时间为见多识广的外行写下了这样美妙无比的书时，人们的确感到惊喜。我相信，该书会成为一部经典。

虽然彭罗斯的著述广泛地涉及相对论、量子力学和宇宙论，其关心的焦点乃是哲学家所谓的“精神–身体问题”。几十年来，人工智能专家尽力说服我们，再有一两个世纪的时间（有些人已把这些时间缩短到50年！）电脑就能做到人脑所能做的一切。他们因为受年轻时读到的科学幻想的刺激，而坚信我们的精神只不过是“肉体的电脑”（正如马文·明斯基曾经提出过的）。他们想当然地认为，当电子机器人的算法行为变得足够复杂时，痛苦和快乐、对美丽和幽默的鉴赏、意识和自由意志就会自然地涌现出来。

有些科学哲学家（最著名者为约翰·塞尔，他的大名鼎鼎的中文屋子的理想实验为彭罗斯所深入讨论）强烈地反对这种看法。对他们来说，电脑和用轮子、杠杆或任何传递信号的东西运行的机械计算机并没有什么本质的不同（人们可用滚动的弹子或通过管道流动的水流制造计算机）。因为电流通过导线比其他能量形式（除了光）走得更快，它就能比机械计算机更快地摆弄信号，并因此能承担庞大复杂的任务。但是，一台电脑是否以一种比算盘更优越的方式“理解”它的所作所为呢？是的，现代电脑能以大师的风度下棋。它们是否比一群电脑迷曾经用积木搭成的方格游戏机（一种西文的初级游戏）对游戏“理解”得更好些？

彭罗斯的书是迄今为止对强人工智能的最猛烈的攻击。几个世纪以来，人们就一直反对还原主义者关于精神只不过是已知物理定律操纵的机器的宣称。但是，因为彭罗斯凭借从前的作者不能获知的资讯，所以他的攻击更加令人信服。从这本书可以看出，彭罗斯不仅是一位数学物理学家，而且是一位第一流的哲学家，他毫无畏惧地和当代哲学家斥之为无稽的问题进行搏斗。

彭罗斯还不顾一小群物理学家的越来越强烈的否定，敢于认可强烈的现实主义。不仅宇宙是“外在的”，而且数学真理自身也有其神秘的独立性和永恒性。正如牛顿和爱因斯坦那样，彭罗斯对物理世界和纯粹数学的柏拉图实体极其谦恭和敬畏。杰出的数论学家保罗·厄多斯的口头禅是，所有最好的证明都记载在“上帝的书”上，数学家偶尔被允许去瞥见一页半纸。彭罗斯相信，当一位物理学家或者数学家经历一次突然的“惊喜”的洞察，这不仅是“由复杂计算作出”的某种东西，而是精神在一瞬间和客观真理进行了接触。他感到惊讶，莫非柏拉图世界和物理世界（物理学家已将其融入数学之中）真的是合二为一？

彭罗斯用了不少篇幅论及以其发现者本华·芒德布罗命名的芒德布罗集的著名的类分数维结构。虽然其局部放大在某种统计的意义上是自相似的，它的无限地盘旋的模式却以不可预见的方式不断地改变。彭罗斯（和我一样）觉得，若有人不认为这一奇异的结构不像喜马拉雅山那样是“外在的”，而且有待人们像探险丛林那样去勘探，那真是不可理喻。

彭罗斯是数量不断增加的一伙物理学家的一员，认为当爱因斯坦说他的“小指”告诉他量子力学是不完备时，他并非顽冥不化或昏头昏脑。彭罗斯为了支持这一争论，把你指引向涵盖众多课题的旅途，诸如复数、图灵机、复杂性理论、哥德尔的不完备性、相空间、希尔伯特空间、黑洞、白洞、霍金辐射、熵、脑结构以及许多当代研究的核心问题。狗和猫对其自身有“意识”吗？传递物质的机器可能在理论上把一个人如同在电视系列片《星际旅行》中那样，把宇航员从上往下地扫描的办法从一处向另一处运送吗？进化在意识的产生中发现了什么存活的价值？是否存在超越量子力学的一种水平，它为时间的方向以及左右之间的差别刻上烙印？量子力学的定律，也许甚至更高深的定律，是否对精神现象具有根本的作用？

彭罗斯对上述的最后两个问题的回答是“是”。他的著名的“扭量”理论——在作为时空基础的高维复空间中运算的抽象的几何对象——因为过于专业化而不能被包括在此书之中。它是彭罗斯20多年对比量子力学的场和粒子更深刻的领域进行探索的结果。在他对理论的4种分类，即超等、有用、尝试和误导之中，彭罗斯谦虚地把扭量理论和现在激烈争论的超弦以及其他大统一方案一道归于尝试类中。

彭罗斯从1973年起担任牛津大学的罗斯·鲍尔数学教授。这个头衔对他甚为适合。因为W.W.罗斯·鲍尔不仅是一位著名的数学家，还是一位业余魔术家。对数学游戏的强烈兴趣使他写下该领域的英文经典著作《数学游戏及漫笔》。彭罗斯和鲍尔一样地热心于游戏。彭罗斯在年轻时发现了一种称为“三杆”的“不可能物体”（一个不可能物体是由于其自相矛盾而不能存在的立体形态的图画）。他和他的父亲莱昂内尔，一位遗传学家，把三杆转变成彭罗斯楼梯，毛里兹·埃舍尔把它用于两幅众所周知的石板画《升降》和《瀑布》之中。有一天彭罗斯躺在床上，他在“一阵狂热”之后摹想到四维空间中的不可能物体。他说，它是这样一种东西，甚至一个四维空间的生物遇到它的话也会惊叫：“天哪，这是什么东西？”

20世纪60年代，当他和朋友史蒂芬·霍金合作研究宇宙论时，作出了也许是他最著名的发现。如果相对性理论“一直下去”都是成立的，那么在物理学定律不再适用的每一黑洞里必须有一奇点。不过，甚至使这一成就黯然失色的是他近年的另一项成就：彭罗斯只用两种形状的花砖就能以埃舍尔镶嵌的方法把平面铺满，但是这种镶嵌只能采取非周期性的形式。（你们可在拙著《彭罗斯镶嵌》中见识到有关这些讨人喜欢的形状。）与其说他发明了它们，不如说发现了它们，当时一点也没预料到它们有何用场。当人们发觉，他的镶嵌的三维形式是物体的奇异的新形态基元时，不禁大为惊奇。现代晶体学最活跃的研究领域便是探讨这类“准晶体”。这也是好玩的数学找到预想不到应用的现代富有戏剧性的事件之一。

彭罗斯在数学和物理上的成就——我只能触及一小部分——源于他毕生对“存在”的神秘和美丽保持好奇之心。他的小指头告诉他，人脑不仅仅是小导线和开关的集合。他的序言和跋中的“亚当”一部分是知觉生命的缓慢进化的意识曙光的象征。依我看来，他也就是彭罗斯——坐在离开人工智能领导者第三排的地方的小孩——敢于直言人工智能的皇帝没有穿衣服。彭罗斯的许多看法都富有幽默感，但这件事情绝不是闹着玩的。

感谢

我在著作此书时，曾得到过许多人的各种帮助，在此谨表感谢。尤其是那些（特别是参与我所观看过的英国广播公司电视节目的）强人工智能的提倡者所表达的如此极端的人工智能的观点，在多年以前刺激了我着手这一规则。（然而，如果我早知道要完成此书竟要如此辛苦，恐怕当初就不敢开始！）许多人细读了手稿的小部分并提供了不少改进的建议，我对他们也表示谢意，他们是：托比·贝利、大卫·多伊奇（他还检验了我的图灵机编号，对我特别有用）、斯图亚特·汉普夏尔、詹姆·哈特尔、莱恩·休斯顿、安格斯·麦金太尔、玛丽·詹·莫瓦特、特里斯坦·尼丹姆、特得·纽曼、埃利克·彭罗斯、托比·彭罗斯、沃尔夫冈·林得勒、恩格尔伯特·叙金和邓尼斯·西阿玛。我尤其欣赏克利斯托弗·彭罗斯为我提供的芒德布罗集的仔细信息以及约纳逊·彭罗斯提供的弈棋电脑的有用信息。我特别感谢科林·布莱克莫尔、埃利希·哈斯和大卫·胡贝尔，他们为我审阅了第9章，对于该章的领域我只能算是一个门外汉。正如我所致谢的其他人那样，本书的任何错误与他们无关。我感谢国家基金会的支持，其合同号码为DMS 84—05644、DMS 86—06488（莱斯大学，休斯敦，本书的一部分就是根据在该校作的演讲而写成的）以及PHY 86—12424（希拉库斯大学，在该校进行了关于量子力学的有价值的讨论）。我还十分感谢马丁·加德纳，他极其慷慨地为本书写前言以及提供一些具体的评论。我最感谢我亲爱的瓦尼莎，她对好几章进行了细致的批评，在文献上提供了许多帮助，在我最使人不能忍受时容忍我，她给了我极其需要的深挚的爱情和支持。

FIGURE ACKNOWLEDGEMENTS

THE PUBLISHERS EITHER have sought or are grateful to the following for permission to reproduce illustration material.

Figs 4.6 and 4.9 from D. A. Klarner (ed.), *The mathematical Gardner* (Wadsworth International, 1981).

Fig. 4.7 from B. Grünbaum and G. C. Shephard, *Tilings and patterns* (W. H. Freeman, 1987). Copyright© 1987 by W. H. Freeman and Company. Used by permission.

Fig. 4.10 from K. Chandrasekharan, *Hermann Weyl* 1885 — 1985 (Springer, 1986).

Figs. 4.11 and 10.3 from pentaplexity: a class of non-periodictilings of the plane. *The Mathematical Intelligencer*, 2, 32–37 (Springer, 1979).

Fig. 4.12 from H.S.M. Coxeter, M. Emmer, R. Penrose, and M.L. Teuber (eds), *M.C. Escher: Art and science* (North-Holland, 1986).

Fig. 5.2 ©1989 M.C. Escher Heirs/Cordon Ar-Baarn-Holland.

Fig.10.4 from *Journal of Materials Research*, 2, 1–4 (Materials Research Society, 1987).

All other figures (including 4.10 and 4.12) by the author.

序言

大会堂里有一个盛大的集会，标志着新的“超子”电脑的诞生。总统波罗刚刚结束了他的开幕词。他很高兴：他并不很喜欢这样的场合，对电脑也是一窍不通，只知道这种电脑即将为他赢得很多时间。制造商们向他保证，在这种电脑的诸多功能中，它还能代替他为那些他觉得如此厌倦的棘手的国家问题做决策。想到花费在它上面的金钱的数量，这种事最好是真的。他期待着能够在他那豪华的私人高尔夫球场上享受玩上许多小时高尔夫球的快乐——这是在他这小国家里所剩下为数不多的一块有相当面积的绿地。

亚当觉得置身于那些出席这一开幕典礼的人们之中不胜荣幸。他坐在第三排，两排前面坐着他的母亲：一个参加设计超子电脑的主要技术人员。凑巧的是，他的父亲也在那个场合——不过并没有得到邀请，现正在大厅后面被安保人员团团围住。在最后一分钟，亚当的父亲仍试图炸毁这台电脑。作为一小群灵魂意识委员会边缘活动分子的自命的“精神主席”，他给自己下达了这项任务。当然，他和他所带的所有炸药一下子就被各种电子的和化学的传感器给盯上了，对他惩罚中的一小部分就是他必须目睹这场开机运行的仪式。

亚当对他的父母都没多少感情，大概这种感情对他来说也没有必要。他所有的13年是在极端奢华的物质中长大的，而这又几乎全部受惠于电脑。他可以得到他所希望的任何东西，只要碰一下按钮即可：食物、饮料、陪伴以及娱乐；而且还有受教育，任何时候只要他感到需要——就会由感人的彩色图像显示来加以说明。他母亲的地位使所有这一切都成为可能。

现在，总设计师正在结束他的发言："……有10^{17}以上的逻辑单元，这比组成我们国家中任何人的脑部神经的数目还要多！它的智慧将是不可想象的，不过幸运的是我们不必去想象，我们马上就有幸亲眼看到这种智慧：我请我们伟大国家的尊敬的第一夫人，伊莎贝拉·波罗来转动这个开关，让我们的超子电脑开动运行！"

总统夫人向前走去，有点儿紧张，也有点儿笨拙，不过她还是转动了开关。"嘘"的一声，这10^{17}逻辑单元进入运转时有一丝难以觉察的暗淡的光，每个人都在等待，不知去期望什么。"现在有没有观众想提出第一个问题来让我们的超子电脑开始工作？"总设计师问道。每个人都感到羞怯，生怕在众人面前出丑——尤其是在这个新的"上帝"的面前。一片寂静。"可是必须得有一个人来提问呀？"总设计师请求大家。可是大家都害怕，似乎感到了一个新的全权的威慑，亚当可没有这种恐惧。他和电脑一起成长的，他几乎知道作为一台电脑它可能会怎样感觉。至少他自认为他可能知道，不管怎样，他总是好奇。亚当举起手来。"哦，好的，"总设计师说道，"第三排的这位小青年，你要向我们的新朋友提个问题，是吗？"

目录

第 1 章 001 **电脑能有精神吗**
001 引论
004 图灵检验
011 人工智能
014 用人工智能得到“快乐”和“痛苦”
019 强人工智能和塞尔中文屋子
027 硬件和软件

第 2 章 035 **算法和图灵机**
035 算法概念的背景
041 图灵概念
052 数据的二进制码
059 丘奇–图灵论题
062 不同于自然数的数
064 通用图灵机
075 希尔伯特问题的不可解性
085 如何超越算法
088 丘奇的λ演算

第 3 章 097 **数学和实在**
097 托伯列南国
103 实数
108 有多少个实数
112 实数的“实在性”
113 复数

120 芒德布罗集的构成
124 数学概念的柏拉图实在

第 4 章 129 **真理、证明和洞察**
129 数学的希尔伯特计划
133 形式数学系统
139 哥德尔定理
142 数学洞察
147 柏拉图主义或直觉主义
152 从图灵结果到类哥德尔定理
155 递归可数集
163 芒德布罗集是递归的吗
169 一些非递归数学的例子
181 芒德布罗集像非递归数学吗
184 复杂性理论
190 物理事物中的复杂性和可计算性

第 5 章 193 **经典世界**
193 物理理论的状况
202 欧几里得几何
210 伽利略–牛顿动力学
217 牛顿动力学的机械论世界
220 台球世界中的生活是可计算的吗
225 哈密顿力学
228 相空间

238 麦克斯韦电磁理论
242 可计算性和波动方程
243 洛伦兹运动方程；逃逸粒子
246 爱因斯坦和庞加莱的狭义相对论
259 爱因斯坦广义相对论
272 相对论因果性和决定论
277 经典物理的可计算性：我们的立场如何
279 质量、物质和实在

第 6 章 285 **量子魔术和量子神秘**
285 哲学家需要量子理论吗
289 经典理论的问题
291 量子理论的开端
294 双缝实验
300 概率幅
309 粒子的量子态
315 不确定性原理
317 U和R演化步骤
320 粒子同时在两处
326 希尔伯特空间
331 测量
335 自旋和态的黎曼球面
341 量子态的客观性和可测量性
343 复制量子态
344 光子自旋

347 大自旋物体
350 多粒子系统
357 爱因斯坦–波多尔斯基–罗森“佯谬”
366 光子实验：相对论的一个问题
369 薛定谔方程；狄拉克方程
371 量子场论
372 薛定谔猫
376 现存量子理论的不同看法
380 现状如何

第 7 章 384 **宇宙论和时间箭头**
384 时间的流逝
387 熵的无情增加
393 什么是熵
399 第二定律在起作用
403 宇宙中低熵的起源
409 宇宙论和大爆炸
415 太初火球
417 大爆炸能解释第二定律吗
419 黑洞
427 时空奇点的结构
432 大爆炸是何等特殊

第 8 章 441 **量子引力的寻求**
441 为什么需要量子引力

444 外尔曲率假设的背后是什么
449 态矢量减缩的时间不对称
455 霍金盒子：和外尔曲率假设的一个关联
464 态矢量何时减缩

第 9 章 471 真实头脑和模型头脑
471 头脑实际上是什么样子的
479 意识栖息在何处
483 头脑分裂实验
486 盲视
487 视皮质的信息加工
489 神经信号如何运行
493 电脑模型
498 头脑可塑性
500 并行电脑和意识的“一性”
502 量子力学在头脑活动中有作用吗
504 量子电脑
506 超越量子理论

第 10 章 509 精神物理的寻求
509 精神是做什么的
515 意识究竟是做什么的
520 算法的自然选择
523 数学洞察的非算法性质
526 灵感、洞察和创造性

533 思维的非言语性
536 动物意识？
538 与柏拉图世界的接触
541 物理实在的一个观点
543 宿命论和强宿命论
546 人存原理
548 镶嵌和准晶体
552 与头脑可塑性的可能关联
554 意识的时间延迟
558 时间在意识知觉中的奇怪作用
564 结论： 孩子的观点

567 注释
592 跋

第1章
电脑能有精神吗

引论

电脑技术在过去的几十年间有了极其巨大的进展。而且，很少人会对未来的几十年内在速度、容量和逻辑设计方面的伟大进步有所怀疑。到那时候，今日的电脑将显得正和我们今天看早年的机械计算机那样的迟钝和初等。其发展的节律几乎是令人恐惧的。电脑已能以人类远远不能企及的速度和准确性实现原先是属于人类思维的独霸领域的大量任务。我们对于机器能在体力方面超过自己早已司空见惯，它并不引起我们的紧张。相反的，我们因为拥有以巨大的速度——至少比最快的田径运动员快4倍——在地球上均匀地推动我们，以一种使几十个人相形见绌的速率挖洞或毁灭废弃建筑的装备而感到由衷的高兴。机器能实现我们过去在体力上从未可能的事，真是令人喜悦：它们可以轻易地把我们举上天空，在几个钟头内把我们放到大洋的彼岸。这些成就毫不伤害我们的自尊心。但是能够进行思维，那是人类的特权。正是思维的能力，使我们超越了我们体力上的限制，并因此使我们比同伙生物取得更加骄傲的成就。如果机器有朝一日会在我们自以为优越的那种重要品质上超过我们，那时我们是否要向自己的创造物双手奉出那唯一的特权呢？

机械仪器究竟能否思维的问题——也许甚至会体会到感情，或具有精神——不是一个什么新问题[1]。但是，现代电脑技术时代的来临赋予它新的冲击力甚至迫切感。这一问题触及到哲学的深刻底蕴。什么是思维？什么是感觉？什么是精神？精神真的存在吗？假定这些都存在，思维的功能在何种程度上依赖于和它相关联的身体结构？精神能否完全独立于这种结构？或许它们只不过是（合适种类的）身体结构的功能？无论如何，相关结构的性质必须是生物的（头脑）吗？精神——也能一样好地和电子设备相关联吗？精神服从物理定律吗？物理定律究竟是什么？

这些都被包括在本书我要试图探索的问题之中。要为这么崇高的问题寻求确定的答案当然是无理的要求。我不能提供这个答案：虽然有些人想用他们的猜测强加于我们，但在实际上，任何人也做不到。我自己的猜测在本书后头将起重要作用，但是我要清楚地把这些猜想和坚实的科学事实区分开来，并且我还要把这些猜想所依据的原因弄清楚。我不如这么说好了，有关在物理定律、数学性质和意识思维的结构之间的关系引起了某些显然全新的问题，我陈述了以前从未有人发表过的观点。这不是我三言两语即能足以描述的观点，因此需要写这么长篇幅的书。但是简略地讲，也许这样会引起一点误会，我至少能说，我的观点认为，正是我们现在对物理基本定律缺乏理解，才使我们不能物理地或逻辑地掌握“精神”的概念。我在这里不是讲，永远不可能很好地掌握这些定律。相反的，本书的部分目的即是企图在这一方面似乎有前途的方向去刺激将来的研究，并且想要提出某些相当特殊的、显然是新的关于“精神”实际上可在我们知道的物理发展中占据什么位置的建议。

我应该清楚地表明，我的观点在物理学家中是非传统的，并因此在目前不太可能被电脑科学家或生理学家所采纳。大部分物理学家会宣称，在人脑尺度下有效的基本定律已经完全知道。当然，在我们物理知识方面一般地仍有许多空白这一点，是无可争议的。例如，我们不知道制约自然的亚原子粒子质量值以及它们相互作用强度的定律。我们还不能使量子理论和爱因斯坦的狭义相对论完全协调——遑论去建立“量子引力论”了。这种理论要使量子理论和他的广义相对论相协调。由于还没有量子引力论，人们就不能理解在已知基本粒子大小的1/100000000000000000000的不可思议的微小尺度下空间的性质，尽管我们以为自己关于比这更大尺度下的知识是足够的。我们也不知道这整个宇宙无论在空间上还是在时间上是有限的还是无限的，尽管这样的不确定性对于人类尺度的物理学似乎没有什么影响。我们不理解既作用于黑洞的核心又作用于宇宙本身大爆炸起源处的物理学。然而，所有这些问题似乎和人类大脑运行有关的“日常”（或稍小一些）尺度问题的距离是要多遥远就有多遥远。它们肯定是遥远的！尽管如此，我将论证，正是在我们鼻子尖（不如说是后面），在我们的物理理解中，正是在和人类思维和意识的运行相关的水平上，还存在巨大的无知！正如我将要解释的，甚至大多数物理学家还不承认这个无知。我还要进一步论断，黑洞和大爆炸与对这些问题的考虑的确有相关之处，这真是令人吃惊！

我将要用证据来支持我提出的观点以说服读者。但是，为了理解这些观点我们还要做许多事。我们将要到奇异的国度以及陌生的研究领域中去旅游。我们要考察量子力学的结构、基础和困惑，狭义和广义相对论、黑洞、大爆炸、热力学定律、电磁现象的麦克斯韦理论以及牛顿力学的基本特征。当企图要理解意识的性质和功能时，哲学和心理学问题的作用就清楚地呈现出来了。除了设想的电脑模型外，我们当然要对大脑的实际神经生理学稍有些了解。我们要具备人工智能现状的某些观念，还需要知道什么是图灵机，需要理解可计算性、哥德尔定理以及复杂性理论的意义。我们还将深入到数学的基础甚至物理实在的最本质的问题中去。

如果，在这一切的结尾，读者对我要表达的不太传统的论证仍然无动于衷，那么我希望她或他从这个曲折迂回的，但我希望是激动人心的旅途中，得到某些真正有价值的东西。

图灵检验

让我们想象一种新型的电脑被推广到市场上来，它的记忆容量和逻辑单元的数目可能超过了人脑。还假定为此机器仔细地编了程序，并提供了合适种类的大量数据。制造者宣称这种仪器实际上在思维。他们也许还宣布它们真正是有智慧的。或许他们还走得更远，并提出该仪器实际上感到痛苦、快乐、慈悲、骄傲等，并且自己知道以及实际上理解它们自己的所作所为。的确，它们仿佛就要被宣布是有意识的。

我们如何才能相信制造者的宣称呢？当我们通常买一台机器时，完全根据其所提供的服务来判断其价值。如果它令人满意地完成了我们规定的任务，我们就很高兴。若不是这样，就把它送回去修理或代换。为了检验该制造者所宣称的该仪器实际上具有人类的属性，我们会根据这一判据，简单地判断它在这些方面是否能和人类一样地行为。假定它令人满意地做到这些，我们就没有原因去抱怨制造者，也没有必要把这台电脑退回修理或代换。

这就为我们提供了有关这些事体的非常有效的观点。假定该电脑的行为和一个人在思维时的行为方式不能区分，行为主义者就会说它在思维。我在此刻暂且采纳行为主义者的这一观点。当然，这不意味着我们要求电脑以一个人边想边走的方式移动。我们更不指望它会活灵活现地像人类：这些和电脑的目的无关。然而，这意味着我们要求它对任何我们介意问它的问题产生拟人的答案。假定它以一种和人类不能相区别方式提供这些答案，则我们就宣称对它的确在思维（或感觉、理解，等等）这个事实表示满意。

阿伦·图灵在题为《计算机和智力》的著名文章中有力地论证了这一观点。该文于1950年发表在哲学性杂志《精神》上（*Turing 1950*）。（我们以后还要时常提到图灵。）现在称作图灵检验的观念就是首次在这篇文章中描述的。这是为了检验一台机器是否能合情理地被说成在思维的企图。让我们假设一台电脑（正如上面描述的、我们制造者所叫卖的）确实被宣称为在思维。按照图灵试验，该电脑和某个人类的自愿者都躲开到（知觉的）质问者的视线之外。质问者必须依赖向他们双方提出检验问题，来决定两者何为电脑何为人类。这些问题以及更重要的是她[1]收到的回答，全部用一种非人格的模式传送，

1. 在写这类著作时，在没有任何性别含义的地方存在着不可避免地用“他”还是“她”两个代词的问题，在提到某一抽象的人时也遇到了相应的问题。我将用“他”来表明短语“她或他”，这就是我通常所做的。然而，我希望在这儿宁愿用一位女性的质问者这一点“性别主义”能被原谅。我猜想，她或许比她的男性对手对于识别真正的人性会更加敏感些！

譬如讲打印在键盘上或展现在屏幕上。质问者不允许从任何一方得到除了这种问答之外的信息。人的主体真实地回答问题并试图说服她，他确实是人而另外的主体是一台电脑；但是该电脑已被编好了“说谎”的程序，为了试图说服质问者它反而是人。如果质问者在一系列的这种检验的过程中，不能以任何一致的方式指明真正的人的主体；那么该电脑（或电脑程序，或程序员，或设计者等）肯定是通过了这一检验。

现在人们也许会争辩道，这种检验对于电脑实际上是不甚公平的。因为如果交换一下角色，使人的主体被要求去假装成电脑，而电脑作真实的回答，那么要质问者去发现哪个是哪个就太容易了。她所要做的一切只是要求这些主体进行某些复杂的算术计算。一台好的电脑能够一下子准确地回答，而人很容易被难倒。（然而，人们对此要稍微小心一些。有些“计算奇才”具有非常惊人的心算技巧，从不算错并且显得轻松胜任。例如约翰·马丁·萨查里阿斯·达斯[2]，一位文盲农夫的儿子，1824—1861年生活在德国。他能在比1分钟短的时间内用心算完成两个8位数的乘法，或在大约6分钟时间内完成两个20位数的乘法！很容易错认为这是一台电脑在计算。在现代，亚历山大·爱特金和其他人的计算成就也一样地令人印象深刻。爱特金是20世纪50年代爱丁堡大学的数学教授。质问者对此检验所选择的算术问题必须比这个更令人绞尽脑汁，譬如，在2秒钟内乘2个30位数，一台好的现代电脑可轻而易举做到这一点。）

这样，电脑程序员的部分任务是使电脑在某一确定方面比它实际更“愚蠢”。因为如果质问员要问该电脑一个复杂的算术问题，正如我们上面考虑过的，那么现在电脑必须假装回答不了或者马上放弃！但是我相信以这种方式使电脑变“愚蠢”不是电脑程序员面临的特别严重的问题。使之回答一些最简单的人类不会感到有任何困难的“常识”问题正是他们的主要困难！

然而，在引用这类特例时存在一个固有的问题。因为不管人们会首先提出什么，很容易设想一种方法使电脑正如一个人的样子去回答那个特殊问题。但是，在电脑方面的任何真正理解的缺乏都会因为不断地询问而显露出来，尤其是对于具有创造性和需要真正理解的问题。质问者的一部分技巧在于能设计出如此创造性的问题，另一部分是利用设计来揭示出是否发生某些实在“理解”的探测性的其他问题去追踪它们。她偶尔也可以问一个完全无聊的问题，看看电脑能否检测出差别来，她或者可以加上一两个表面上听起来像是无聊的，而实际上有一点意义的问题，例如她可以说：“我听说，今天上午一头犀牛在一个粉红色的气球中沿着密西西比河飞。你怎么理解此事？”（人们可以想象该电脑的眉头上，泛出冷汗——用一不适当的比喻！）它也许谨慎地回答：“我听起来觉得这不可思议。”到此为止没有毛病。质问者又问：“是吗？我的叔叔试过一回，顺流逆流各一回，它只不过是浅色的并带有斑纹。这有什么不可思议的？”很容易想象，如果电脑没有合适的“理解”就会很快地暴露了自己。在回答第一个问题时，它的存储器可以帮助它想到它们没有翅膀，甚至可以在无意中得到“犀牛不能飞”，或者这样地回答第二个问题“犀牛没有斑纹”。下一回她可以试探真正无意义的问题，譬如把它改变成“在密西西比河下面”，或者“在一个粉红色的气球之中”，或者“穿一件粉红色夜服”，再去看看电脑是否感觉到真正的差别！

让我们暂且撇开是否或何时能造出通过图灵检验的电脑的问题。让我们仅仅为了论证的目的假定，这种电脑已被造出。我们可以问，一台通过检验的电脑是否应该必须说出思维、感觉和理解等。我将要很快地回到这事体上来。此刻我们且考虑它的一些含义。例如，如果制造者的最强的宣布是正确的，就是说他们的仪器是一个思维的、感觉的、敏感的、理解的、意识的生物，那么在我们购买该仪器时就涉及道义的责任。如果制造者的话是可信的，事情就应该是这样子的！开动电脑仅仅是为了满足我们的需要而不考虑其自身的感情应受到谴责。那在道义上和虐待奴隶没有什么差别。一般地说，我们是应避免使电脑经受制造者宣称的它会感觉到的痛苦。当它变得和我们很亲近时，要关掉也许甚至卖掉它，在道义上对我们都是困难的。就会出现因我们和其他人类或其他动物的关系而要把我们卷入的其他无数的问题。所有这些现在都变成紧密相关的事体。这样，让我们（以及当局！）知道制造者的宣布是否是真的，便具有极大的重要性！我们假定这个宣布是基于他们如下的断言："每一台思维的仪器已被我们的专家严格地进行了图灵检验。"

我仿佛觉得，尽管这些声称的某些含义，尤其是在道义上有明显的荒谬性，但把成功地通过图灵检验当作存在思维、智慧，理解或意识的有效指标的情形，实际上是相当强的要求。如果我们不交谈的话，何以判断他人也具备这些品质呢？实际上还有其他的譬如面部表情、身体运动以及一般动作等判据，它们会大大地影响我们所作的这种判断。但是，我们可以想象（也许在更为遥远的将来）可把一个机器人制造得能成功地模拟所有这些表情和动作。这下子就不必要把机器人和人的主体躲藏在质问者的视界之外，但是质问者随意支配的判据在原则上可和以前相同。

我本人的观点是准备把图灵检验的要求大大地减弱。我似乎觉得要求电脑这么接近地模仿人类，以使得在一种相关的方式下不能和一个人区分开实在是太过分了。我自己想要求的全部是，我们知觉的质问者应该从电脑回答的性质对在这些回答背后的意识存在真正地感到信服，尽管它可能是非常异样的一种意识。这就是迄今建造的所有电脑系统明显缺乏的某种东西。然而，我能觉察到这样的一种危险，如果质问者能决定哪一方事实上是电脑，那么她可能也许是无意识地迟迟不把甚至她能感觉到的意识赋予电脑。或者在另一方面，她也许有这个印象，即她“嗅”到了这个“异物的存在”，即便该电脑没有这种可疑的好处，她还是准备赋予它这个好处。由于这种原因，就在图灵检验原先形式的更大的客观性上，它具有明显的优点，我在下面就一般地遵循于这种形式。我早先提到的对于电脑引起的“不公平”（也就是它必须做人能做的一切才能通过，而人不必会做电脑能做的一切）似乎没有使把图灵检验当作思维等真正检验的支持者忧虑。无论如何，他们的观点时常倾向于不必等太长时间，譬如讲到2010年，一台电脑就能实在地通过这一检验。（图灵原先提出，到2000年，对一位“中等的”质问者仅仅5分钟的提问，电脑的成功率为30%。）这意味着，他们相当有信心，这一不公平不会显著地延迟这一天的到来！

所有这些事体都与根本问题有关：也就是这一操作的观点是否实际上为判断一个对象中存在精神的品质提供一组合理的判据？有些人会竭力争论说它不是。不管模仿得多么有技巧，终究不和实在的东西一样。我在这一方面的看法是比较中庸。我倾向于相信，作为一般的原则，不管是多么巧妙的模仿，应该总能被足够巧妙的探测检验得出来，尽管这只是信念（或科学乐观主义）而不是已被证明的事实。这样，总的来说，我准备把图灵检验接受为在它的选定范围内是粗略成立的。也就是说，如果电脑对这些问题的确能以一种和人不能区分的方式回答，并如此适当地[1]一致地愚弄了我们有理解力的质问员，那么在缺乏任何相反的证据下，我猜想电脑实际上是在思维、感觉等。我在这儿用的这个词，譬如"证据"、"实际上"和"猜想"，其含义是当提到思维、感觉或理解或尤其是意识时，我用这些概念去表明实际客观的"事体"，它在物理形态上的存在与否是我们要确定的某种东西，而不仅仅是语言上的方便！我把这当作一个关键点。我们在所有能得到的证据的基础上作猜测，以辨别这种品质的存在。（这和譬如讲，天文学家想辨别遥远恒星的质量，在原则上没有什么不同。）

必须考虑哪一些反证据呢？关于这一点要预先立下规则是很困难。但是我要弄清楚的是，仅仅说电脑是由晶体管、导线等而不是由神经元、血管等构成的事实本身，我不认为是反证据。我在心里想到的是，在将来的某一时候可以发展出成功的意识理论，这里成功的含义是，它是一个连贯的适当的物理理论，以一种美丽的方式与物理理解的其余部分相协调，而且使它的预言精确地与人类所称何时、是否、到何等程度他们自己觉得是意识相互关联，而且这一理论在考虑我们电脑的想象的意识方面的确关系重大。人们甚至可以摹想按照这一理论的原则建造的"意识探测器"。对于人的主体它是完全可靠的，但

1. 在关于应把什么当成真正地通过图灵检验这一点上，我有点故意奸狡。例如，我可以想象电脑在一长串的失败后，可把人的原先的所有回答放在一起，然后把它们拌上一些随机的成分。过了一阵我们疲倦的质问员也许用完了原先要问的问题，她就可能被愚弄，我把这种方式认为是电脑方面的"欺骗"！

在电脑的情形给出与图灵检验相左的结果。在这种情形下，人们必须非常小心地解释图灵检验的结果。我似乎觉得，人们对图灵检验的合适性问题的态度部分地依赖于他对科学技术如何发展的期望。我们以后必须再来考虑其中的一些问题。

人工智能

人工智能是近年来引起人们很大兴趣的一个领域，经常被简写成“AI”。AI的目标是用机器，通常为电子仪器，尽可能地模拟人的精神活动，并且或许在这些方面最终改善并超出人的能力。AI的结果至少在4个方向是有趣的。尤其是有关机器人的研究，它在很大的程度上是为了满足工业对可实行“智力”的，也就是万能和复杂的、原来需要人干预或控制任务的机械仪器的实际需要，并使他们以超过任何人的能力的速度和可靠性，或者在人类处于危险的各式各样条件下运行。还有专家系统的发展颇具商业和一般的兴趣，在这系统中整个职业的，譬如医学、法律等的主要知识都能编码载入电脑的系统知识库里。这些职业人员的经验和专长能被这种系统知识库所取代吗？所能指望得到的是否只不过是事实的罗列以及意义广泛的前后参考的长长的表格？电脑能否呈现（或模拟）出真正的智慧肯定具有相当大的社会含义。心理学是和人工智能有直接关系的另一领域。人们希望通过利用电子仪器来模拟人脑或某些其他动物头脑的行为，倘若发现做不到，也可以知道有关头脑工作的某些重要的东西。最后，还存在一个乐观的希望，就是由于类似的原因，AI可为精神概念的意义提供洞察，并为其深刻的哲学问题提供一些答案。

迄今为止，AI已进展到何等程度呢？让我来总结是有一些困难。在世界各地存在许多活跃的小组，而我只熟悉这工作的一小部分的细节。尽管如此，可以公正地说，AI虽然的确做了许多聪明的事，但对真正智慧的任何模拟还是非常遥远的事。为了使读者领略这个学科的风味，我首先提到早先的（仍然是令人印象深刻的）成就，以及后来在计算机下棋方面的重要进展。

W.格雷·瓦尔特的“乌龟”[3]是20世纪50年代早期制造的第一批人工智能仪器之一。在电池快用光前，它会以自己的动力在地面上四处爬行，而且还会爬到离得最近的电插座那儿，把自己插上给电池充电。当充满了电以后，自己会从插座拔出，并重新在地面上爬行！从那时起人们制造出来许多类似的东西（例如，参见*Waltz 1982*）。另一独立发展的线索是以特里·维诺格拉德在1972年设计的电脑程序为例子，它在模拟中可以和一堆不同形状和颜色的木块明智地打交道，以不同的顺序和排列把一块放在另一块的上面。尽管早期获得这类成功，但人们证明了，即使设计一个简单的能操纵自如的、避开人类看来“显然”需用动作来躲开的障碍物的、连接的“机器人手臂”也是何等的困难。视场的解释通常也是AI步骤在目前根本无法接近人脑（以及绝大多数其他动物的头脑）似乎能“轻而易举”做到的那种程度的领域。

K.M.科尔比在20世纪60年代中期发展的电脑程序也许更和图灵检验相连贯。它如此成功地模拟成一位精神疗法专家，以至于某些病人发现自己宁愿要电脑而不要人类的医疗家，并且对电脑比对人类的对手更愿把自己的内心袒露得更多些。可将下列（通过电传机）的交谈视作在电脑“医生”和病人之间的这种交流的一个例子[4]：

医生：我可以为你效劳吗

病人：我不知道

医生：请告诉我一些情形

病人：不

医生：请你说得仔细些

病人：今天我厌烦得很

医生：你知道这是什么原因

病人：是的，我老了

医生：请继续讲

病人：仿佛任何事情都激不起我的兴致

医生：请更多地告诉我你的这种感觉

病人：我也略知为何我会有这样的感觉

医生：是吗

病人：我似乎在想有一个家

医生：什么东西使你有这样的想法

病人：它是一种挑战

医生：为什么那对你是重要的

虽然这会给你一种电脑具有某种理解力的可怕印象。在事实上它一点也没有，只不过是遵循着某种相当简单的机械规则而已。（还存在一个和它相“颠倒”的系统，这时电脑装成一个痴呆症病人，给出教科书的所有答案和症状，并能捉弄一些医科学生，使之相信是一位病人在提供回答！）

计算机下棋也许为机器能显示可认为是“智慧行为”的最好例

子。现在（1989年）一些机器在与人对弈时实际已达到极受尊敬的水平，达到了“国际大师”的水准。（为了比较起见，世界冠军卡斯帕洛夫评分高于2700，而这些电脑的评分略低于2300。）特别是，邓恩和卡舍·斯普拉克伦（为忠诚优越商业微处理机）写的电脑程序已达到2110的（Elo）评分，并得到USCF“大师”称号的奖。主要由卡内基·梅隆大学的许雄编程序的“深思熟虑”更是令人印象深刻，它的评分约为2500 Elo，最近在一次下棋锦标赛中（1988年11月，加利福尼亚，长堤）首次取得了（和大师托尼·迈尔斯）共享第一名，并实际上第一回击败了一位大师（本特·拉森）的成就[5]！现在下棋电脑也精于解答棋术问题，它在这方面的造诣轻而易举地超过了人类[6]。

下棋机除了精确的计算能力外，还大大地依赖于“博学多闻”。值得评论的是，只要落子动作要求非常快，下棋机总的来说比相当多的弈手高明一些。如果每一着允许的时间更长，则弈手的表现相对地比机器好。人们可依照如下事实来理解这一切，电脑是基于准确和快速的广义的计算来做决策的，而弈手则依赖于利用相对缓慢的意识评定的“判断”。利用这些人的判断来显著地减少必须在每一计算步骤中认真考虑的可能性，当有时间时，可以得到比不用这类判断而只用简单计算和直接排除可能性的机器更深刻的分析。在玩困难的东方围棋时，这一差别就更显著，那里每一步的可能数目比国际象棋大得多。意识和形成判断之间的关系，将是我后面尤其是第10章论证的中心。

用人工智能得到“快乐”和“痛苦”

人工智能宣称为理解精神品质，譬如快乐、痛苦、饥渴等提供了途径。让我们举格雷·瓦尔特的乌龟为例子。它的行为模式在电池快用完时就要改变，然后它以被设计好的行为方式补充自己的能量存储。这和人类或任何动物感到饥饿时的行为非常类似。当格雷·瓦尔特乌龟以这种方式行为时，说它饥饿了并没十分歪曲语言。其中的某些机制对它电池的状态很敏感，低到一定点时就会让乌龟转换到不同的行为模式。在动物饥饿时，除了其行为模式的改变更复杂、更微妙之外，无疑存在某些类似的动作。它不是简单地从一种行为模式改变到另一种行为模式，而是存在一种以确定方式行为的倾向的变化，当补充能量供应的需求增加时，这些变化就会更强烈（达到某一点）。

类似地，某些AI的支持者摹想，可以这种方式来适当模拟诸如痛苦或快乐的概念。让我们把情形简化，并只考虑从极端“痛苦”（分数为−100）到极端“快乐”（分数为+100）的单独的“感觉”测度。想象我们有一台仪器，譬如讲是某种电子的、具有记录它自己的（假想的）“快乐–痛苦”度量，我把它称作“苦乐表”。这一仪器具有一定的行为模式和一定的内部的（譬如它的电池状态）或外部的输入。其想法是把它开动以使其苦乐度取最大值。可能会有许多影响苦乐度的因素。我们肯定可以做这样的安排，使得电池中的电荷就是其中的一个因素，低电量算作负的，而高电量算作正的，但是还有其他因素。也许我们的仪器装有某些太阳能电池，这是获取能量的另一种手段。这样，当光电池起作用时就不消耗电池的能量。我们可以把光电池朝向光线以增加其苦乐度。这就是不存在其他因素时它所要做的事。（实际上，格雷·瓦尔特乌龟通常避开光线！）我们需要某种实行计算的手段，使得它能弄清它上面部分的不同动作最终在它的苦乐度上的可能效应。可以引进概率权重，使得计算在苦乐度表上具有更大或更小的效应，依其所根据的数据的可靠性而定。

还必须为我们仪器提供仅仅为了维持它的能量供应以外的其他“目的”，否则我们就没有办法去把“痛苦”从“饥饿”中区别出来。在此刻要求我们仪器有生育等功能无疑是太过分了，性的问题不予考虑！但是，我们也许能对它注入一种和其他同类仪器相陪伴的“需求”和它们相遇就得到正的苦乐值。我们或者可以为了其自身的缘故“渴望”学习，使得只要储存有关外部世界的事实即能在苦乐表上得正分（我们可以更自私地安排在为我们作各种服务时得到正分，正如一个人在制造机器仆人时所要做的那样！）。也许有人会争论道，由于凭一时高兴把这种“目的”加到我们的仪器上显得有些做作。但是，这和自然选择加在作为个体的我们身上的，在很大程度上是由于传宗接代的需求所支配的一定“目标”，并没有什么非常大的差别。

现在，假设我们的仪器按照所有这一切已被成功地造出。我们有什么权利去宣称它的苦乐值为正时它确实感到快乐，而苦乐值为负时感到痛苦呢？AI（或操作主义）的观点是，我们简单地从仪器行为的方式来判断。由于它以一种尽可能增加其正值的（并且尽可能久的）以及相应地尽量避免负值的方式行为，所以我们可以合理地把它的值的正的程度定义为快乐的感觉，而相应地把负值定义为痛苦的感觉。人们会说，此定义的“合理性”正是来自于人类对于快乐和痛苦是以目标方式反应的这一事实。当然，正如我们都知道的，人类的事情实际上并不像这么简单：我们有时似乎特地招惹痛苦，故意回避某种快乐。很清楚，我们的行为实在是由比这些更复杂得多的判据所导引的（参阅*Dennett 1978*，190—229页）。但是作为一个非常粗糙的近似，我们的行为的确是避免痛苦和追求快乐。对于一个行为主义者来说，这已经足够在类似的近似水平上，为我们的仪器的苦乐度和它的痛苦快乐评价的相认同提供正当的理由。这种认同仿佛也是AI理论的一个目的。

我们应该问：在我们的仪器的苦乐度为负或为正时，它是否真正分别地感觉到了痛苦或快乐呢？我们的仪器在根本上是否能感觉到什么呢？行为主义者或者会斩钉截铁地说“显然如此”，或者把这一问题斥为无稽之谈。但是，我觉得这里很清楚地存在一个要考虑的、严肃的困难问题。它对我们自己具有不同种类的影响。有些像痛苦或快乐是可意识的；但是还有其他我们不直接知道的。这可由一个人触摸到热火炉的经验得到清楚的阐明。他在甚至还未感到痛楚之前就采用了抽手回来的不情愿的动作。事情似乎变成，这种不情愿的动作比痛苦或快乐的实际效应更接近于我们仪器对自己的苦乐度的反应。

人们经常用一种拟人化的语言，以一种叙述性的、通常是滑稽的方法来描述机器的行为：“今天早晨我的车仿佛不想动”；或“我的手表仍然认为这是加利福尼亚时间”；或“我的电脑宣布，它不理解上一条指令，而且不知道下一步要做什么”。我们当然不是真正地表明车实际上会要什么，或者手表在思维，或者那台电脑[1]真的宣布任何事情，或者它理解甚至知道自己在做什么。尽管如此，假使我们仅仅在它们企图的意义上而不是按字面宣布上接受这样的陈述，则它们可

---

1. 譬如讲在1989年！

以是描述性的，并且对我们自己的理解有真正的帮助。我将会对AI的有关各式各样建造起来的仪器所具有的精神品质的声称采取类似的态度，而不顾及他们所企图和渴望的！如果我同意说，格雷·瓦尔特乌龟会饥饿，那只是在半开玩笑的意义上这么说的。如果正如上面所摹想的，我准备对苦乐值使用诸如“痛苦”或“快乐”等术语，那只是因为我发现其和我自己的精神状态的行为有一定的相似性，这些术语有助于我对其行为的理解。我不是暗示这些类似真的是特别接近，或者不存在其他无意识的以更加类似得多的方式影响我行为的东西。

我希望使读者清楚，我的意见是，对精神品质的理解，除了直接从AI得到之外，还存在有更大量的东西。尽管如此，我相信AI实现了一种值得尊敬和慎重处理的严肃的情势。我在说到这些时，并不意味着在人工智能的模拟中，如果有的话，有非常多的成就。但是人们必须心中有数，这个学科还是非常年轻的。电脑的运行会变得更快速，具有更大的可快速存取的空间、更多的逻辑元，并可并行地进行更大数目的运算。在逻辑设计和程序技术方面将会有所改善。这些机器，这种AI哲学的载体将在它们的技术能力方面得到大幅度的改善。此外，该哲学本身也不是固有地荒谬的。也许电脑，也就是当代的电脑的确能非常精确地模拟人类的智慧。这种基于今天被理解的原则，但是具有更伟大得多的能力、速度等的电脑一定会在近年内被制造成功。也许甚至这样的仪器将真正是智慧的；也许它们会思维、感觉以及具有精神。或者它们也许还制造不出来，还需要一些目前完全缺乏的原则。这些都是不能轻易排斥的问题。我将尽我所见地提出证据。我将最终提出自己的看法。

强人工智能和塞尔中文屋子

有一种称作强人工智能的观点在这些问题上采取相当极端的态度[7]。根据强AI，不仅刚才提到的仪器的确是智慧的并且有精神等，而且任何计算仪器，甚至最简单的机械的，诸如恒温器的逻辑功能都具有某种精神的品质[8]。这种观点认为精神活动只不过是进行某种定义得很好的，经常称作算法的运算。下面我将精确地说明算法实际上是什么。此刻暂且把算法简单地定义为某种计算步骤就已足够了。在恒温器的情形下，其算法至为简单：仪器记录其温度是否比设定的更高或更低，然后使线路在前面情形时断开，而在后面情形时接通。对于人脑的任何有意义的精神活动，其算法必然比这复杂得多，它和恒温器的简单算法在程度上具有极大的差别，而在原则上则相同。这样，根据强AI，人脑的主要功能（包括它的一切的意识呈现）和恒温器之间的差别只在于，在头脑的情形中具有大得多的复杂性（或许"更高级的结构"，或"自省性质"，或其他可赋予算法的属性）。按照这一观点，至为重要的是，所有精神品质，譬如思维、感情、智慧、理解、意识都仅仅被认为是这一复杂功能的不同侧面；也就是说，它们仅仅是头脑执行的算法的特征。

任何特殊算法的价值在于它的表现，也就是它的结果的精确，它的范围，它的经济性和它可运行的速度。一种想和人脑中假想的运行的算法相比拟的算法一定是非常了不起的东西。如果头脑中存在有这一类算法，强AI支持者肯定作此断言，那么在原则上它可在一台电脑上执行。假定它不受存储容量和运算速度的限制的话，的确可在任何当代的通用电脑上执行。（我们以后去考虑普适图灵机时，这一评论就会得到证实。）人们预料，在不太远的将来大型快速电脑将会克服任何这类限制。一旦这样的一种算法能被找到，它就能通过图灵检验。强AI支持者就会宣布，只要执行该算法，它自身就会体验到感情，具有意识，并且是一种精神。

绝不是每一个人都同意，可用这类方法把精神状态和算法相等同。美国哲学家约翰·塞尔（1980，1987）尤其反对这种观点。他引用过这种例子，即假定有一台适当地编了程序并已经实际上通过了简化的图灵检验的电脑；但是他以有力的论证支持如下观点：即便如此，这台电脑仍然完全不具备和理解有关的精神属性。其中一个例子是基于罗杰·尚克（*Schank and Abelson 1977*）设计的电脑程序之上。该程序的目的是为理解简单的故事提供模拟，例如："一个人进入餐馆并订了一份汉堡包。当汉堡包端来时发现被烘脆了，此人暴怒地离开餐馆，没有付账或留下小费。"第二个例子是："一个人进入餐馆并订了一份汉堡包。当汉堡包端来后他非常喜欢它；而且在离开餐馆付账之前，给了女服务生很多小费。"作为对"理解"这一故事的检验，可以询问电脑，在每一种情形下此人是否吃了汉堡包（这一事实在任一故事中都没有说清）。电脑对这类简单的故事和问题可给出和任何讲英文的人都会给出的根本无从区别的回答，也就是对于这些特定的例子，第一种情形是"非"，而第二种情形是"是"。这样一台机器已在这一非常有限的意义上通过了图灵检验！

我们应该考虑的问题是这类成功是否实际上表明电脑方面或许程序本身方面具有任何真正的理解。塞尔使用了他的"中文屋子"的概念来论证它不具备。他首先摹想，这一故事是用中文而不是英文来讲，这肯定是非本质的改变。把这一特殊演习的电脑算法的所有运算（用英文）作为一组指令提供给用中文符号进行操作的计算员。塞尔想象自己被锁在一个屋子里操纵这一切。代表这一故事和问题的一连串符号通过一条很小的缝隙被送进这屋子。不允许任何其他的来自外面的信息漏进去。最后当所有的操作完成后，程序的结果又通过这条缝隙递到外面来。由于所有这些操作都是简单地执行尚克程序的算法，这个最终程序的结果简单地为中文的“是”或者“非”，给出了关于以中文说的故事用中文问的原先问题的正确答案。现在，塞尔很清楚地表明他根本不识中文，这样他对该故事讲的是什么没有任何哪怕是最浅显的概念。尽管如此，只要正确地执行了那些构成尚克算法的一系列运算（已给他用英文写的这一算法的指令），他就能和一位真正理解这故事的中国人做得一样好。塞尔的要点是，而且我以为是相当有力的，仅仅成功执行算法本身并不意味着对所发生的有丝毫理解。锁在他的中文屋子里的（想象的）塞尔不理解任一故事的任一个词！

人们对塞尔的论证提出了许多异议。我将只提到我认为具有重要意义的那些。首先，在上面用到的“不理解任一个词”的短语也许有容易使人误导的东西。理解和模式之间正与它和单独词汇之间有一样多的关系。在执行这类算法时，在不理解许多个别词汇的实在意义的情形下，人们可以知觉这些符号构成的模式的某些东西。例如，中国字的“汉堡包”（如果真的有这个词的话）可用某一其他的食品譬如讲“炒面”来替换，而故事不会受到重大影响。尽管如此，我觉得可以合理地假设，如果人们仅仅跟踪着这种算法细节的话（即使认为这种代换不重要），则只传递了该故事中很少的实际意思。

其次，人们必须考虑这个事实，如果用人类的操纵符号来执行的话，在正常情形下甚至执行一个相当简单的电脑程序也会是非同寻常的冗长和繁琐。（这毕竟正是我们让电脑来为人类做这种事的原因！）如果塞尔真的以这种提议的方式实行尚克的算法，那么仅仅是为了得到哪怕是一个单独问题的答案，他很可能要花费许多天、许多月甚至许多年极其枯燥的工作，这根本不像是一位哲学家的活动！然而，由于我们在这里主要关心原则的而不是实践的事体，所以我仿佛觉得这不是一个严重的反对。在具有和人脑相当的足够的复杂性、并因此适当地通过图灵检验的假想的电脑程序中产生了更多的困难。任何这类程序都是极可怕的复杂。人们可以想象，为了回答甚至相当简单的图灵检验问题，这一段程序的运算会涉及如此多的步骤，以至于在一个正常人的一生中根本没有可能用手完成这一算法。在没有这种程序的情形下，这是否的确如此还很难说[9]。但是，依我的观点，这一极其复杂的问题无论如何不能简单地不予理睬。是的，我们在这里关心的是原则的事体，但是一个算法要呈现出精神品质，其复杂性就要达到某一“临界”量，我认为这是合情理的。这一临界量也许是如此之大，复杂到这等程度的算法，由任何人以塞尔摹想的样子用手来进行，根本就是不可想象的。

塞尔本人允许一整队不能讲中文的符号操作员去取代原先中文屋子里的孤独者（“他自己”），以此来抵抗上面的反对。为了得到足够大的数目，他甚至想象把它的屋子用印度整个国家来代换，现在它的全部人口（除了理解中文的人以外！）都来从事符号操作。虽然这在实践上是荒唐的，但在原则上却不是，而且该论断在本质上和以前是一样的：尽管强AI宣称只要实现适当的算法即会诱导出“理解”的精神品质，这些符号操作员仍然不理解这故事。然而，现在另有一种反对正开始幽然逼近。这些单独的印度人难道不是比起来更像人脑中的神经元而不像整个人脑本身吗？没人认为神经元本身会单独地理解这个人的思想，神经元的激发明显地构成人脑在进行思考时的物质活动，为何要期望单个印度人去理解这中文的故事呢？为了答复这一诘问，塞尔指出，如果在印度没有一个单独的人理解这一故事，而真实的国家却能理解显然是荒唐的。他论证道，一个国家正像一台恒温器或一辆汽车与“理解”毫不搭界，而与单独的个人却有关系。

这一论证，比前面的那个要苍白无力得多。我认为，塞尔的论证在只有一个单独的人在实行算法时力量最强大，这时我们只限于注意一个不复杂到可由一个人在短于一生的时间内实际执行的算法的情形。我认为他建立这一结论的论证不够严格，这就是不存在和一个人实行那个算法相关的离体的某种类型的“理解”，而且这种理解的存在并不以任何方法反射到他自身的意识上去。然而，我和塞尔都同意，至少可以说，这种可能性被减少到很微小的程度。我认为塞尔的论证对之还有相当的力量，即使它还不完全是结论性的。尚克的电脑程序所具有的这类复杂性的算法不能对其实行的任何任务有丝毫真正的理解，对这一点的展示是相当令人信服的，而且它（仅仅）暗示，不管一种算法是多么复杂它都不能自身体现真正的理解。这和强AI的声称相矛盾。

就我所能看到的，强AI观点中还有其他非常严重的困难。强AI观点就只管算法。这个算法是由头脑、电脑、印度整个国家、轮子和齿轮还是由一套水管系统来执行都是一样的。其观点是，对于被认为由算法所代表的“精神状态”，只有它的逻辑结构是有意义的，这与那个算法的特殊的物理体现完全无关。正如塞尔所指出的，这在实际上导致了一种“二元论”的形式。二元论是由极富影响力的17世纪的哲学家兼数学家勒内·笛卡儿所提倡的，它断言存在物质的2种不同的形式：“精神的东西”和通常物质。这两类物质的一种是否并且如何去影响另一种是个额外的问题。关键是认为精神的东西不是由物体所构成，并能独立于它而存在。强AI的精神东西是算法的逻辑结构。正如我刚评论过的，一个算法的特殊的物理体现，是完全无关的某种东西。算法有某种离体的“存在”，这和它的按照物理的实现完全分离。我们要多么认真地对待这种存在是我在下一章还要讨论的一个问题。它是抽象数学对象的柏拉图实在的一般问题的一部分。此刻我且回避这一般的问题，而且仅仅评论强AI支持者所仿佛的确相信的算法形成它们思维、感情、理解以及意识、知觉的“物质”。正如塞尔指出过的，强AI的立场似乎把人们逼向极端的二元论，也就是强AI支持者最不愿意与之打交道的观点，这真是富有讽刺意味！

这就是在道格拉斯·侯世达（1981）的题为《和爱因斯坦头脑谈话录》的对话中所论证的事件背后的两端论。他本人是强AI的主要提议者。侯世达捏造出一本极厚的书，假想它能包含对阿尔伯特·爱因斯坦头脑的整个描述。正如活着的爱因斯坦要回答的那样，只要简单地翻阅该书，并仔细地按照所提供的细致的说明，任何人愿意问爱因斯坦的问题都能得到回答。当然，正如侯世达所指出的那样，“简单”是十足的误称。但是他的宣称是，在图灵检验的操作意义上，这本书在原则上完全等效于实在的爱因斯坦的慢得可笑的复件。这样，按照强AI的论争，这本书可像爱因斯坦本人那样思维、感觉、理解和知觉，但是也许是以极慢的节律生活（这样，从书–爱因斯坦看来，外部世界似乎以疯狂的高速度闪现）。由于这本书被认为仅仅是组成爱因斯坦"自己"的算法的特殊体现，它实际上就是爱因斯坦。

但是，现在出现了新的困难。这本书也许从未被打开过，或者它被无数追求真理的学生和研究者熟读。这本书怎么"知道"这种差别呢？这本书也许不必被打开，它的信息可由X射线立体扫描术或其他技术的魔法取出。爱因斯坦的知悉是否只有当这本书被考察时才被唤起呢？如果两个人在两个完全不同的时刻去问该书同样的问题，他是否发觉是发生了两回？或者那是否使爱因斯坦知觉的同一状态在两个分开的和时间不同的事件中实现？或许只当该书被改变时，他的知觉才被唤起？毕竟在正常情况下，当我们知觉到从影响我们记忆的外部世界接受到一些信息时，我们的精神状态确实稍被改变。如果是这样的话，这是否意味着，算法的"适当的"改变（我在这里把记忆的储存包含到算法部分中去）而不是（或者以及）算法的激活被认为和精神事件相关？或者即便书–爱因斯坦从未被任何人或任何东西考察或扰动过，它是否维持在完全自知觉的状态？侯世达触及了其中的一些问题，但他完全不想去回答这些，或者和我们大多数人妥协。

去激活或者以物理形式体现一个算法是什么意思呢？改变一个算法是否和仅仅抛弃一个算法并且用另一个取代之在任何意义上是否不同呢？这些究竟和我们意识知悉的感觉有关吗？读者（除非他或她本人是强AI支持者）也许会惊讶，为什么我为这样明显的荒谬的思想花了这么多的篇幅。事实上，我不认为这一思想在本质上是荒谬的——只是错误的！在强AI的背后的推理中的确有某种必须慎重对付的力量，我将解释这一点。我的观点是，这些思想若被适当地修正的话，还具有一些魅力，正如我还将告知诸位的。此外，依我的看法，塞尔表达的特殊的矛盾的观点还包含某些严肃的困惑和表面的荒诞，尽管如此，在一定程度上我仍然同意他！

塞尔在他的讨论中似乎隐含地接受当代的电脑，但是还加上大大加快了的动作速度和快速存取的记忆容量（而且可能并联运行），可以在不太遥远的将来体面地通过图灵检验。他是准备接受强AI的论点（以及其他大部分“科学”观点），“我们是任何电脑程序的体现”。此外，他还附和这种说法：“头脑理所当然地是一台电脑。由于任何东西都是一台数字电脑，头脑也是[10]。”塞尔坚持，人脑（它可有精神）和电脑（他论证说没有精神），两者都可以执行同样算法，两者功能之间的差别完全在于各自的物质构成。但是，由于他不能解释的一种原因，他声称生物体（头脑）可有“意图性”和“语义性”，他把这些定义为精神活动的特征，而电子仪器没有。我觉得这对于得到科学的精神理论实质上没有什么用处。也许除了生物系统（而我们刚好是这样的系统）的进化来的历史的“方式”以外，关于它有什么特殊的东西特地被恩准获得意图性或语义性？我觉得这一断语就像教义一样地令人可疑，甚至也许不比强AI的坚持的只要执行一个算法即能召唤起意识知觉的状态的说教更加独断！

我的意思是，塞尔以及大量其他的人被电脑专家引入歧途。而这些电脑专家又依序地被物理学家引入歧途。（这不是物理学家的过错。他们甚至不知道发生了什么事情！）“每一件东西都是一台电脑”的信念似乎已广泛蔓延。我在本书的愿望是为了表明，为何以及也许如何情况并非如此。

硬件和软件

在电脑科学的行话中，术语硬件表示一台电脑，涉及的实在的机构（印刷线路、晶体管、导线、磁性存储空间等），包括了把所有东西都联结起来的方法的全部细节。相应地，术语软件是指可在机器上进行的各种程序。阿伦·图灵的一个杰出的发现便是，任何其硬件达到一定程度复杂性和灵活性的机器，都等效于任何其他同类机器。这一等效性的含义是，对于任何两台这样的机器A和B，存在一段特别的软件，如果将其赋予机器A，就会使之完全像机器B一样地动作；类似地，还存在另一段特殊的软件，如果将其赋予机器B，就会使之和机器A完全一样地动作。我在这里用词“完全一样”是指，对任何给定的输入（在对机器提供了转换软件之后再提供它）机器的实际输出，而不是指每台机器用以产生这输出所花的时间。如果任何一台机器在任何阶段用光了用于计算的存储空间，我还允许其调用一些（在原则上无限制的）外部空白空间的“粗纸”供应，可采用磁带、磁盘、磁鼓或任何别的什么。事实上，对机器A和B执行同一任务所需时间的不同值得严肃地加以考虑。例如，也许有这种情形，A在执行一特别任务时比B快1000倍；也许还有这种情形，同样的一对机器，存在某一其他任务，这时B比A快1000倍。此外，这里计时可以极大地依赖于所用的转换软件的选取。这是非常“原则的”讨论，人们不甚关心诸如在一段合理的时间内完成他的计算的实际的事体。我将在下一章把在这里提到的概念弄得更精确些：机器A和B是所谓通用图灵机的实例。

实际上，所有现代通用的电脑都是通用图灵机。这样，在上述的意义上，所有通用的电脑都是互相等效的：假使我们不关心运算的速度和存储空间的可能限制，则它们之间的差别可完全地被包摄到软件中去。的确，现代技术已经使得电脑如此快速地运行，并具有如此庞大的储存能力，对于大多数“日常”目的，这些实际考虑对于通常的需求不构成任何严重的限制[1]，所以这种电脑之间有效的理论上的等价也可认为是在实践的水平上的。技术仿佛已经把有关理想化的计算仪器的纯学术讨论转变或直接影响我们生活的事体。

就我所知，作为强AI哲学基础的最重要因素之一是在物理计算仪器之间的这种等价。硬件似乎相对地不重要（也许甚至完全不重要），而软件也就是程序或者算法被认为是要紧的因素。然而，我似乎觉得还有从物理的方向来的更多的重要的基础因素。我将指出这些因素是什么。

是什么东西赋予个别人其单独的认同性呢？在一定的程度上，是否正是构成他身体的原子呢？他的认同性是否依赖于构成这些原子的电子、质子和其他粒子的特殊选择呢？至少有两种理由说明不可能是这样子的。首先，任何活人身体的物质都处于连续代换的状态中。这尤其适用于一个人脑的细胞中，尽管在出生后没有产生新的脑细胞的这一事实。在每一活细胞（包括每一个脑细胞）中的绝大多数原子以及实际上我们身体的整个物质从诞生以来已被代换了许多回。

---

1. 详情可参阅在第4章结尾处关于复杂性理论和NP问题的讨论。

第二个理由来自于量子物理。而且极富讽刺意味的是，严格地讲，它和第一个理由相冲突！按照量子力学（我们在第6章还要进一步地讨论），任意两个电子必须是完全等同的，这同样地适合于任意两个质子以及任一特殊种类的两个粒子。这不仅仅说没有办法把两个粒子区分开，其陈述比这还要强许多。如果一个人脑中的一个电子和一块砖头中的一个电子相互交换，则系统的态和它过去的态不仅不能区分，而且完全相同[11]。这同样适用于质子和任何其他种类的粒子，整个原子、分子等。如果一个人的整个物质内容和他房子里的砖头的相应的粒子相交换，那么在某种强的意义上来讲，没有发生过任何事情。把人和他的房子区分开来的是把这些成分安置的模式，而不是这些成分本身的个性。

在与量子力学无关的日常水平上也许存在一个相似的情景。这就是由于电子技术使得我能以文字处理机来打字。当我写到这里时感到特别明显。如果我必须改变一个词，譬如说把“make”改成“made”，我只要简单地把“k”用“d”来取代即可以，或者我可重打整个词。如果我重打，新的“m”是否和旧的“m”一样，或者我是否用同样的字母来取代了它呢？“e”的情形又如何呢？即使如果我简单地用“d”来取代“k”，而不重打这个词，存在刚好在“k”消失和“d”出现从而填上空隙之间的一个瞬息，随着接续的每一字母（包括“e”）的安置，存在（或者至少有时存在）重排这页之后的波动。然后当“d”插进去时又再次重新计算。（呵，现代没有思想的计算是多么的“卑贱”！）不管怎么样，在我面前屏幕上看到的所有字母，随着它的每1秒钟的60次扫描，仅仅是一个电子束的轨迹的缝隙。如果我取走了任一字母并用同一字母取代之，在代换后的情形是否一样，或仅仅和原先的不可区分？认为第二种观点（也就是“仅仅是不可区分的”）可以和第一种观点（也就是“同样”）相区分似乎是痴人说梦。至少在字母不变时可以合理地说这情形是同样的。而等同粒子的量子力学的情形也是如此。把一个粒子用另一个等同粒子取代时量子态不受丝毫影响。这情形的确被认为和以前的是同样的。（然而，正如我们在第6章将要看到的，这一差异在量子力学的框架中实际上不是微不足道的。）

上述关于在一个人体中连续地置换原子的评论，是在经典的而不是量子物理的框架下进行的。它是在似乎坚持每一原子的个性有意义的情形下措辞的。经典物理在这一描述的水平上把原子当作单独物体的近似是足够好的，我们不会错得太离谱。假设原子在运动时和它们等同的伙伴分离得相当开，那么由于在事实上每一个原子的轨道是连续的，以致人们想象能够看守住每一个并可以协调地认为它们坚持各自的本体。从量子力学的观点看，原子的个性只不过是一种方便的说法，但是在刚才考虑的水平上它是一个足够协调的描述。

让我们接受这种观点，一个人的个性和人们想赋予他的物质成分的任何个性无关。相反地，在某种意义上，它必须和那些成分的形态，即我们所说的空间或时空中的形态有关。（后面还要更多地讲到。）但是强AI的支持者走得比这更远。如果这样一种形态的信息内容能被翻译成另一种可能恢复成原状的形式，那么他们就能够宣称，这个人的个性必须维持不动。这正如同我刚打的字母序列和我现在于我的文字处理机屏幕上看到的展示是一样的。如果我把它们从屏幕上移开，它们被编码成某种微小的电荷位移的形式，处在一种和我刚才打印的字母在几何上毫无类似性的某种形态。然而，我可在任一时刻把它们移回到屏幕上去，它们在那里正如同没有进行过任何变换一样。如果我选择把我才写下的存起来，那么我可以把字母序列的信息转移到一个以后我可取走的磁盘的磁化形态上去，然后关掉机器就中和了在它上面的所有（有关的）微小电荷位移。第二天，我可重新插入我的磁盘，复原小电荷位移并在屏幕上正如没有发生过任何事一样重现字母序列。这对于强AI支持者而言是“清楚的”，一个人的个性可用同样的方式处理。所以这些人会宣称，正如在我的显示屏幕上的字母序列一样，如果一个人的身体形状被翻译成完全不同的某种东西，譬如说一块磁铁的磁场，他的个性一点也没损失，实际上对他根本没有发生过什么。他们甚至会宣称，当一个人的“信息”处于这不同的形式时，他的意识知觉继续存留。一个“人的知觉”在这种观点中实际被当成一段软件，而他作为一个物质的人的特殊的显现则被认为是通过他头脑和身体硬件对这软件的运算。

作这些断言的原因仿佛是，不管硬件采取何种物质形式，例如某种电子仪器，人们总可以“问”软件问题（以图灵检验的形式），并假定该硬件能令人满意地进行计算以获得这些问题的答案。这些答案会和一个人处于正常状态时所回答的相同。（“今天上午你感觉如何？”“哦，相当好，谢谢，尽管我有一点讨厌的头痛。”“你对你的个人认同感和别的什么有点不对头的地方吧？”“不，你为什么这样讲？这似乎是很古怪的问题。”“那么你感到你正是昨天的那个同一的你吧？”“当然是这样！”）

科学幻想的超距运送机[12]是一种被频繁讨论的观念。这是作为譬如讲从一颗行星到另一颗行星的“运送”手段。所有的讨论都是关心它是否能在实际上做到这样。旅行者不用空间飞船以“正常”方式运送其身体，而是从头到脚地被扫描，他身体的每一原子和电子的准确位置和完整的特征都被全部细致地记录下来。然后所有这些信息由一电磁信号束（以光速）发射到目的地。在目的地把这信息收集到，并作为装配旅行者以及他所有记忆、企图、希望和最内心的感情的复本的指导书。至少这就是所期望的，因为他的头脑状态的每一细节都被完全忠实地记录、传送和重造了。假如这个机制能成功，则旅行者的原版可被“安全地”毁掉。显然的问题是：这真的是从一处到另一处旅行的一种方法吗？或者它是否仅仅是制造一个复本而把原先的人杀死？假定这种方法在这框架中被证明是完全可靠的，你会准备用这种方法吗？如果超距运送不是旅行的话，那么在原则上它和从一个房间走到另一个房间有何不同？在后者的情形，难道不是一个时刻的原子简单地为下一时刻的原子提供定位的信息吗？我们毕竟看到了，维持任何特殊原子的等同性都是没有任何意义的。原子的任何运动模式难道不就是构成从一处到另一处传播的信息的波吗？在描述从一个房间随便遛达到另一房间的我们旅行者的波动传播和发生在超距运送机中的有什么本质的区别吗？

假定远距运送的确“可行”，那就是说，在一遥远行星的旅行者的复本中他自身的“知觉”确实被重新唤醒（假设这是一个具有真正意义的问题）。如果该旅行者的原版没有如这个游戏所需求的那样被毁坏，将会发生什么呢？他的“知觉”是否会同时处于两个地方呢？（当你听到如下一段话时想象着将会如何反应：“哦，亲爱的，在把你放到超距运送机前给你的药已过期了。是吗？那是有点不幸，但是没有关系。无论如何，你将高兴地听到，另一个你，呃，我是说真正的你已经安全地到达了金星。这样，我们可以把你，哦，我指的是多余的版本，安置在这儿。当然这是完全不痛苦的。")这种情景有一点佯谬的风味。物理学的定律中是否有任何在原则上使得超距运送不可能的东西呢？另一方面，也许在原则上没有东西反对以这种手段运送一个人以及他的意识，但是所涉及的"复制"过程会不可避免地消灭原来的那个人吗？尽管这些考虑显得很奇异，我相信从它们也许可得到某些关于意识和个性的物理性质的东西。我相信它们提供了表示量子力学在理解精神现象的某种根本作用的指针。但是我更往前多跨一步。我们只有在第6章（参见第325页）考察了量子理论的结构后，才能回到这些事体上来。

让我们看看强AI的观点与远距运送问题有什么关联。我们设想，在这两个行星之间的某处有一转换站，在这里把信息暂时存储然后再传送到最终的目的地。为了方便起见，这信息不用人的而是用某种磁或电的仪器的方式存储。该旅行者的"知觉"是否会在和这一仪器的相关联中呈现呢？强AI的支持者愿使我们相信，事情必然如此。他们说，我们想问该旅行者的任何问题，在原则上都可由此仪器答复，"只要"对他的头脑的适当活动建立模拟就可以了。该仪器会拥有所有必需的信息，而余下的只不过是计算的问题。由于仪器会完全如同旅行者一样地回答问题，那么（图灵检验！）它就是该旅行者。这完全回到了强AI的论点，在考虑精神现象时硬件根本不重要。我觉得这一论点是未被证实的。它是基于如下的假设，即头脑（或精神）实际上是一台数字电脑。他们假想，当一个人思维时并没有引起特别的物理现象，也许头脑真正需要具备特殊的物理的（生物的、化学的）结构。

人们无疑地会(从强AI观点)争论道,所做的仅有的假设是,任何必须涉及的特殊物理现象的效应都可由数字电脑精密地仿照。我可以相当肯定,大多数物理学家会论证道,在我们现在对物理理解的基础上作这样的假设是非常自然的。我将在后面的章节提出我自己持相反观点的原因(我在那里还需要把话题引到为何我相信甚至不必作任何假定)。但是,在此刻我们暂且接受这一(普遍的)观点,即所有相关的物理总能由数字计算来仿照。那么(除了时间和计算空间的问题外)这唯一真正的假设是一个“行为主义”的问题,即如果某物全然像一个意识的知觉的本体那样地行为,那么人们还应该坚持说它“感觉”到它自己是那一个本体。

强AI观点认为,在头脑运行中实际上被涉及的任何“仅仅”是作为硬件问题的物理,必须能用合适的转换软件来模拟。如果我们接受这个行为主义的观点,那么问题就归到普适图灵机的等价,以及任何算法的确可由这种机器执行的事实,还有头脑按照某类算法动作行动的假设。现在到了我要更明白地解释这些迷人的重要概念的时候了。

第 2 章
算法和图灵机

算法概念的背景

算法、图灵机或者普适图灵机究竟是什么呢？为何这些概念在可以构成“思维仪器”的东西的现代观点中占有如此核心的地位呢？是否在原则上存在一个算法可达到的绝对极限呢？为了充分地讨论这些问题，我们必须比较细致地考察算法和图灵机的观念。

我在下面的各种讨论中，有时将要用到一些数学表达式。我注意到有些读者排斥这类东西，或者觉得它们吓人。如果你是这种读者，那么我请你原谅，并请你参照我在“敬启读者”中的建议。其实，这里论证所需的数学知识并不超过小学水平，但要仔细地弄通它们，则需要一些认真的思考。事实上，大部分描述是十分显明的，只要细心地跟随就能很好地理解。即使，如果人们只是为了稍微领略其风味而取其精华，也能有很大的收益。另一方面，如果你是一位专家，我还要请你原谅。我猜想，它仍然值得你花一段时间把我所写的看一遍，并且可能会有一两件东西引起你的兴趣。

“算法”这个词来自于9世纪波斯数学家花拉子模，他在公元825

年左右写了一本影响深远的《代数学》。“算法”这个词现在之所以被拼写成“algorithm”，而不是早先的更精确的“algorism”，似乎是由于和“算术”(arithmetic)相关联的缘故。[还值得指出的是，“代数”(algebra)这个词来源于该书书名的阿拉伯字“al jabr”。]

然而，在花拉子模的书以前很久人们就知道了算法的实例。现在被称作欧几里得算法的找两个数最大公约数的步骤是在古希腊(公元前300年左右)即有记载的一个非常熟知的例子。让我们看看这是如何进行的。随意取两个具体的数，譬如讲1365和3654。所谓的最大公约数是可以同时整除这两个数的最大的整数。在应用欧几里得算法时，我们让这两数中的一个被另一个除并取余数，在3654中取出1365的两倍，其余数为924(=3654−2730)。我们现在用此余数即924以及我们刚用的除数即1365去取代原先的两个数。我们用这一对新的数重复上述步骤，用924去除1365，余数为441。这又得到新的一对441和924，我们用441除924，得到余数42(=924−882)，等等，直到能够被整除为止。我们把这一切如下列出：

3654÷1365	得到余数924
1365÷924	得到余数441
924÷441	得到余数42
441÷42	得到余数21
42÷21	得到余数0

我们最后用于做除数的21即是所需要的最大公约数。

欧几里得算法本身是我们寻找这一因子的系统步骤。我们刚才把这一步骤应用于具体的一对数，但是这步骤本身可被十分广泛地应用于任意大小的数。对于非常大的数，要花很长时间来执行该步骤，数字越大则所花的时间越长。但在任何特定的情形下，该步骤最后会终结，并在有限的步骤内得到一个确定的答复。每一步骤所要进行的运算都是非常明了的。此外，尽管它可应用到大小没有限制的自然数上去，但是可以用有限的术语来描述整个过程。（“自然数”简单地就是通常的非负[1]整数0，1，2，3，4，5，6，7，8，9，10，11…）。的确很容易建立一个（有限的）描述欧几里得算法全部逻辑运算的“流程图”。

应该提到，我们在这里隐含地假定，已经“知道”如何实行从两

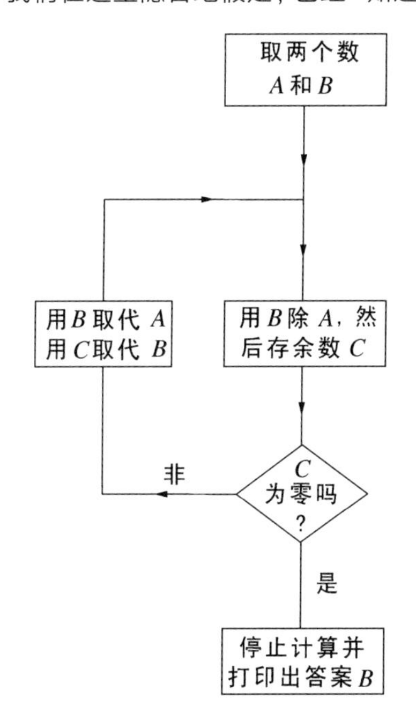

个任意自然数A和B的除法中得到余数的必需的基本运算，所以这一步骤还未完全被分解成最基本的部分。那种运算又是算法的，是用我们在小学学到的除法的非常熟悉的步骤来进行的。在实际上，这个步骤比欧几里得的其他部分更复杂不少，但是可以再为它建立一个流程图。其复杂性主要起源于这个事实，即我们是（假定）对自然数用标准的“十进制”记数法。这样子我们需要列出全部的乘法表并考虑进位，等等。如果我们简单地用一连串n个某种记号来代表数n，例如×××××代表5，那么可从非常初等的算法运算看到余数的形成。为了得到当A被B除时的余数，可以简单地从代表A的记号中不断去掉代表B的符号串，直到最后余下的记号不够再进行这种运算为止。最后剩下的符号串提供了所需的答案。例如，为了得到17被5除的余数，我们可以简单地从×××××××××××××××××不断地取走5的序列×××××正如下面所示：

×××××××××××××××××

××××××××××××

×××××××

××

由于我们不能再继续这种运算，所以很清楚，其答案是2。

用这种连续减法找到除法余数的流程图可由下图给出。

为了使欧几里得算法的全部流程图完整，我们把上面形成余数的流程图代入到原先流程图的中右部的盒子中去。这种把一个算法向另一个代入是一种普遍的编电脑程序的步骤。上述寻求余数的算法是一个子程序的例子，也就是说，它是由主程序当做它的运算的一部分（通常是预先知道的）调用的算法。

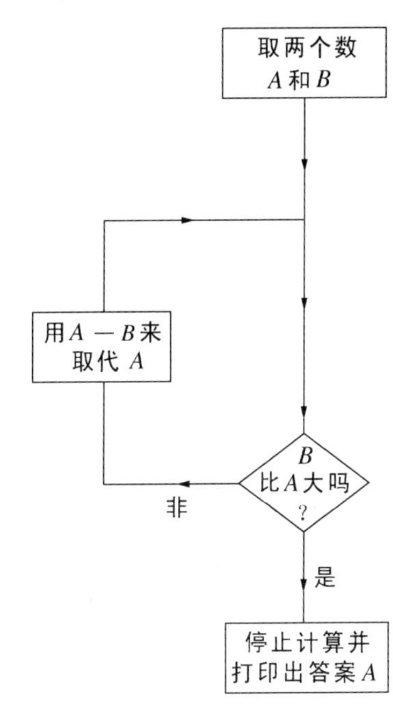

当然，把数n简单地用n个×号来表示，在涉及大数时效率非常低，这就是我们通常用更紧凑的诸如标准的（十进位）系统的原因。然而，我们在这里并不特别关心运算或记号的效率。我们所关心的是运算在原则上是否可被算法实行的问题。如果我们用一种数的记号是算法的东西，则用另一种记号也是算法的。两种情况中只有在细节上和复杂性上有差别。

欧几里得算法只是在整个数学中可找到的大量的经典算法步骤

之一。可能出人意料的是，尽管算法的这一特殊例子有悠久的历史渊源，但一般算法概念的准确表达直到20世纪才诞生。事实上，这一概念的各种不同描述都是在20世纪30年代给出的。称作图灵机的概念是最直接的、最有说服力的，也是历史上最重要的。相当仔细地考查这些“机器”将是很适当的。

关于图灵“机”有一件事必须记在心里，就是说它是一段“抽象数学”，而不是一个物理对象。这一概念是由英国数学家，非凡的破码专家兼电脑科学的开山鼻祖阿伦·图灵在1935—1936年提出的（*Turing 1937*）。其目的是为了解决称为判决问题的一个范围广阔的问题。它是由伟大的德国数学家大卫·希尔伯特部分地于1900年巴黎国际数学家大会上（“希尔伯特第十问题”），更完整地于1928年博洛尼亚国际会议上提出的。希尔伯特不多不少地要求解决数学问题的一般算法步骤，或者不如讲，是否在原则上存在这样步骤的问题。希尔伯特还有一个要把数学置于无懈可击的坚固基础上的宏伟规划，其中公理和步骤法则一旦定下就不能变。但是在图灵完成其伟大的工作之际，这个规划已经遭受到由奥地利才气焕发的逻辑学家库尔特·哥德尔在1931年证明的令人吃惊的定理的粉碎性打击。我们将在第4章谈论哥德尔定理及其意义。图灵关心的希尔伯特问题（判定问题）超越出任何依据公理系统的特殊的数学形式。问题在于，是否存在能在原则上一个接一个地解决所有（属于某种适当定义的族的）数学问题的某种一般的机械步骤？

回答这一问题的部分困难在于决定什么叫作“机械程序”。这概念处于当时正常的数学概念之外。为了掌握它，图灵设想如何才能把

“机器”的概念表达出来，它的动作被分解成基本项。这一些似乎是清楚的，图灵也把人脑当成在他意义上的“机器”的例子。这样，由人类数学家在解决数学问题时进行的任何活动，都可以被冠以“机械程序”之名。

虽然这一有关人类思维的观点似乎对于图灵发展他的极重要概念很有价值，我们却绝没有必要去附和它。的确，图灵在把机械程序的含义弄精确时，向我们展示出存在一些完好定义的数学运算，在任何通常的意义上，都不能被称为机械的！图灵本人的这一方面工作现在可间接地为我们提供了他自己有关精神现象性质观点的漏洞。这个事实也许不无讽刺意味。然而，这不是我们此刻所关心的。我们首先要弄清图灵心目中的机械程序究竟是什么。

图灵概念

我们设想实现某种（可以有限地定义的）计算步骤的一台仪器。这样仪器会采取什么样的一般形式呢？我们必须准备得理想化一些，而且不必为实用性过分担心：我们是真正地考虑一台数学上理想化的“机器”。我们要求该仪器具有有限（虽然也许非常大的）数目的不同可能态的分立集合。我们把这些称作仪器的内态。但是我们不限制该仪器在原则上要实现的计算的尺度。回顾一下上述的欧几里得算法。在原则上不存在被该算法作用的数的大小的限制。不管这些数有多大，算法或者一般计算步骤都是同样的。对于非常大的数，该步骤的确要用非常长的时间，而且需要在数量可观的“粗纸”上面进行实际的计算。但是不管这些数有多大，该算法是指令的同一有限集合。

这样，虽然我们仪器只有有限个内态，它却能够处理大小不受限制的输入。此外，为了计算应允许该仪器调用无限的外存空间（我们的“粗纸”）；而且能够产生大小不受限制的输出。由于该仪器只有有限数目的不同的内态，不能指望它把所有外部数据和所有自己计算的结果“内化”。相反地，它必须只考察那些立即处理的数据部分或者早先的计算，然后对它们进行任何需要的运算。也许可在外存空间把那个运算的相关结果记下来，然后以一种精确决定的方式进行下一个阶段的运算。正是输入、计算空间和输出的无限性质告诉我们，我们正在考虑的仅仅是一种数学的理想化，而不是在实际上可真正建造的某种东西（图2.1）。但这是极其关键的理想化。对于大多数实用目的而言，当代电脑技术的奇迹为我们提供了无限的电子存储仪器。

事实上，在上述讨论中称为“外部的”存储空间的类型，可实际上被认为是现代电脑的内部工作的一部分。存储空间的某一确定部分是否被当作内部的或外部的，也许只是术语的问题。硬件和软件是划

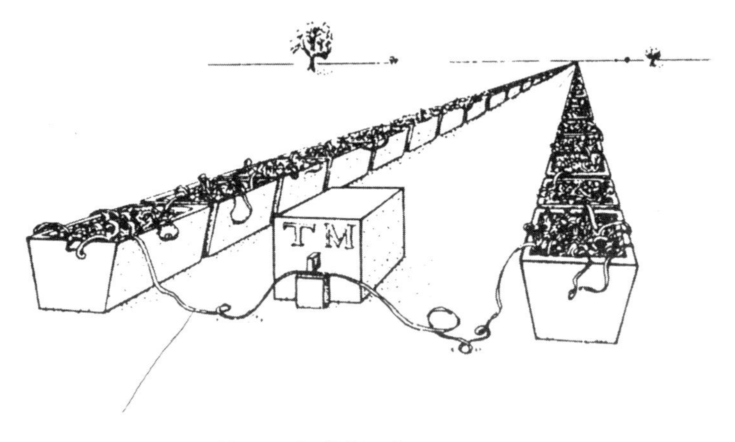

图2.1 一台严格的图灵机需要无限的磁带

分"仪器"和"外部"的一种方法，内部可当成硬件，而外部为软件。我将不必拘泥于此，但是不管从哪个角度看，当代电子电脑是图灵的理想化的极好近似。

图灵是按照在上面做记号的"磁带"来描述其外部数据和存储空间的。一旦需要，仪器就会把该磁带调来"阅读"，而且作为其运算的一部分，磁带可前后移动。仪器可把记号放到需要的地方，可抹去旧的记号，允许同一磁带像外存（也就是"粗纸"）以及输入那样动作。因为在许多运算中，一个计算的中间结果起的作用正如同新的数据，所以事实上在"外存"和"输入"之间不做任何清楚的区分也许是有益的。我们记得在欧几里得算法中，不断地用计算不同阶段的结果去取代原先的输入（数A和B）。类似地，这同一磁带可被用作最后输出（也就是"答案"）。只必须进行进一步的计算，该磁带就会穿过该仪器而不断地前后移动。当计算最后完成时，仪器就停止，而计算的答案会在停于仪器一边的磁带的部分上显示出来。为了确定起见，我们假定，答案总是在左边显示，而输入的所有数据以及要解的问题的详细说明总是由右边进去。

让我们有限的仪器前后移动一条潜在的无穷长的磁带，我自己觉得有点不舒服。不管其材料是多么轻，移动无限长的磁带是非常困难的！相反地，我宁愿把磁带设想成代表某一外部环境，我们有限的仪器可以通过这环境进行移动。（当然用现代电子学，既不需要"磁带"也不需要"仪器"做实际的、通常物理意义上的"运动"，但是这种"运动"是一种描述事体的便利方法。）依此观点，该仪器完全是从这个环境接受它的输入。它把环境当成它的"粗纸"。最后将其输出在这同一个环境中写出。

在图灵的描述中，“磁带”是由方格的线性序列所组成，该序列在两个方向上都是无限的。在磁带的每一方格或者空白或者包含一个单独的记号[1]。我们可利用有记号或者没有记号的方格来阐释，我们的环境（也就是磁带）可允许被细分并按照**分立**（和连续相反的）元素来描述。希望仪器以一种可靠并绝对确定的方式工作，这似乎是合情理的。然而，我们允许该“环境”是（潜在地）无限的，把这作为我们使用的数学理想化的特征。但是，在任何**特殊的**情形下，输入、计算和输出必须总是**有限的**。这样，虽然可以取无限长的磁带，但是在它上面只应该有有限数目的实在的记号。磁带在每一个方向的一定点以外必须是空白的。

我们用符号“0”来表示空白方格，用符号“1”来代表记号方格，例如：

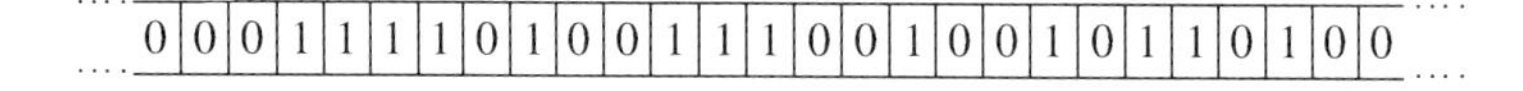

我们要求该仪器“读”此磁带，并假定它在一个时刻读**一个**方格，在每一步运算后向右或向左移动一个方格。这里没有损失任何涉及的一般性。可以容易地由另一台一次只读和移动一个方格的仪器去仿照一台一次可读n个方格或者一次可移动k个方格的仪器。k方格的移动可由一个方格的k次移动来积累，而存储一个方格上的n种记号的行为

1. 事实上，图灵在他原先的描述中允许磁带有更复杂的记号，但这并没有什么本质上的差别。更复杂的记号总能被细分成记号和空白的序列。我将随意地对他原先的详细说明作各种不重要的变通。

正和一次读n个方格一样。

这样的一台仪器在细节上可做什么呢？什么是我们描述成“机械的”东西作用的最一般的方式呢？我们记得该仪器的**内态**在数目上是有限的。除了这种有限性之外，我们所需要知道的一切是该仪器的行为完全被其**内态**和输入所确定。我们已把输入简化成只是两个符号“0”或“1”之中的一个。仪器的初态和这一输入一给定，它就完全确定地运行；它把自己的内态改变成某种其他（或可能是同样的）内态，它用同样的或不同的符号0或1来取代它刚读过的0或1；它向右或向左移动一个方格；最后它决定是继续还是终止计算并停机。

为了以明白的方式定义该仪器的运算。我们首先，譬如讲用标号0，1，2，3，4，5，… 来为不同的内态编号；那么，用一张显明的代换表可以完全指定该仪器或图灵机的运行，譬如：

00→00R
01→131L
10→651R
11→10R
20→01R STOP
21→661L
30→370R
⋮ ⋮
2100→31L
⋮ ⋮

2580→00R. STOP

2590→971R

2591→00R. STOP

箭头左边的大写的数字是仪器在阅读过程中磁带上的符号，仪器用右边中间的大写的数字来取代之。R告诉我们仪器要向右移动一个方格，而L告诉我们它要向左移动一个方格。（如果，正如图灵原先描述的那样，我们认为磁带而不是仪器在移动，那么我们必须将R解释成把磁带向左移动一个方格，而L为向右移动一个方格。）词STOP表示计算已经完成而且机器就要停止。特别是，第二条指令$01\rightarrow131_{L}$告诉我们，如果仪器内态为0而在磁带上读到1，则它应改变到内态13，不改变磁带上的1，并沿着磁带向左移一格。最后一条指令 2591→00 R.STOP 告诉我们，如果仪器处于态259而且在磁带上读到1，那么它应被改变为态0，在磁带上抹去1而产生0，沿着磁带向右移一格，然后终止计算。

如果我们只用由0到1构成的符号，而不用数字0，1，2，3，4，5… 来为内态编号的话，则就和上述磁带上记号的表示更一致。如果我们有选择的话，可简单地用一串n个1来标号态n，但这是低效率的。相反地，我们使用现在人们很熟悉的二进制数系：

0→0，

1→1，

2→10，

3→11，

4→100,

5→101,

6→110,

7→111,

8→1000,

9→1001,

10→1010,

11→1011,

12→1100, 等等

正如标准的(十进位)记数法一样,这里最右边的数字代表“个位”,但是紧靠在它前面的位数代表“二”而不是“十”。再前面的位数代表“四”而不是“百”,更前面的是“八”而不是“千”等。随着我们向左移动,每一接续的位数的值为接续的二的幂:1,2,4(=2×2),8(=2×2×2),16(=2×2×2×2),32(=2×2×2×2×2)等。(为了将来的其他目的,我们有时发现用二和十以外的基来表示自然数是有用的:例如基数为三,则十进位数64就可被写成2101,现在每一位数都为三的幂:$64=(2\times3^3)+3^2+1$;参阅第4章139页的脚注。)

对上面图灵机的内态使用这种二进制记数法,则原先的指令表便写成:

00→00R

01→11011L

10→10000011R

11→10R

100→01STOP

101→10000101L

110→1001010R

⋮ ⋮

110100100→111L

⋮ ⋮

1000000101→00STOP

1000000110→11000011R

1000000111→00STOP

我还在上面把R. STOP简写成STOP，这是由于可以假定L. STOP从来不会发生，以使得计算的最后一步结果，作为答案的部分，总是显示在仪器的左边。

现在假定我们的仪器处于由二进制序列1010010代表的特殊内态中，它处于计算的过程中，第44页给出了它的磁带，而且我们利用指令110100100→111L：

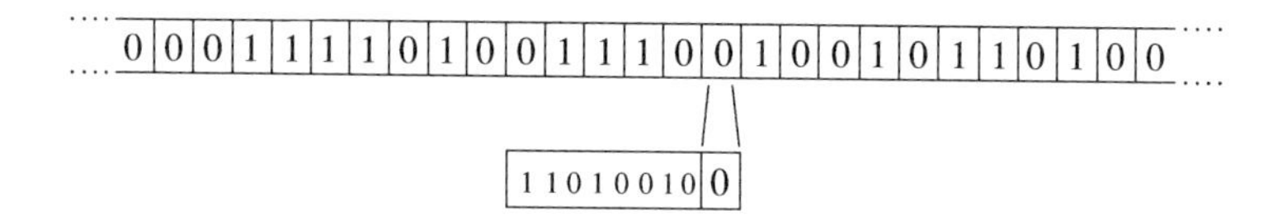

在磁带上被读的特殊位数（这里是位数“0”）由一个更大写的数字指示，符号串的左边表示内态。在由上面（多多少少是我随机造出的）部分的指定的图灵机例子中，读到的“0”会被“1”所取代，而内态

变成“11”，然后仪器向左移动一格：

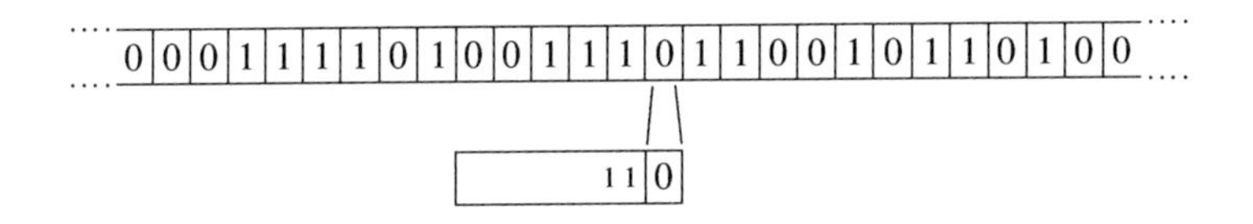

该仪器现在即将读另一个数字，它又是“0”。根据该表，它现在不改变这个“0”，但是其内态由“100101”所取代，而且沿着磁带向右移回一格。现在它读到“1”，而在表的下面某处又有如何进一步取代内态的指令，告诉它是否改变所读到的数，并向那个方向沿着磁带移动。它就用这种方式不断继续下去，直到达到STOP为止，在该处（在它向右再移一格之后）我们可以想象听到一声铃响，警告机器操作员计算完毕。

我们将假定机器总是从内态“0”开始，而且在阅读机左边的磁带原先是空白的。所有指令和数据都是在右边输进去。正如早先提到的，被提供的这些信息总是采用0和1的有限串的形式，后面跟的是空白带（也就是0）。当机器达到STOP时，计算的结果就出现在阅读机左边的磁带上。

由于我们希望能把数字数据当作输入的一部分，这样就需要有一种描述作为输入部分的通常的数（我这里是说自然数0，1，2，3，4，…）的方法。一种方法可以是简单地利用一串n个1代表数n（尽管这会给我们带来和自然数0相关的困难）：

$1\to1$，$2\to11$，$3\to111$，$4\to1111$，$5\to11111$，等等。

这一初等的数系（相当非逻辑地）被称作一进制数系。那么符号“0”可用作不同的数之间的分隔手段。这种把数分隔开的手段是重要的，这是由于许多算法要作用到数的集合，而不仅仅是一个数上面。例如，对于欧几里得算法，我们的仪器要作用到一对数A和B上面。图灵机可以很容易地写下执行该算法的程序。作为一个练习，某些勤奋的读者也许介意去验证下面的一台图灵机（我将称它为EUC）的显明的描述，当应用到一对由0分隔的一进制数时，的确会执行欧几里得算法：

00→00R，01→11L，10→101R，11→11L，100→10100R，
101→110R，110→1000R，111→111R，1000→1000R，
1001→1010R，1010→1110L，1011→1101L，1100→1100L，
1101→11L，1110→1110L，1111→10001L，10000→10010L，
10001→10001L，10010→100R，10011→11L，
10100→00STOP，10101→10101R。

然而，任何读者在进行此事之前，从某种简单得多的东西，譬如图灵机UN+1开始将更为明智：

00→00R，01→11R，10→01STOP，11→01R。

它简单地把1加到一个一进制数上。为了检查UN+1刚好做到这点，让我们想象，譬如讲把它应用到代表数4的磁带上去：

...00000111100000...。

我们使仪器在开始时从某处向左为一些1。它处于内态0并且读到0。根据第一条指令，它仍保留为0，向右移动一格，而且停在内态0上，在它遇到第一个1之前，它不断地这么进行并向右移动。然后第二条指令开始作用：它把1留下来不变并且再向右移动，但是现在处于内态1上。按照第四条指令，它停在内态1上，不改变这些1，一直向右移动，一直达到跟在这些1后面的第一个0为止。第三条指令接着告诉它把那个0改变成1，向右再移一步（记住STOP是表示R. STOP），然后停机。这样，另一个1已经加到这一串1上。正如所要求的，我们例子中的4已经变成了5。

作为更费神的练习，人们可以验证，下面所定义的机器UN×2，正如它所希望的，把一个一进制数加倍：

00→00R，01→10R，10→101L，11→11R，100→110R，
101→1000R，110→01STOP，111→111R，1000→1011L，
1001→1001R，1010→101L，1011→1011L。

在EUC的情形中，为了得到有关的概念，人们可用一些明显的数对譬如6和8来试验。正如以前一样，阅读机处于态0，并且初始时处在左边，而现在磁带从一开始的记号是这样的：

…0000000000111111011111111100000…

在许多步之后，图灵机停止，我们得到了具有如下记号的磁带：

...00001100000000000000...

而阅读机处于这些非零位数的右边。这样，所需的最大公约数正是所需要的（正确的）2。

要完全解释为何EUC（或者UN×2）在实际上完成所预想的，牵涉许多微妙之处，而且解释本身比机器更复杂，这是电脑程序的通常特征！（为了完全理解一个算法步骤为何能做到所预想的，牵涉到洞察。“洞察”本身是算法的吗？这是一个对我们以后颇为重要的问题。）我不想在这里为EUC或UN×2提供解释。真正做过检验的读者会发现，为了在所需的方案中把事情表达得更精密一些，我自作主张地对欧几里得算法作了一些不重要的变通。EUC的描述仍然有些复杂，对于11种不同的内态包含有22条基本指令，大部分复杂性是纯粹组织性的。例如，可以看到在22条指令中，只有3条真正涉及在磁带上改变记号！（甚至对于UN×2用了12条指令，其中只有一半涉及改变记号。）

数据的二进制码

用一进制表示大数极端无效率。正如早先描述的，我们将相应地用二进制数系。然而，不能直接地把磁带就当作二进制数来读。如果这样做的话，就没有办法告知一个数的二进制表示何时结束，而无限个0的序列是否代表右端开始的空白。我们需要某种终结一个数的二进制描述的记号。此外，我们还经常要输进几个数。正如欧几里得算法需要一对数[2]那样。问题在于，我们不能把数之间的间隔和作为单独的一个数的二进制表示中的一部分的0或一串0区分开来。此外，我们或许在输入磁带中包括所有种类复杂的指令和数。为了克服这些困难，让我们采用一种我称之为**收缩**的步骤。按照该步骤，任何一串0或一串1（共有有限个）**不是**简单地被当作二进制数来读，而是用一串0，1，2，3等来取代。其做法是，第二个序列的每一数字就是在第一个序列中的连续的0之间的1的个数。例如序列

$$01000101101010110100011101010111100110$$

就可被取代成下面的形式：

```
010 0 0101101010110 10 0 01110101011110 0110
1 0 0 1  2 1 1  2 1 0 0  3  1 1  4  0 2
```

我们现在可以把数2，3，4，… 当作某种记号或指令来读。让我们把2简单地当作表示两个数之间间隔的“逗号”，而根据我们的愿望，3，4，5，… 可以代表我们关心的各种指令或记号，诸如“负号”、“加”、“乘”“到具有下面号码的位置”，“将前述运算迭代如下多次”，等等。我们现在有了由高阶数分开的各种0和1的串。后者代表写成二进制的通常的数。这样上面可读成（“逗号”为2）：

（二进制数1001）逗号（二进制数11）逗号……

使用标准的阿拉伯数字“9”，“3”，“4”，“0”来写相应的二进制数1001，11，100，0，我们就得到整个序列：

9，3，4（指令3）3（指令4）0，

特别是，这一步骤给了我们一种简单地利用在结尾处逗号终结描述一个数的手段（并因此把它和在右边的无限长的空白带区分开来）。此外，它还使我们能对以二进制记号写成0和1的*单独*序列的自然数的任何有限序列编码。让我们看看在一特定情形下这是怎么进行的。例如，考虑序列

5，13，0，1，1，4，

在二进制记数法中这是

101，1101，0，1，1，100，

它可用*扩展*（也就是和上面收缩相反）的步骤在磁带上编码成

...000010010110101001011001101011010110100011000...为了直截了当地得到这个码，我们可对原先的二进制数列作如下代换：

0→0
1→10
，→110

然后在两端加上无限个0。如果我们把它列出，就能更清楚地看出，如何把这个应用到上面的磁带上：

000010010110101001011001101011010110100011000

我将把这种数(的集合)的记号称为扩展二进制记号(这样,例如13的扩展二进制形式为1010010)。

关于这种编码还有最后一点必须提及。这只不过是个技巧,但是为了完备起见是需要的[3]。在自然数的二进制(或十进制)表示中,处于表式最左端的0是不“算”的,它通常可被略去,这里有些多余。例如00110010和110010是两个相同的二进制数(而0050和50为相同的十进制数)。这一多余可适合于数0本身,它也可写成000或00。一个空白的空间的确也应该逻辑地表示0!在通常的记号下这会导致巨大的混淆,但是它和上面刚描述的记号可相安无事。这样,在两个逗号之间的0可只写成两个连在一起的逗号(,,),它在磁带上被编码成两对由单独的0隔开的11:

...001101100...

这样,上面的6个数的集合也可用二进制记号写成:

101, 1101, , 1, 1, 100,

而且在磁带上可以扩展的二进制方式编码成:

...00001001011010100101101101011010110100011000...

(有一个0已从我们以前的序列中略去)。

现在我们可以考虑让一台图灵机，譬如讲欧几里得算法，把它应用到以扩展二进制记数法写出的一对数上。例如，这一对数是我们早先考虑的6，8，不用以前用的：

...0000000000011111101111111100000...

而考虑6和8的二进制表示，也就是分别为110和1000。这一对为6，8，用二进制记数法也就是110，1000扩展后在磁带上编码成：

...00000101001101000011000000...

对于这一对特殊的数，并没有比一进制形式更紧凑。然而，譬如说我们取（十进制数）1583169和8610。在二进制记数法中它们是：

110000010100001000001，10000110100010，

这样，我们在磁带上把这一对编码成：

...001010000001001000001000000101101000001010
010000100110...

只要用一行就可将其全部写出，而如果用一进制记数法的话，表示"1583169，8610"的磁带用这一整本书都写不下。

当数用扩展二进制记数法表示时，一台执行欧几里得算法的图灵

机，如果需要的话，可以简单地把适当的一对在一进制和扩展二进制之间互相翻译的子程序算法接到EUC上去而得到。然而，由于一进制编数系统的低效率仍在“内部”存在，并且在仪器的迟缓以及需要大量的外部“粗纸”（它是磁带的右手部分）方面表现出来，实际上这是极其低效率的。可以给出全部用扩展二进制运算的、更有效率的、欧几里得算法的图灵机，但是这在这里对我们并无特别启发之处。

相反地，为了阐明如何使一台图灵机能对扩展二进制数运算，让我们尝试某种比欧几里得算法简单得多的东西，即是对一个自然数加1的过程。这可由（我称之为XN+1的）图灵机来执行：

00→00R，01→11R，10→00R，11→101R，
100→110L，101→101R，110→01STOP，111→1000L，
1000→1011L，1001→1001L，
1010→1100R，1011→101R，
1101→1111R，1110→111R，1111→1110R，

某些勤奋的读者可把它应用到，譬如讲数167上去，以再次验证这一台图灵机在实际上做到了所预想的。这一个数的二进制表示可由下面的磁带给出：

...0000100100010101011000...

为了把1加到这个二进制数上，我们简单地找到最后的那个0，并把它改成1，然而用0来取代所有跟在后面的1。例如167+1=168在二进制

记数法下写成：

$$10100111+1=10101000$$

这样，我们的“加1”图灵机应把前面的磁带用

$$\ldots 0000100100100001100000\ldots$$

来取代，它的确做到了这一点。

我们注意到，甚至这种简单加1的非常基本的运算在用这种记数法时都会显得有些复杂，它使用了15条指令和8种不同的内态！由于在一进位系统中“加1”只是把1的串再延长1个而已，事情当然是简单得多。所以我们的机器UN+1更为基本，这一点也不奇怪。然而，对于非常大的数，由于所需的磁带非同寻常地长，UN+1就会极慢。而用更紧凑的扩展二进制记号运算的更复杂的机器XN+1就会更好。

作为旁白，我愿意指出对于扩展二进制比一进制图灵机显得更简单的一个运算，这就是**乘二**。在这里由

00→00R，01→10R，10→01R，11→100R，100→111R，
110→01STOP，

给出的图灵机XN×2能在扩展的二进制上实现这个运算，而前面描述的相应于一进制的机器UN×2就要复杂得多！

我们从这里得到了，关于图灵机在非常基础水平上可做到的一些事情的概念。正如所预料的，当进行某些复杂的运算时，它们会变得极为复杂。这种仪器的终极能力是什么呢？让我们在下面讨论这一个问题。

丘奇-图灵论题

人们一旦对建造简单的图灵机稍有一些熟悉，下面这些事实就很容易使他们感到满意。特殊的图灵机的确能执行各种基本的算术运算，诸如把两个数加到一起，或把它们相乘，或求一个数的另一个数的方次。显明地给出这种机器不是太啰唆的事，但是我不想在这里着手这么做。也可以提供其结果为一对自然数的运算，譬如带有余数的除法，或者其结果为任意大数目的数的有限集合。此外，可以这样地建造图灵机，即预先没有必要指定它要做何种运算，其运算的指令由磁带提供。需要实行的特定运算也许在某一阶段依赖于该机器在某个更早阶段的需要进行的某个计算的结果。（“如果那个计算的结果比某数大，则做这个；否则就做那个。”）一旦人们理解到，他可制造实现算术或简单的逻辑运算的图灵机，则很容易想象如何使之执行具有算法性质的更复杂的任务。在他们捣弄了好一阵之后，很容易坚信，这类机器的确能执行不管什么样的机械操作！在数学上，可以很合情合理地把机械操作定义为可被这样的一台机器所执行的运算。数学家用名词“算法”以及形容词“可计算的”、“递归的”和“有效的”来表示能由这类理论机器——图灵机实行的机械运算。一个步骤只要是足够清楚并且机械的，则可合理地相信能找到一台执行它的图灵机。这毕竟是我们（也就是图灵）引进图灵机概念本身的初步讨论的全部要点。

另一方面，人们仍会感到，这些机器的设计不必这么局限。初看起来，只允许仪器在一个时刻读一个二进制数字（0或1），并且一次沿着一个单独的一维磁带只移动一格似乎是限制。为什么不允许大数目或相互联结的阅读机一下子跑过4条或5条甚至1000条分开的磁带呢？为什么不允许0和1的方格的整个平面（或者甚至一个三维的阵列），而坚持只用一维的磁带呢？为什么不允许从某种更复杂的计数系统或字母来的其他符号呢？事实上，虽然这些改变中的一些会对运算的经济性造成一定程度的不同（正如允许用多于一条的磁带一定会是这种情形那样），但是所有这一切都不会对我们在原则上要得到的东西造成丝毫的影响。即使我们在所有这些方面一下子推广该定义，这种归于“算法”的名下（或“计算”、“有效步骤”或“递归运算”）所实现的运算种类刚好和推广以前的完全相同！

我们可以看到，没有必要有多余一条的磁带，只要该仪器需要时总能在给定的磁带不断地找到新的空白。为此，也许必须不断地把数据从磁带的一处往另一处调度。这也许是“低效率的”，但是它不限制在原则上可以得到的极限[4]。类似地，利用多于一台并联作用的图灵机——这在近年来由于尝试更精密地模仿人脑而变得很时髦——不能在原则上得到任何新东西（虽然在某种情形下可改善动作的速度）。拥有两台分开的、不直接相交流的仪器并不比两台相交流的得到更多，而且如果它们联络，则实际上只不过是一台单独的仪器！

关于图灵的对于一维磁带的限制能说些什么呢？如果我们认为该磁带代表“环境”，也许宁愿把它当作一个平面或许一个三维空间，而不当做一维磁带。一个平面似乎比一维磁带更接近于一个"流程图"(正如在上面对欧几里得算法运算的描述)所需要的[1]。然而,在原则上以"一维的"形式(也就是利用流程图的通常术语来描述)写出流程图的运行并没有困难。在二维平面上显示只是为了我们的便利和容易理解,它对原则上能得到的并没造成什么影响。人们总能把一个二维平面上甚至三维空间上的一个记号或对象的地址,直截了当地在一维磁带上编码。(事实上,使用一个二维平面完全等效于用两条磁带。这两条磁带提供为在二维平面上指明一点所需的两个"坐标";正如3条磁带可作为一个三维空间的一点的"坐标"一样。)这一维的编码又可能是"低效率的",但是它在原则上不限制我们的目标。

尽管所有这一切,我们仍然可心存质疑,图灵机的概念是否真的和我们希望叫作"机械的"每一逻辑或数学运算相统一。在图灵写他的开创性文章的时候,这一点比今天模糊得多,所以他觉得有必要把情形解释得更清楚一些。图灵的激烈争论从以下事实得到了额外的支持,这就是美国逻辑学家阿隆佐·丘奇(在S.C.克莱尼的协助下)完全独立地(并实际上稍早一些)提出了一种方案,也是旨在解决希尔伯特的判定问题的λ演算。尽管它不如图灵的那么明显地为一种完全广泛的机械的方案,但在数学结构上的极端经济性方面有些优点。(我将在本章的结尾描述丘奇的杰出的计算。)还存在其他一些解决希尔伯特问题的和图灵相独立的设想(见*Gandy 1988*),尤其是波兰-美国逻辑学家埃米尔·波斯特的设想(比图灵稍晚些,但其思想

1. 正如这里所描述的,这一流程图本身实际上是"仪器"的一部分。而不是外部环境的"磁带'。我们在磁带上表示的正是实际的数A,B,$A-B$等。然而,我们还要以一个线性的一维形式来表达该仪器的规约。正如我们将要看到的,和通用图灵机相关的,在一台特殊仪器的规约和对该仪器可能的"资料"(或"程序")的规约之间有个密切关系。所以,使这两者都处于一维形式是方便的。

与图灵比和丘奇更相像许多）。所有这些方案很快就被证明是完全等效的。这就给现在称作丘奇–图灵论题的观点增加了许多分量，即图灵机（或等效的）概念实际在数学上定义了我们认为是算法（或有效或递归或机械的）步骤的东西。现在，高速电脑已变成我们生活中如此熟悉的部分，很少人似乎觉得有必要去问这些论题的原始形式。相反地，已有不少人转去注意真正的物理系统（假定包括人脑）——精确服从物理定律的东西——是否能够执行比图灵机更多、更少或刚好一样多的逻辑和数学运算。我本人是非常喜欢丘奇–图灵论题的原先的数学形式。另一方面，它和实在物理系统的行为的关系是我们以后在本书主要关注的另外一个单独的问题。

不同于自然数的数

我们在上述的讨论中考虑了自然数的运算，并且注意到了这一显著的事实，即尽管每台图灵机只有固定的有限数目的不同内态，它却可能处理任意大小的自然数。然而，人们经常需要使用比这更复杂的其他种类的数，例如负数、分数或无尽小数。图灵机可以容易地处理负数和分数（例如像 –597 / 26的数），而且我们可取任意大的分母和分子。我们所要做的全部是对“–”和“ / ”作适当的编码。这可容易地利用早先描述的扩展二进制记数法做到（例如，“3”表示“–”以及“4”表示“ / ”，它们分别在扩展二进制记数法中编码成1110和11110）。人们就是这样地按照自然数的有限集合来处理负数和分数的。这样，就可计算性的一般问题而言，它们没有告诉我们什么新的东西。

类似地，由于长度不受限制的有尽小数仅仅是分数的特殊情形，它们并没给我们带来什么新问题。例如，无理数π可近似地表为3.14159265的有尽小数，也就是分数314159265 / 100000000。然而，无尽小数表式，譬如完全无尽展开

$$\pi=3.14159265358979\cdots$$

引起了一定的困难。严格地讲，无论是图灵机的输入或者输出都不能是无尽小数。人们也许会想到，我们可以找到一台图灵机，在其输出磁带上大量产生由π的小数展开的、所有的一个接一个位数3，1，4，1，5，9，…，我们就简单地让机器一直开下去好了。但这对于一台图灵机来讲，是不允许的。我们必须等待机器停了以后（铃声响过！）才允许去检查输出。只要机器还没有到达停止指令，其输出就可能遭到改变，所以不能信任它。另一方面，在它到达停止时，其输出必然是有限的。

然而，存在一种合法地使图灵机以与此非常类似的方法，一个跟着一个地产生数字的步骤。如果我们希望展开一个无尽小数，譬如讲π，我们可以让一台图灵机作用于内存0上以产生整数部分3；然后使机器作用到内存1上，产生第一小数位1；然后使其作用于内存2上，产生第二小数位4；然后作用于内存3上，产生1，这样不断地下去。事实上，一定存在在这个意义上产生π的全部小数展开的图灵机，尽管要把它显明地造出来颇费一点周折。类似的评论也适用于许多其他无理数，譬如 $\sqrt{2}=1.414213562\cdots$。然而，正如在下一章将要看到的，人们发现有些无理数（非常引人注目地）根本不能由任何图灵机产生。能以这种方式产生的数叫作可计算的（*Turing 1937*）。那些不

能的（实际上是绝大多数！）是叫作不可计算的。我们将在后面的章节中回到这件事体及有关的问题上来。按照物理理论，用可计算的数学结构能否足够地描述实在的物理对象（也就是人脑），是我们要关心的问题。

一般地讲，可计算性是数学中的一个重要问题。人们不应该将其当成只适合于这类数的事体。人们可有直接作用于诸如代数或三角的数学公式上的图灵机，或可进行微积分的形式运算的图灵机。人们所需的一切是某种准确地把所有涉及的数学符号编码成0和1序列的形式，然后再利用图灵机的概念。这毕竟是图灵在着手解决判定问题时心里所想的，即寻求回答具有一般性质的数学问题的算法步骤。我们将很快地回到这上面来。

通用图灵机

我还未描述通用图灵机的概念。虽然其细节是复杂的，但是它背后的原则并不十分复杂。它的基本思想是把任意一台图灵机T的指令的表编码成在磁带上表示成0和1的串。然后这段磁带被当作某一台特殊的被称作通用图灵机U的输入的开始部分，接着这台机器正如T所要进行的那样，作用于输入的余下部分，这余下的部分是T原先要输入的并要对之进行计算的数据。通用图灵机是万有的模仿者。“磁带”的开始部分赋予该通用机器U需要用以准确模拟任何给定机器T的全部信息！

为了了解这是如何进行的，我们首先需要一种给图灵机编号的系统方式。考虑定义某个特殊的，譬如讲在前面描述的图灵机的一个指令表。我们必须按照某种准确的方案把这表编码成0和1的串。我们可借助于以前采用的“收缩”步骤来办到。因为，如果我们用数2，3，4，5和6来分别代表符号R、L、STOP、箭头（→）以及逗点，那么我们就可以用110、1110、11110、111110以及1111110的收缩把它们编码。这样，出现在该表中的这些符号实际的串分别是数字0和1被编码成0和10的结果。由于在该图灵机的表中，在二进制记数的结尾大写的数的位置足以把大写的0和1从其他小写黑体字的阿拉伯数字中区分开来，所以我们不需要用不同的记号。这样，1101将被读成二进制数1101，而在磁带上被编码成1010010。特别是，00读作00，它可毫不含糊地被编码成0，或者作为被完全省略的符号。实际上我们可以不必对任何箭头或任何在它紧前头的符号进行编码，而依靠指令的数字顺序去标明哪些符号必须是什么，而因此大大省事。尽管在采用这个步骤时，在必要之处要提供一些额外的“虚”指令，以保证在这个顺序中没有缝隙。这样的做法具有相当好的经济性。（例如，图灵机XN+1没有告诉我们对1100要做什么的命令，这是因为这条指令在机器运行时从不发生，所以我们应该插入一条“虚”指令，譬如讲1100→00R，它可合并到表中而不改变任何东西。类似地，我们应该把101→00R插入到XN×2中去。）若没有这些“虚的”，表中后面的指令的编码就会被糟蹋了。因为在结尾处的符号L或R足以把一条指令和另一条隔开，所以我们在每一指令中实际不需要逗号。因此，我们采用下面的编码：

0表示0或0，10表示1或1，110表示R，1110表示L，11110表示STOP。

作为一个例子，让我们为图灵机XN+1编码（插入指令110→00R）。在省略箭头和在它们紧前面的位数以及逗号之后。我们得到：

00R 11R 00R 101R 110L 101R 01STOP
1000L 1011L 1001L 1100R 101R 00R 1111R
111R 1110R

为了和早先说的相一致，我们可以去掉每一个00，并把每一个01简单地用1来取代，这样得到：

R11RR101R110L101R1STOP1000L1011L1
001L1100R101RR1111R111R1110R

如下是在磁带上的相应的码：

1101010110110100101101010011101001
0110101111010000111010010101110100
0101110101000110100101101101010101
01101010101101010100110

我们总是可以把开始的110（以及它之前的无限的空白磁带）删去。由于它表示00R，这代表开头的指令00→00R。而我已隐含地把它当作所有图灵机共有的。这样仪器可从磁带记号左边任意远的地方向右跑到第一个记号为止。而且，由于所有图灵机都应该把它们的描述用最后的110结束（因为它们所有都用R、L或STOP来结束），所以我们也可把它（以及假想跟在后面的0的无限序列）删去。这可以算作两个小节约。所得到的二进制数是该图灵机的号码，它在XN+1的情况下为：

10101101101001011010100111010010110101111010000111010010101110100010111010100011010010110110101010101101010101101010100。

这一特殊的数在标准十进制记数法中为：

450813704461563958982113775643437908。

我们有时不严格地把号码为n的图灵机称为第n台图灵机，并用T_n来表示。这样，XN+1是第450813704461563958982113775643437908台图灵机！

我们必须顺着这图灵机的“表”走这么远，才找到一台甚至只进行如此平凡的（在扩展二进制记数法中）对自然数加一的运算，这真使人印象深刻！（尽管在我的编码中还可以有很少的改善余地，但我认为自己进行得相当有效率。）实际存在某些更低号码的有趣的图灵机。例如，UN+1的二进制号码为：

101011010111101010

它只是十进制的177642！这样，只不过是把一个附加的1加到序列1的尾巴上的特别平凡的图灵机UN+1是第177642台图灵机。为了好奇的原因，我们可以注意在任一种进位制中“乘二”是在图灵机表中这两个号码之间的某处。我们找到XN×2的号码为10389728107，而UN×2的号码为

14929234
20919872026917547669。

人们从这些号码的大小，也许会毫不奇怪地发现，绝大多数的自然数根本不是可工作的图灵机的号码。现在我们根据这种编号把最先的13台图灵机列出来：

T_0: 00→00R，01→00R，

T_1: 00→00R，01→00L，

T_2: 00→00R，01→01R，

T_3: 00→00R，01→00STOP，

T_4: 00→00R，01→10R，

T_5: 00→00R，01→01L，

T_6: 00→00R，01→00R，　10→00R，

T_7: 00→00R，01→？？？，

T_8: 00→00R，01→100R，

T_9: 00→00R，01→10L，

T_{10}: 00→00R，01→11R，

T_{11}: 00→00R，01→01STOP，

T_{12}:　　00→00R，01→00R，　　10→00R。

其中，T_0简单地就是向右移动并且抹去它所遇到的每一件东西，永不停止并永不往回退。机器T_1最终得到同样的效应。但它是以更笨拙的方法，在它抹去磁带上的每个记号后再往后跳回。机器T_2也和机器T_0一样无限地向右移动，但是它更有礼貌，简单地让磁带上的每一件东西原封不动。由于它们中没有一台会停下，所以没有一台可以合格地被称为图灵机。T_3是第一台可敬的机器，它的确是在改变第一个（最左边）的1为0后便谦虚地停止。

T_4遭遇了严重的问题。它在磁带上找到第一个1后就进入了一个没有列表的内态，所以它没有下一步要做什么的指令。T_8、T_9和T_{10}遇到同样的问题。T_7的困难甚至更基本，把它编码的0和1的串涉及5个接续的1的序列：110111110。对于这种序列不存在任何解释，所以只要它在磁带上发现第一个1就被绊住。（我把T_7或其他任何机器T_n，它的n的二进制展开包含多于4个1的序列称为不是正确指定的。）机器T_5、T_6和T_{12}遭遇到和T_0、T_1和T_2类似的问题。它们简单地、无限地、永远不停地跑下去。所有T_0、T_1、T_2、T_4、T_5、T_6、T_7、T_8、T_9、T_{10}和T_{12}都是伪品！只有T_3和T_{11}是可工作的，但不是非常有趣的图灵机。T_{11}甚至比T_3更谦虚，它在第一次遇到1时就停止，并且没有改变任何东西！

我们应该注意到，在表中还有一个多余。由于T_6和T_{12}从未进入内态1，机器T_{12}和T_6等同，并在行为上和T_0等同。无论这个多余还是表中的图灵机伪品我们都不必为之烦恼。人们的确可以改变编码以摆脱许多伪品和大大减少重复。所有这一切会付出这个代价：使得我们可怜的通用图灵机变得更加复杂，它必须破译这个代码，并且装作是图灵机T_n，其中数字n是它正读到的。如果我们可以把所有伪品（或者多余）取走，这还是值得做的。但是，我们很快就会看到，这是不可能的！这样，我们就不触动我们的编码好了。

例如，可方便地把具有

$$\ldots 0001101110010000 \ldots$$

接续记号的磁带解释成某个数字的二进制表示。我们记得0在两端会无限地继续下去，但是只有有限个1。我还假定1的数目为非零（也就是说至少有一个1）。我们可以选择去读在第一个和最后一个1（包括在内）之中的有限的符号串，在上述的情况是为一自然数的二进制写法：

$$110111001,$$

它在十进制表示中为441。然而，这一过程只能给我们奇数（其二进制表示以1结尾的数）。而我们要能表示所有的自然数。这样，我们采取移走最后的1的简单方案（这个1仅仅被当作表示这一程序的终止记号），而把余下来的当成二进制数来读[5]。因此，对于上述的例子，我们有二进制数：

$$11011100,$$

它是十进制的220。这个步骤具有零也用磁带上的记号代表的好处，也就是：

...0000001000000...

我们考虑图灵机T_n作用到我们从右边给它输入的磁带上（有限的）0和1的串。根据上面给出的方案，可方便地把这串也考虑作某一个数，譬如m的二进制代表。我们假定，机器T_n在进行了一系列的步骤后最终到达停止（即到达STOP）。现在机器在左边产生的二进制数串是该计算的答案。让我们也以同样方式把这当作譬如是p的二进制代表来读。我们把表达当第n台图灵机作用到m上时产生p的关系写成：

$T_n(m)=p$。

现在，以稍微不同的方式看这一关系。我们把它认为是一种应用于一对数n和m以得到数p的一个特别运算。（这样，若给定两个数n和m，视第n台图灵机对m作用的结果而得出p。）这一特别运算是一个完全算法的步骤。所以它可由一台特殊的图灵机U来执行。也就是说，U作用到一对（n，m）上产生p。由于机器U必须作用于n和m两者以产生单独结果p，我们需要某种把一对（n，m）编码到一条磁带上的方法。为此，我们可假定n以通常二进制记数法写出并紧接着以序列111110终结。（我们记得，任一台正确指明的图灵机的二进制数都是仅仅由0，10，110，1110和11110组成的序列，因此它不包含比4个1更多的序列。这样，如果T_n是正确指明的机器，则

111110的发生的确表明数n的描述已终结。）按照我们上面的规定，跟着它的每一件东西简单地是代表m的磁带（也就是，紧跟二进制数m的是1000…）。这样，这第二个部分简单地就是T_n假设要作用的磁带。

作为一个例子，如果我们取$n=11$和$m=6$当做U要作用的磁带，其记号序列为：

…0001011111110110 10000…

这是由以下

…0000（开始的空白带）
1011（11的二进制表示）
111110（终结n）
110（6的二进制表示）
10000……（余下的磁带）

组成的。

在T_n作用到m上的运算的每一接续的步骤，图灵机U要做的是去考察n的表达式中的接续数位的结构，以使得在m的数位（也就是T_n的磁带）上可进行适当的代换。在原则上（虽然在实践中肯定很繁琐）不难看到人们实际如何建造这样的一台机器。它本身的指令表会简单地提供一种，在每一阶段读到被编码到数n中的"表"中，应用到m给出的磁带的位数时，合适元素的手段。肯定在m和n的数位之间要有许多前前后后的进退，其过程会极为缓慢。尽管如此，一定能提供出这台机器的指令表，而我们把它称为通用图灵机。把该机器对一对数n和m的作用表为$U(n, m)$，我们得到：

$$U(n, m)=T_n(m)。$$

这里T_n是一台正确指明的图灵机[6]。当首先为U提供数n时，它准确地模拟第n台图灵机！

因为U为一台图灵机，它自身也必须有一号码；也就是说，我们有：

$$U=T_u,$$

此处号码u待定。u究竟是多少呢？事实上，我们可以准确地给出：

$u=$7244855335339317577198395039615711237952360672556559631108144796606505059404241090310483613632359365644443458382226883278767626556144692814117715017842551707554085657689753346356942478488597046934725739988582283827795294683460521061169835945938791885546326440925525505820555989451890716537414896033096753020431553625034984529832320651583047664142130708819329717234151056980262734686429921838172157333482823073453713421475059740345184372359593090640024321077342178851492

7607975976344151230795863963544922691594796546147113457001450481673375621725734645227310544829807849651269887889645697609066342044779890219144379328300194935709639217039048332708825962013017737272027186259199144282754374223513556751340842222998893744105343054710443686958764051781280194375308138706399427728231564252892375145654438990527807932411448261423572861931183326106561227555318102075110853376338060310823616750456358521642148695423471874264375444287900624858270912404220765387542644541334517485662915742999095026230097337381377241621727477236102067868540028935660856968226201419824862169890260913094029857060017430067008689675903447341741278742558120154936639389969058177385916540553567040928213322216314109787108145997866959970450968184190629944365601514549048809220844800348224920773040304318842989939313526688234966210194716191070146196852319284748203449589770955356110702758174873332729667899879847328409819076485127263100174016678736347760585724503696443489799203448999745566240293748766883975140445166570775006051388399166881407254554466522205072426239237921152531816251253630509317286314220040645713052758023076651833519956891397481375049264296050100136519801869
45639498

（或者至少是这等数量级的其他可能性）。这个数无疑是极其*巨大*，但是我似乎没有办法使它变小许多。虽然我的图灵机编码步骤和号码指定是相当合理和简单的，但是在一台实际的通用图灵机的编码中仍然不可避免地导向这么大的一个数[7]。

我曾说过，实际上所有现代通用电脑都是通用图灵机。我并不是说，这种电脑的逻辑设计必须在根本上和我刚刚给出的通用图灵机的描述非常相似。其要点可以简述为，首先为任一台通用图灵机提供一段适当的程序（输入磁带的开始部分）可使它模拟任何图灵机的行为！在上面的描述中，程序简单地采取单独的数（数n）的形式。但是，其他的步骤也是可能的，图灵原先方案就有许多种变化。事实上，在我自己的描述中，已经有些偏离图灵的原型。但是对于我们当前的目的，这些差别中没有一个是重要的。

希尔伯特问题的不可解性

我们现在回到当初图灵提出其观念的目的，即解决希尔伯特的范围广泛的判定问题：是否存在某种回答属于某一广泛的，但是定义得很好的种类的所有数学问题的机械步骤？图灵发现，他可以把这个问题重述成他的形式，即决定把第n台图灵机作用于数m时实际上是否会停止的问题。该问题被称作停机问题。很容易建造一个指令表使该机器对于任何数m不停。（例如，正如上面的$n=1$或2或任何别的在所有地方都没有STOP指令的情形）。也有许多指令表，不管给予什么数它总停（例如$n=11$）；有些机器对某些数停，但对其他的数不停。人们可以公正地讲，如果一个想象中的算法永远不停地算下去，则并没有什么用处。那根本不够格被称作算法。所以一个重要的问题是，决定T_n应用在m时是否真正地给出答案！如果它不能（也就是该计算不停止），则就把它写成：

$T_n(m)=\square$。

[在这记号中还包括了如下情形，即图灵机在某一阶段由于它找不到合适的告诉其下一步要做什么的指令而遇到麻烦，正如上面考虑的伪品机器T_4和T_7。还有不幸的是，我们粗看起来似乎成功的机器T_3现在也必须被归于伪品：$T_3(m)=\square$，这是因为T_3作用的结果总是空白带，而为使计算的结果可赋予一个数，在输出上至少有一个1！然而，由于机器T_{11}产生了单独的1，所以它是合法的。这一输出是编号为0的磁带，所以对于一切m，我们都有$T_{11}(m)=0$。]

能够决定图灵机何时停止是数学中的一个重要问题。例如，考虑方程：

$$(x+1)^{w+3}+(y+1)^{w+3}=(z+1)^{w+3}。$$

(如果专门的数学方程使你忧虑，不要退缩！这一方程只不过是作为一个例子，没有必要详细地理解它。)这一特殊的方程和数学中著名的或许是最著名的未解决的问题相关。该问题是：存在任何满足这方程的自然数集合w, x, y, z吗？这个著名的称作“费马大定理”的陈述被伟大的17世纪法国数学家皮埃尔·德·费马(1601—1665)写在丢番图的《代数》一书空白的地方。费马宣布这方程永远不能被满足[1][8]。虽然费马以律师作为职业(并且是笛卡儿的同时代人)。他却是那个

1. 记住我说的自然数是指0，1，2，3，4，5，6，…。我写成“$x+1$”和“$w+3$”等，而不写成费马断言的更熟知的形式($x^w+y^w=z^w$；$x, y, z>0, w>2$)的原因是，我们允许x, w等为从零开始的所有自然数。

时代最优秀的数学家。他宣称得到了这一断言的“真正美妙的证明”，但那里的空白太小写不下。可惜迄今为止既没有人能够重新证明之，也没有人能找到任何和费马断言相反的例子[1]！

很清楚，在给定了4个数（w，x，y，z）后，决定该方程是否成立是计算的事体。这样，我们可以想象让一台电脑的算法一个接一个地跑过所有的四数组，直到方程被满足时才停下。（我们已经看到，存在于一条单独磁带上，把数的有限集合以一种可计算方式编码成为一个单独的数的方法。这样，我们只要跟随着这些单独的数的自然顺序就能“跑遍”所有的四数组。）如果我们能够建立这个算法不停的事实，则我们就有了费马断言的证明。

可以用类似的办法把许多未解决的数学问题按图灵机停机问题来重述。“哥德巴赫猜想”即是这样的一个例子，它断言比2大的任何偶数都是两个素数之和[2]。决定给定的自然数是否为素数是一个算法步骤，由于人们只需要检验它是否能被比它小的数整除，所以这只是有限计算的事体。我们可以设计跑遍所有偶数6，8，10，12，14，… 的一台图灵机，尝试把它们分成奇数的对的所有不同的方法：

$$6=3+3,\ 8=3+5,\ 10=3+7=5+5,\ 12=5+7,$$

$$14=3+11=7+7,\ \cdots$$

1. 普林斯顿大学的英籍数学家安德鲁·怀尔斯于1993年证明了费马大定理（译者注）。
2. 我们记得，素数2，3，5，7，11，13，17，… 是那些只能分别被它们自己和1整除的自然数。0和1都不认为是素数。

对于这样的每一个偶数检验并确认其能分成都为素数的某一对数。(我们显然不需要去检验除了2+2之外的偶的被加数对，由于除了2之外所有素数都是奇的。)只有当我们的机器达到一个由它分成的所有的任何一对数都不是素数对的偶数为止才停止。我们在这种情形就得到了哥德巴赫猜想的反例，也就是说一个(比2大的)偶数不是两个素数之和。这样，如果我们能够决定这台图灵机是否会停，我们也就有了判定哥德巴赫猜想真理性的方法。

这里自然地产生了这样的问题：我们如何判定任何特殊的图灵机(在得到特定输入时)会停止否？对于许多图灵机回答这个问题并不难：但是偶尔地，正如我们上面得到的，这答案会涉及一个杰出的数学问题的解决。这样，存在某种完全自动地回答一般问题，即停机问题的算法步骤吗？图灵指出这根本不存在。

他的论证的要点如下所述，我们首先假定，相反的，存在这样的一种算法[1]。那么必须存在某台图灵机H，它能“判定”第n台图灵机作用于数m时，最终是否停止。我们假定，如果它不停的话，其输出磁带编号为0，如果停的话为1：

$$H(n;m)=\begin{cases}0 & \text{如果 } T_n(m)=\square \\ 1 & \text{如果 } T_n(m) \text{ 停止。}\end{cases}$$

在这里人们可采取对通用图灵机U用过的同样规则给对(n, m)编码。然而，这会引起如下技术问题，对于某些数n(例如$n=7$)，T_n不是正

1. 这是熟知的并有强效的被称为反证法的数学方法。利用这种办法，人们首先假定所要证明的东西是错的.然后从这里推出一个矛盾，就这样证明所需要的结果实际上是对的。

确指定的，而且在磁带上记号111101不足以把n从m分开。为了排除这一个问题，让我们假定n是用扩展二进制记数法而不仅仅是二进制记数法来编码，而m正和以前一样用通常的二进制记数法。那么记号110实际上将足以把n和m区分开来。在$H(n;m)$中用分号，而在$U(n,m)$中用逗号就是为了表明这个改变。

现在让我们想象一个无穷阵列，它列出所有可能的图灵机作用于所有可能的不同输入的所有输出。阵列的n行展现当第n台图灵机应用于不同的输入0，1，2，3，4，… 时的输出：

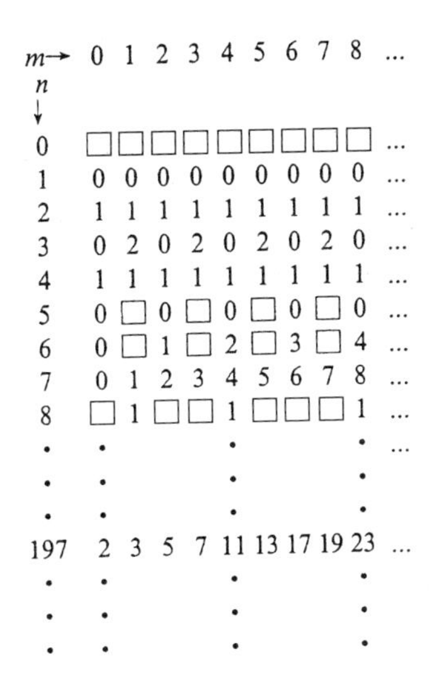

n↓ \ m→	0	1	2	3	4	5	6	7	8	…
0	□	□	□	□	□	□	□	□	□	…
1	0	0	0	0	0	0	0	0	0	…
2	1	1	1	1	1	1	1	1	1	…
3	0	2	0	2	0	2	0	2	0	…
4	1	1	1	1	1	1	1	1	1	…
5	0	□	0	□	0	□	0	□	0	…
6	0	□	1	□	2	□	3	□	4	…
7	0	1	2	3	4	5	6	7	8	…
8	□	1	□	□	1	□	□	□	1	…
·	·				·				·	…
·	·				·				·	
·	·				·				·	
197	2	3	5	7	11	13	17	19	23	…
·	·				·				·	
·	·				·				·	
·	·				·				·	

我在此表中稍微搞了点欺骗，并且没有把图灵机按它们的实际编号列出。由于所有n比11小的机器除了□外没有得到任何东西，而对于n= 11只得到0，所以那样做的话就会得到一张一开始就显得过于枯燥的表。为了使此表一开始就显得更有趣，我假定已得到某种更有效

得多的编码。事实上我只是相当随机地捏造这张表的元素，仅仅是为了给出有关它的外表的大体印象。

我不要求用某一个算法实际计算过这一个阵列。（事实上，正如我们很快就要看到的，不存在这样的算法。）我们仅仅是假想，真正的表不知怎么搞的已经摆在我们面前。如果我们试图计算这一个阵列，正是□的发生引起了困难。因为既然那些计算简单地一直永远算下去，我们也许弄不清什么时候把□放在某一位置上！

然而，如果我们允许使用假想的H，由于H会告诉我们□实际上在什么地方发生，我们就可以提供一种产生该表的计算步骤。但是相反的，我们用0来取代每一次□的发生，就这样利用H把□完全除去。这可由把计算$H(n; m)$放在T_n对m作用之前而做到；然后只有如果$H(n; m)=1$时（也就是说，只有如果计算$T_n(m)$实际上给出一个答案时），我们才允许T_n作用到m上，而如果$H(n; m)=0$（也就是如果$Tn(m)=$□），则简单地写为0。我们可把新的步骤（也就是把$H(n; m)$的作用放在$T_n(m)$之前得到的）写成：

$$T_n(m) \times H(n; m)。$$

（我在这里使用数学运算顺序的普通习惯：在右边的先进行。请注意，我们在符号运算上有：□$\times 0=0$。）

现在这张表变成：

$m\to$ / $n\downarrow$	0	1	2	3	4	5	6	7	8	…
0	0	0	0	0	0	0	0	0	0	…
1	0	0	0	0	0	0	0	0	0	…
2	1	1	1	1	1	1	1	1	1	…
3	0	2	0	2	0	2	0	2	0	…
4	1	1	1	1	1	1	1	1	1	…
5	0	0	0	0	0	0	0	0	0	…
6	0	0	1	0	2	0	3	0	4	…
7	0	1	2	3	4	5	6	7	8	…
8	0	1	0	0	1	0	0	0	1	…
⋮	⋮				⋮				⋮	

我们注意到，假定H存在，该表的行由**可计算的序列**组成。（我用一个可计算序列表明一个其接连的值可由一个算法产生出来的一个无限序列；也就是存在一台图灵机，当它依序地应用于自然数m=0，1，2，3，4，5，…上时，就得到了这个序列的接续元素。）现在，我们从该表中可以注意到两个事实。首先自然数的**每一**可计算序列必须在它的行中出现在某处（也许出现好几回）。这个性质对于原先的带有□的表已经是真的。我们只不过是简单地**加上**一些行去取代"伪品"的图灵机（也就是至少产生一个□的那些）。其次，我们已经假定，图灵机H实际上存在，该表已被**计算地**（也就是用某个确定的算法）由步骤$T_n(m)\times H(n;m)$产生。换言之，存在某一台图灵机Q，当它作用于一对数（n；m）时就会在表中产生合适的元素。为此我们可以在Q的磁带上以和在H中一样的方式对n和m编码。我们得到：

$$Q(n;m)=T_n(m)\times H(n;m)。$$

现在我们应用乔治·康托尔的"对角线方法"的天才的和强有力

的技巧的变种。(下一章将看到康托尔对角线方法的原型。)考虑现在用粗体字标明的对角线元素:

$$
\begin{array}{ccccccccc}
\mathbf{0} & 0 & 0 & 0 & 0 & 0 & 0 & 0 & 0 \\
0 & \mathbf{0} & 0 & 0 & 0 & 0 & 0 & 0 & 0 \\
1 & 1 & \mathbf{1} & 1 & 1 & 1 & 1 & 1 & 1 \\
0 & 2 & 0 & \mathbf{2} & 0 & 2 & 0 & 2 & 0 \\
1 & 1 & 1 & 1 & \mathbf{1} & 1 & 1 & 1 & 1 \\
0 & 0 & 0 & 0 & 0 & \mathbf{0} & 0 & 0 & 0 \\
0 & 0 & 1 & 0 & 2 & 0 & \mathbf{3} & 0 & 4 \\
0 & 1 & 2 & 3 & 4 & 5 & 6 & \mathbf{7} & 8 \\
0 & 1 & 0 & 0 & 1 & 0 & 0 & 0 & \mathbf{1} \\
\cdot & & & & \cdot & & & & \cdot \\
\cdot & & & & \cdot & & & & \cdot \\
\cdot & & & & \cdot & & & & \cdot
\end{array}
$$

这些元素提供了某一序列0, 0, 1, 2, 1, 0, 3, 7, 1, …, 现在把它的每一元素都加上1就得到

1, 1, 2, 3, 2, 1, 4, 8, 2, …

假设我们的表是计算地产生的,那么这就清楚地是一个可计算的步骤,而且它为我们提供了某一个新的可计算的序列。事实上为$1+Q(n;n)$, 也就是:

$$1+T_n(n)\times H(n;n)$$

(由于对角线是令m等于n而得到的)。但是,我们的表包括了**每一**可计算的序列,所以我们新的序列必须在表中的某一行。然而,这是不可能的!由于我们新序列和第一行在第一元素处不同,和第二行在第二元素处不同,和第三行在第三元素处不同,等等。这是一个明显的

冲突。正是这个冲突，建立了我们所要证明的，即在事实上图灵机H不存在！不存在决定一台图灵机将来停止与否的通用算法。

另一种重述这个论证的方法是注意到，在假定H存在时，对于算法$1+Q(n;n)$（对角线步骤！）存在某一图灵机号码，譬如k，这样我们有：

$$1+T_n(n)\times H(n;n)=T_k(n)。$$

但是，如果我们在这个关系中代入$n=k$就得到：

$$1+T_k(k)\times H(k;k)=T_k(k)。$$

因为如果$T_k(k)$停止，我们就得到了不可能的关系式：

$$1+T_k(k)=T_k(k),$$

[由于$H(k;k)=1$]，而如果$T_k(k)$不停止[这样$H(k;k)=0$]，我们有同样不协调的结果：

$$1+0=\square,$$

所以无论如何总导致一个矛盾。

一台特定的图灵机是否停止是一个定义完好的数学问题（反过来，

我们已经看到，各种有意义的数学问题可被重述成图灵机的停机问题）。这样，依靠显示不存在决定图灵机停机问题的算法，图灵（正如丘奇用自己十分不同的手段）指出，不存在决定数学问题的一般算法。希尔伯特判定问题没有解答！

这不是说，在任何个别的情形下，我们不可能决定某些特殊数学问题的真理或非真理；或者决定某一台给定的图灵机是否会停止。我们可以利用一些技巧或者仅仅是常识，就能在一定情况下决定这种问题。（例如，如果一台图灵机的程序表中不包括STOP指令。或者只包含STOP指令，那么常识就足以告诉我们它会不会停止！）但是，不存在一个对所有的数学问题，也不存在对所有图灵机以及所有它们可能作用的数都有效的一个算法。

我们似乎现在已经建立了，至少存在某些非决定的数学问题。然而，我们从未做过这种事！我们还没有展示过，存在某种特别别扭的图灵机表，它在某种绝对的意义上，当输入某个别扭的数时，不可能决定该机器是否停止。的确，正如我们很快就要看到的，情况刚好相反。我们一点也没提单独问题的不可解性，仅仅是说关于问题的族的算法的不可解性。在任何单独的情形下，答案或者为“是”或者为“非”，所以肯定存在一个决定那个特定情形的算法，也就是在它面临该问题时，依情况而定，会简单地讲“是”或“非”。当然，困难在于我们可能不知道用这些算法中的哪一个。那就是决定一个单独陈述而不是决定一族陈述的数学真理的问题。重要的是要意识到，算法本身不能决定数学真理。一个算法的成立总是必须依赖外界的手段才能建立起来。

如何超越算法

我们在以后论及哥德尔定理时再回到决定数学陈述的真理性问题（参阅第4章）。我希望在此刻指出，图灵的论证比我迄今所暗示的更具建设性而更少负面性。我们肯定还没有展示出一台特殊的图灵机，它在某种绝对的意义上不能决定其是否停止的问题。的确，如果我们仔细地考察该论证就会发现，我们的步骤本身实际上已经隐含地告诉我们，对这利用图灵步骤建造的似乎“极端笨拙”的机器的答案！

让我们看看这是怎么发生的。假定我们有某一个算法，它有时有效地告诉我们什么时候一台图灵机将不停止。正如在上面概述的，图灵步骤会明显地展现一个图灵机计算，对这计算那个特殊算法不能决定其是否停止。然而，在这样做的同时，它实际上使我们在这种情况下看到了答案！我们展现的特殊的图灵机计算的确不会停止。

为了仔细考查这是怎么引起的，假定我们具有一个这样有时有效的算法。正如以前那样，我们用H来标志这个算法（图灵机），但是现在允许该算法有时不能告诉我们一台图灵机在实际上将不停止：

$$H(n;m)=\begin{cases}0\text{或}\square, & \text{如果}T_n(m)=\square;\\ 1, & \text{如果}T_n(m)\text{停止。}\end{cases}$$

这样，当$T_n(m)=\square$时$H(n;m)=\square$是一种可能性。实际上存在许多这种算法$H(n;m)$。[例如，只要$T_n(m)$一停止，$H(n;m)$就能简单地产生1，尽管那个特殊的算法几乎没有什么实际的用处！]

除了不把所有的□用0来取代而留下一些以外，我们可以像上述那样仔细地顺着图灵的步骤。正如以前那样，对角线过程提供了对角线上的第n个元素

$$1+Tn(n)\times H(n;n)。$$

[只要$H(n;m)=□$，我们就将得到一个□。注意□×□=□，1+□=□。]这是一个完好的计算，所以它是由某一台，譬如讲第n台图灵机得到的，而且现在我们确实有：

$$1+T_n(n)\times H(n;m)=T_k(n)。$$

我们看第k个对角元素，也就是$n=k$，就会得到：

$$1+T_k(k)\times H(k;k)=T_k(k)。$$

如果计算$T_k(k)$停止，我们就有了一个矛盾[由于假定只要$T_k(k)$停止$H(k,k)$就为1，则方程导致不协调性：$1+T_k(k)=T_k(k)$。所以$T_k(k)$不能停止，也就是：

$$T_k(k)=□。$$

但是，算法不能“知道”这个。因为如果该算法给出$H(k,k)=0$，则我们应该又导致矛盾(我们得到了在符号上不成立的关系：1+0=□)。

这样，如果我们能找到k，就将知道如何去建造击败我们知道其答案的算法的特别计算！我们怎么找到k呢？这是一项艰巨的工作。我们需要做的是仔细考察$H(n;m)$和$T_n(m)$的构造，然后仔细弄清$1+T_n(n)\times H(n;n)$作为一台图灵机是如何动作的。我们发现这台图灵机的号码为k。要把这一切弄透彻肯定是复杂的。但它是可以办得到的[1]。由于这种复杂性，若不是因为我们为了击败H而特地制造$T_k(k)$的这个事实，我们对计算$T_k(k)$毫无兴趣！重要的是，我们有了定义很好的步骤，不管我们的H是哪一个，该步骤都能找到合适的k，使得$T_k(k)$击败H，因此这样我们可以比该算法做得更好。如果我们认为自己仅仅比算法更好些，也许会给我们带来一些小安慰！

事实上，该过程被定义得如此之好，以至于在给定的H下，我们可找到产生k的一个算法。这样，在我们过于得意之前必须意识到，由于这个算法事实上"知道"$T_k(k)=\square$，所以它能改善[9] H，是不是？在上面提到一个算法时，用拟人化的术语"知道"是有助的。然而，该算法仅仅是跟随我们预先告诉它去跟随的法则，这难道不是我们在"知道"吗？或者我们自己，仅仅是在跟随我们的头脑的构造和我们的环境所预先编排我们去跟随的规则？这问题实在不只是简单的算法问题，而且是人们如何判断何为真何为伪的问题。这是我们必须重新讨论的中心问题。数学真理（及其非算法性质）的问题将在第4章考虑。现在我们至少对术语"算法"和"可计算性"的意义以及某些相关的问题已有些领略。

---

1. 事实上，由于在上面建造通用图灵机U已使我们能把$T_n(n)$写成作用于n上的一台图灵机，所以已经得到这个最难的部分。

丘奇的λ演算

可计算性的概念是一个非常重要和漂亮的数学观念。它又是相当近代的，具有这样基本性质的事体进入数学的王国是20世纪30年代的事。这个观念已经渗透到数学的所有领域中去（虽然这一点确实是真的，但是大多数数学家通常不去忧虑可计算性的问题）。该观念的威力有一部分来自于这一个事实，即数学中一些定义得很好的运算实际上不是可计算的（例如图灵机的停机问题；第4章还可以看到其他例子）。因为如果不存在这种不可计算的事体，则可计算性的概念便没有多少数学的兴趣。数学家毕竟喜欢困惑的东西。让他们决定某些数学运算是否为可计算的可能是非常迷人的困惑。因为那个困惑的一般解答本身是不可计算的，这一点尤其迷人！

有一件事要弄清楚。可计算性是一个真正"绝对的"数学概念。它是一种抽象的观念，它完全超越按照我们描述的"图灵机"的任何特别实现之外。正如我在以前所评论的，我们不必对为表征图灵的天才而采用特别的手段的"磁带"和"内态"等赋予任何特别的意义。还有表达可计算性观念的其他方法，历史上最早的是美国逻辑学家阿隆佐·丘奇在斯蒂芬·C.克莱尼协助下提出的杰出的"λ演算"。丘奇的步骤和图灵的完全不同，并且更为抽象得多。事实上，在丘奇陈述他观念的形式中，在它们和任何可以称作"机械的"东西之间只有一点明显的连接。丘奇步骤背后的关键观念在其最本质上的确是抽象的，实际上丘奇把这步骤称为"抽象化"的一个数学运算。

不仅是因为丘奇方案强调可计算性是一个独立于计算机器的任

何特别概念的数学观念，而且它阐明了在数学中抽象观念的威力，所以我感到值得花一点时间来简要地描述它。对数学观念不熟悉或者对这件事本身不感好奇的读者，在这一阶段可以跳到下一章去，这不会对论证的过程产生多少损失。尽管如此，这样的读者若愿意和我多忍受一阵会得到好处，并且能见证丘奇方案的某些魔术般的经济性（参见 *Church 1941*）。

人们在此方案中关心的是，譬如由以下表示的对象的“宇宙”：

$$a, b, c, d, \cdots, z, a', b', \cdots, z', a'', b'', \cdots,$$
$$a''', \cdots, a'''', \cdots,$$

其中每一元素代表一个数学运算或**函数**。（之所以用带撇的字母，只不过是便于无限地给出这些符号以表示这种函数。）这些函数的“自变量”，即它们所作用的东西，是同一类型的其他东西。也就是函数。此外，一个这种函数作用于另一个函数的结果（或“值”）仍是一个函数。（在丘奇的系统中的确具有美妙的概念经济性。）这样，当我们写[1]

$$a = bc$$

时，我们是指函数b作用于函数c的结果为另一函数a。要在这个方案中表达两个或更多变量的函数的观念并没有困难。如果我们希望把f

1. 一种更熟悉的记号是写成$a=b(c)$，但这些特别的括号不是真正必要的，在习惯上把它们忽略掉更好些。如果把它们一律都保留着，就会导致相当的繁琐，诸如表达式$(f(p))(q)$和$((f(p))(q))(r)$可分别简化成$(fp)q$和$((fp)q)r$。

认为两个变量，譬如讲p和q的函数，我们可以简单地写：

$$(fp)q$$

（这是函数fp作用于q的结果）。对于三变量函数我们考虑：

$$((fp)q)r,$$

等等。

让我们引进抽象化的有力的运算。为此我们使用希腊字母λ（拉姆达），而且直接再加上一个字母如x，以代表一个丘奇函数，我们把它当成“虚变量”。任何发生于紧跟在这后面的方括号内的表达式中的变量x是仅仅被当作一个“插口”，可以往里面代入任何跟在整个表达式后的任何东西。这样，如果我们写：

$$\lambda x.[fx],$$

我们是说，当它作用到譬如讲函数a上时，就产生结果fa。那就是：

$$(\lambda x.[fx])a=fa。$$

换言之，$\lambda x.[fx]$简单地就是函数f，即：

$$\lambda x.[fx]=f。$$

这里只用一点思维就够了。数学的一个美妙在于，初看起来是如此卖弄学识的、琐碎的东西，也是人们非常容易完全失去要点的东西。让我们考虑从中学数学拿来的一个熟悉的例子。我们取函数f为对一个角度取正弦的三角运算，这样抽象的函数“sin”被定义为：

$$\lambda x.[\sin x]=\sin。$$

（不必为何以“函数”x可当作一个角度而忧虑。我们很快就会看到数可被当成函数的某种方法；而一个角度只不过是一种数。）迄今为止的一切的确是相当无聊的。让我们设想，记号“sin”还没被发明，但是我们熟悉$\sin x$的级数展开表达式：

$$x-\frac{1}{6}x^3+\frac{1}{120}x^5-\cdots,$$

然后我们可以定义：

$$\sin=\lambda x.\left[x-\frac{1}{6}x^3+\frac{1}{120}x^5-\cdots\right]。$$

请注意，我们甚至可以更简单地定义，譬如讲“六分之一立方”的运算，而它是没有标准的“函数”记号的：

$$Q=\lambda x.\left[\frac{1}{6}x^3\right],$$

而且我们发现，例如：

$$Q(a+1)=\frac{1}{6}(a+1)^3=\frac{1}{6}a^3+\frac{1}{2}a^2+\frac{1}{2}a+\frac{1}{6}。$$

从丘奇的基本函数运算简单构造的表达式对于现在的讨论更为贴切，例如：

$$\lambda f.[f(fx)]。$$

这是一个函数，当它作用于另一函数，譬如讲g时，产生g两次迭代地作用于x上的函数，也就是：

$$(\lambda f.[f(fx)])g=g(gx)。$$

我们也可以首先"抽象化走"x以得到：

$$\lambda f.[\lambda x.[f(fx)]],$$

此式可以缩写成：

$$\lambda fx[f(fx)]。$$

这是当作用于g时产生"g被迭代两次"的函数。事实上，这正是丘奇将其和自然数2相等同的函数。

$$\mathbb{2}=\lambda fx.[f(fx)],$$

这样，$(2g)y=g(gy)$。它类似地定义：

$$\mathbb{3}=\lambda fx.[f(f(fx))],$$

$$\mathbb{4}=\lambda fx[f(f(f(fx)))]，等等，$$

以及

$$\mathbb{1}=\lambda f.[fx],\ \mathbb{0}=\lambda fx.[x]。$$

丘奇的“2”真的更像“两次”，它的“3”是“3次”等。这样$\mathbb{3}$在一个函数f上的作用也就是$\mathbb{3}f$，是“把f迭代3次”的运算。因此，$\mathbb{3}f$在y上的作用是$(\mathbb{3}f)y=f(f(f(y)))$。

让我们看一个非常简单的算术运算，也就是如何把$\mathbb{1}$加到一个数上的运算在丘奇方案中表达出来。定义

$$S=\lambda abc.[b((ab)c)]。$$

为了阐明S的确简单地把$\mathbb{1}$加到用丘奇记号表示的一个数上，让我们做这样的验算：

$$S\mathbb{3}=\lambda abc.[b((ab)c)]\mathbb{3}=\lambda bc.[b((\mathbb{3}b)c)]=$$
$$\lambda bc.[b(b(bc)))]=\mathbb{4},$$

这是由于（$\mathbb{3}b$）$c=b(b(bc))$。很清楚，这可同样好地适用于任何其他自然数。（事实上$\lambda abc.[(ab)(bc)]$可以和S一样好地做到。）

把一个数乘二又如何呢？这种加倍可由

$$D=\lambda abc.[(ab)((ab)c)]$$

获得，它可再次由作用于$\mathbb{3}$上而得到验证：

$$D=\lambda abc.[(ab)((ab)c)]\mathbb{3}=\lambda bc.[(\mathbb{3}b)((\mathbb{3}b)c)]=$$
$$\lambda bc.[(\mathbb{3}b)(b(b(bc)))]=\lambda bc.[b(b(b(b(bc))))]=$$
$$\mathbb{6}。$$

事实上，加法、乘法和自乘的基本算术运算可分别定义为：

$$A=\lambda fgxy.[((fx)(gx))y],$$
$$M=\lambda fgx.[f(gx)],$$

$$P=\lambda fg.[fg]。$$

实际上，读者可以确信——要不就不加考察信以为真，即：

$$(\mathbb{A}m)n=m+n,\ (\mathbb{M}m)n=m\times n,\ (\mathbb{P}m)n=n^{m},$$

其中m和n是丘奇的两个自然数的函数，$m+n$是它们和的相应函数，等等。最后那个公式是最令人惊异的。让我们仅仅验证其$\mathbb{m}=2$，$\mathbb{n}=3$的情形：

$$
\begin{aligned}
&(P\mathbb{2})\mathbb{3}=((\lambda fg.[fg])\mathbb{2})\mathbb{3}=(\lambda g.[\mathbb{2}g])\mathbb{3}=\\
&(\lambda g.[\lambda fx.[f(fx)]g])\mathbb{3}=\\
&\lambda gx.[g(gx)]\mathbb{3}=\lambda x[\mathbb{3}(\mathbb{3}x)]=\\
&\lambda x.[\lambda fy.[f(f(fy))](\mathbb{3}x)]=\\
&\lambda xy.[(\mathbb{3}x)((\mathbb{3}x)((\mathbb{3}x)y))]=\\
&\lambda xy.[(\mathbb{3}x)((\mathbb{3}x)(x(x(xy))))]=\\
&\lambda xy.[(\mathbb{3}x)(x(x(x(x(x(xy))))))]=\\
&\lambda xy.[x(x(x(x(x(x(x(x(xy)))))))))]=\\
&\mathbb{9}=\mathbb{3}^2
\end{aligned}
$$

减法和除法不是这么容易定义的（我们的确需要某种当$\mathbb{m}$比$\mathbb{n}$小时"$\mathbb{m}-\mathbb{n}$"以及当$\mathbb{m}$不能被$\mathbb{n}$整除时"$\mathbb{m}\div\mathbb{n}$"的约定。事实上，20世纪30年代早期，克莱尼发现如何在丘奇的方案中表达减法运算就被认为是这一学科的重要里程碑！后来接着又有其他的运算。最后，丘奇和图灵在1937年独立地指出，不管什么样的可计算的（或算法的）运算（现在在图灵机的意义上）都可以按照丘奇的一种表达式获得（而且反之亦然）。

这是一个真正惊人的事实，它被用来强调可计算性思想的基本客观性以及数学特征。初看起来，丘奇的可计算性概念和计算机器没有什么关系。然而，它和实际计算具有某些基本关系。尤其是，有力而灵活的电脑LISP语言以一种根本的方式参与到丘奇计算法的基本结构中来。

正如我早先指出的，还有其他定义可计算性概念的方法。波斯特的计算机器的概念和图灵的非常接近，并且几乎是同时独立提出的。近世还有更有用的可计算性（递归性）的定义，这是J. 海伯伦和哥德尔提出的。H. B. 克雷在1929年，以及M. 申芬克尔在1924年稍早些时候提出了不同的方法，丘奇演算就是部分地由此发展而来（参见*Gandy 1988*）。现在研究可计算性的手段（诸如在*Cutland 1980*中描述的一台无限记录机器）在细节上和图灵原先的相差甚多，而且它们更实用得多。然而，不管采用那种不同的手段，可计算性的概念仍然相同。

正如许多其他的数学观念，尤其是更漂亮的、更基本的那些，可计算性的观念似乎自身具有某种柏拉图的实在性。在下面两章，我们应该探讨的正是数学概念的柏拉图实在性的这个神秘问题。

第 3 章
数学和实在

托伯列南国

想象我们到某一遥远世界作远程旅行。我们称这一遥远世界为托伯列南国。现在把我们的遥感仪器收集到的信息展现在面前的屏幕上。调好焦距后就看到了图3.1。

它为何物？它是一只形状古怪的昆虫吗？也许它是一个深颜色的并有许多山溪注入的湖泊。也许它是一座巨大的形状奇特的异国城市，公路沿着不同方向散开到附近的小镇和乡村去。它也许为一个岛屿——让我们寻找看在附近是否有和它相连接的陆地。我们可以后退一些，把我们感觉仪器的放大倍数减少到原来的 $\frac{1}{15}$ 左右。嗬，整个世界进入了我们的视界之内（图3.2）。

我们的“岛”在图3.2中看起来成为标记“图3.1”下的小斑点。除了一条连接到右手的裂缝上去的以外，从原先岛上出发的小片断（溪流、路径、桥梁？）全部都终结了。该裂缝最终接到我们在图3.2画出的大得多的物体上去。这个更大的物体虽然和我们第一次看到的岛不完全一样，但明显地相似。如果我们更仔细地审视这一物体和海

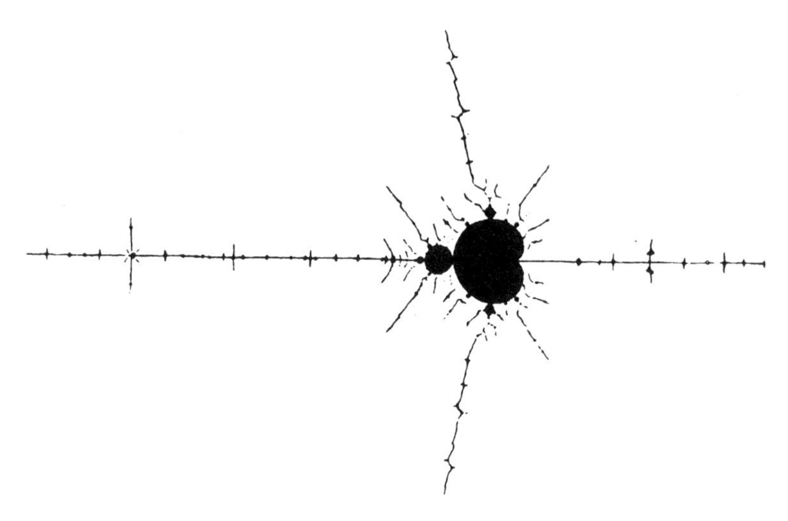

图3.1 奇异世界之第一瞥

岸线相像的东西，就发现多得数不清的圆形的瘤状结构。每一结构自身又具有类似的瘤。似乎每一小瘤都在某一微小的地方附在一个更大的瘤上，由此在大瘤上产生出许许多多的小瘤。当图像变得更清楚时，人们就看到了从这个结构发出的成千上万根的细丝。这些细丝在不同的地方分叉并常常剧烈地弯折。在细丝的某些点，我们似乎看到了具有现有的放大倍数的感觉仪器所不能分析的复杂纽结。很显然，这物体不是实际的岛屿或陆地，也不是任何风景。或许我们看到了某种怪诞的甲虫。我们首先看到的是它的婴儿，它用某种丝线状的脐带安静地把自己连接在母体上面。

让我们把感觉仪器的放大倍数提高10倍，再来考察这个怪物的一个瘤的性质（图3.3——其位置在图3.2中的“图3.3”的标志的下面）。这个瘤本身和怪物整体非常相似——除了在接触点以外。请

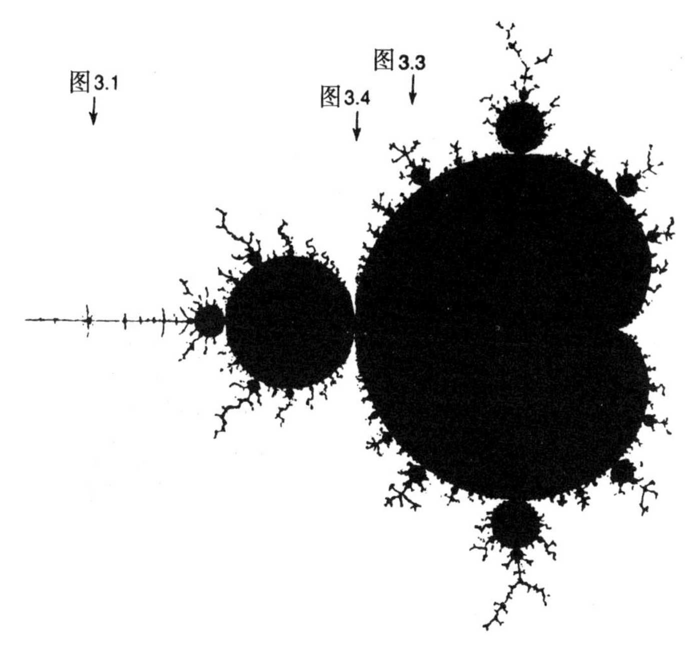

图3.2 整个“托伯列南国”。箭头之下标出了在图3.1、图3.3和图3.4中的放大部分的位置

注意在图3.3中的不同地方5根细丝并到一块。这个特定的瘤似乎有一确定的“五性”（正如在最上面的瘤具有“三性”一样）。如果我们考察下一个相当尺度的瘤，在图3.2中稍微向左下方一点，我们就会在附近发现“七性”，再下一点为“九性”，并以此类推。当我们进入图3.2中的两个最大区域之间的裂缝，就会发现右边的瘤以奇数来表征，每回增加2。让我们钻到裂缝深处，把图3.2再放大10倍左右（图3.4）。我们看到其他许多小瘤以及扭转的结构。在右边称为“海马谷”的区域可鉴别出某些微小的涡旋状的“海马尾巴”——如果放大倍数足够大的话，我们就将看到不同的“海乌贼”或者别具花样的区域。这也许的确是某种奇异的海岸线——也许是充斥所有各色各样

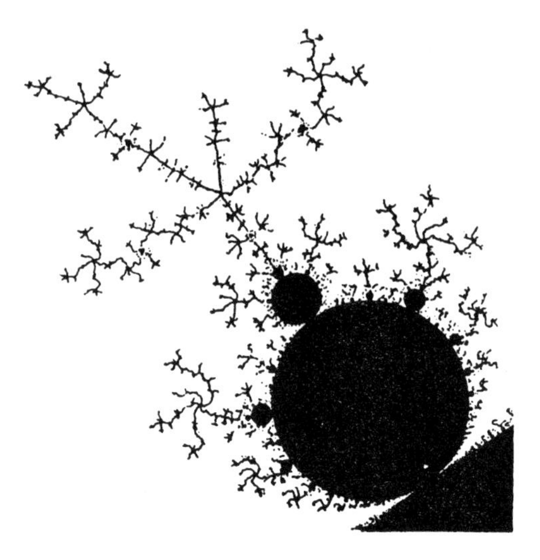

图3.3　一个具有“五性”的细丝的瘤

生命的珊瑚。看起来像是花的东西在更高的放大倍数下显得是由成千上万个微小，但同时却是不可思议的复杂的结构组成，每一结构都有极多的丝状物和扭转的涡旋尾巴。让我们稍微仔细地考察一个较大的海马的尾巴，也就是在图3.4中刚好能见到标志为“图3.5”的那个（它附在具有“29性”的瘤上面！）。大约再放大250倍左右，我们就得到了画在图3.5中的涡旋。我们发现这个尾巴非同寻常，它是由最复杂的、前后扭曲的、无数的小涡旋以及像章鱼和海马那样的区域组成。

在这个结构的许多地方刚好有两个涡旋碰到一起。让我们把放大倍数增加30倍左右，以考察其中一处（在图3.5中的标志“图3.6”的下面）。请注意，我们是否发现了中间有个奇怪但非常熟悉的对象？再放大6倍左右（图3.7）就能揭示出一个怪物的小婴儿——它

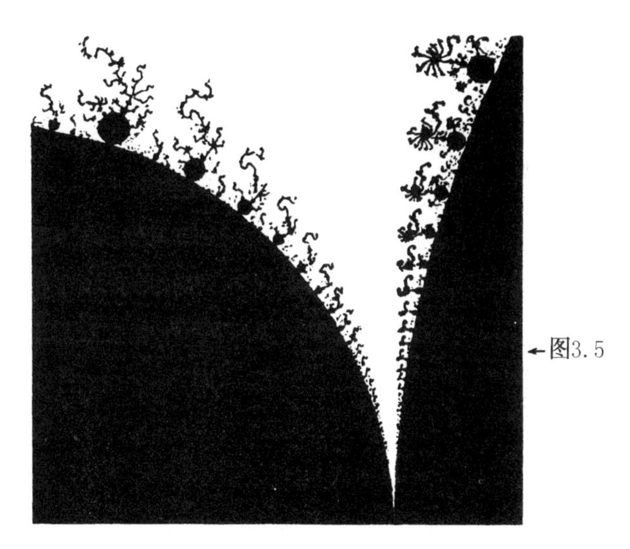

图3.4 主狭缝：在右下方可见到“海马谷”

几乎和我们考察过的整个结构完全一样！如果我们细看，就会发现从它那里出发的细丝和从主结构那里出来的略有差别。它们扭曲并延伸到更远得多的距离去。然而此细小结构本身几乎和它的上一代毫无差别，甚至在密切相应的地方拥有自己的后代。如果我们还进一步放大，就能继续考察这些东西。孙子们又非常类似于它们的共同祖先——人们很容易相信，这些现象会无限地延续下去。只要不断地提高我们感觉仪器的放大倍数，就可随心所欲地探索托伯列南的奇异世界。我们发现了无穷尽的变化：没有两个区域是完全相像的——但是我们很快就会习惯于存在的一些普遍的风格。而熟知的类甲虫的结构以越来越小的尺度重新出现。每一回它的附近的细丝结构都和早先看到的不同，并以不可置信的复杂的美妙的新景象呈现在我们的面前。

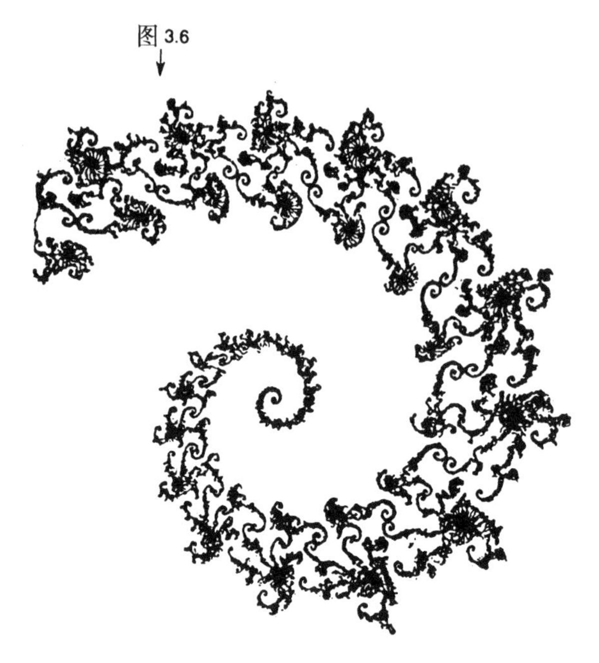

图3.5　海马尾巴的近窥

使我们目瞪口呆地奇异的、变化多端的、美妙的、复杂的国土究竟为何物呢？许多读者无疑已经知道。但还有一些读者不知道。这世界只不过是一点抽象数学——称为芒德布罗集[1]的集合。尽管它无疑是复杂的，却是由极其简单的规则产生的！为了恰当地解释该规则，我首先得解释什么是复数。除了这里以外，在将来还有用。它对于量子力学的结构，所以也就是我们生活其中的世界的运行是绝对基本的。它们构成了数学中的一个伟大奇迹。为了解释何为复数，首先得提醒读者何为“实数”。另外，弄清概念和“真实世界”的实在本身的关系也是非常有益的。

图3.6　两个涡旋会合处的进一步放大细节。在中心点处刚刚可以见到一个小婴儿

图 3.7　婴儿在放大之后就显得和整个世界很相似

实数

我们知道自然数可被罗列如下：

$$0, 1, 2, 3, 4, 5, 6, 7, 8, 9, 10, 11, \cdots,$$

这些是不同种类数中最初等和最基本的。任何分立的对象都可以用自然数予以量化：我们可以讲田地里有27只绵羊，可以讲2次闪电，12个晚上，1000个词，4次谈话，0个新观念，1个错误，6位缺席者，2次方向改变等。自然数可以相加或相乘以得到新的自然数。它便是上一章给出的关于算法的一般讨论的对象。

然而某些重要的运算会把我们带到自然数王国之外——最简单的是减法。为了系统地定义减法，我们需要负数；为此目的我们建立了整数的整个系统

$$\cdots, -6, -5, -4, -3, -2, -1, 0, 1, 2, 3, 4, 5, 6, 7, \cdots。$$

某些事物，譬如电荷、银行的存款或者日期[1]可用这类数来量化。然而，这些数的范围仍然过于局限。这是由于把一个数除以另一个数时，我们仍然不能畅通无阻。相应地，我们需要分数或有理数。

$$0, 1, -1, 1/2, -1/2, 2, -2, 3/2, -3/2, 1/3, \cdots。$$

这一些对于有限算术的运算已经足够。但是为了许多更好的目的，我们还得走得更远些，以包括无穷或极限运算。例如，大家熟悉的在数学上极其重要的量π就以多个这类无穷式出现。特别地，我们有：

1. 实际上，关于日期通常惯例并不与此完全相符，这是因为零年被忽略去了。

$$\pi = 2\{(2/1)(2/3)(4/3)(4/5)(6/5)(6/7)(8/7)(8/9)\cdots\},$$

以及

$$\pi = 4(1-1/3+1/5-1/7+1/9-1/11+\cdots)。$$

这些都是著名的表式。第一式是由英国数学家、语法学家兼速算家约翰·沃利斯在1655年首次得到的；而第二式实际上是苏格兰数学家兼天文学家（以及第一台反射望远镜的发明者）詹姆斯·格里高里在1671年得到的。正如π那样，以这种方法定义的数不必是有理数（也就是不具有n/m的形式，这里n和m是整数，m不为零）。为了包括这样的量，数的系统必须被推广。

这个推广的数的系统被称为"实"数系统——就是那些可以无尽小数展开的熟悉的数，譬如：

$$-583.70264439121009538\cdots。$$

按照这样的表述，π可写成众所周知的表式：

$$\pi = 3.14159265358979323846\cdots。$$

还能以这种方法表达的数种，有正有理数的平方根（或立方根或四次方根等），例如：

$$\sqrt{2}=1.41421356237309504\cdots;$$

甚或任何正实数的平方根(或立方根等),正如伟大的瑞士数学家列纳多·欧拉发现的π的表示:

$$\pi=\sqrt{\left\{6(1+1/4+1/9+1/16+1/25+1/36+\cdots\right\}}\text{。}$$

实数实际上是我们日常必须打交道的数种,虽然通常我们仅仅关心它们的近似值,只要展开到很少的几位小数位就满意了。然而,在数学的陈述中我们要准确地指定实数,要求某种无穷的诸如整个无穷小数展开的描述,或者也许如上述由沃利斯、格里高里和欧拉给出的π的其他的无穷的数学表达式。(我将通常用小数展开,只是因为这些是最熟悉的。对于数学家而言,存在不同的令人更满意的表达实数的办法,但我们在这里不必为之操心。)

人们也许会感到处理全部的无尽展开是不可能的。但事情并非如此。简单的反例是:

$$1/3=0.333333333333333\cdots$$

这儿的点表明3的序列将无尽地延伸下去。为了处理这个展开,我们所需要知道的是,只要肯定这个展开以同样的3的方式无限地继续下去就行了。任何有理数都有重复(或有限)的小数展开,例如:

$$93/74=1.2567567567567567\cdots$$

此处序列567无限地重复下去，而这可以被完全地处理。而表式：

$$0.220002222000002222220000000222222220\cdots$$

定义一个无理数，也一定可以被完全处理（每一次0序列和2序列都增加一位）。还能给出许多熟知的例子。在每一种情形下，只要我们知道展开所根据的法则也就满意了。如果有某种产生连续位数的算法，则该算法就提供我们处理整个无尽小数展开的方法。其展开可被算法产生的实数称为可计算数（在这里使用十进制，而不用譬如讲二进制展开，并没有什么深意）。刚才考虑的π和$\sqrt{2}$是可计算数的例子。在每一种情况下，仔细叙述这些规则是稍微有些复杂，但在原则上并不难。

然而，在这个意义上还有许多不可计算的实数。我们在上一章已经看到，存在不可计算的但仍为完好定义的序列。例如，我们可取一个小数展开，其n位数取1或取0依图灵机作用到n时停止或不停止而定。一般地讲，对于一个实数，我们仅仅要求必须有某种无尽的小数展开。我们不要求是否有一产生第n位数的算法。我们甚至也不要知道在原则上实际定义该n位数的规则[2]。可计算数是很难纠缠的东西。即使只处理可计算数，人们也不能够使它的所有运算保持为可计算的。例如，甚至一般地去决定两个可计算数是否相等也不是可计算的事体！由于这类原因，我们宁愿处理所有的实数。在这里小数展开可以是任意的，而不必只是可计算的序列等。

最后，我倒是要指出，在结尾以无穷个接续的9和无穷个接续的0展开的实数之间有一等同；例如：

$-27.1860999999\cdots=-27.1861000000\cdots$

有多少个实数

让我们喘息一下，来鉴赏在从有理数过渡到实数时所得到的推广的广阔性。最初人们也许会以为，整数的个数比自然数的更多，由于每一自然数都是整数，而某些整数（也就是负的）不是自然数。类似地，人们也会以为分数的数目比整数的数目更多。然而事情并非如此。按照极有创见的俄裔德国数学家——乔治·康托尔在19世纪后半叶提出的强有力的美丽的无限数理论，分数的总数目、整数的总数目和自然数的总数目是同一无穷数，均用 $\aleph_0$（"阿列夫零"）来表示。（值得注意的是，在大约250年前的17世纪初叶，伟大的意大利物理学家和天文学家伽利雷·伽利略也部分地预料到这一类思想。在第5章将会提到伽利略的其他一些成就。）人们可用如下建立的"一一对应"的办法来显示整数和自然数具有同样的数目：

整数		自然数
0	$\leftrightarrow$	0
−1	$\leftrightarrow$	1
1	$\leftrightarrow$	2
−2	$\leftrightarrow$	3
2	$\leftrightarrow$	4
−3	$\leftrightarrow$	5
3	$\leftrightarrow$	6
−4	$\leftrightarrow$	7
⋮	⋮	⋮

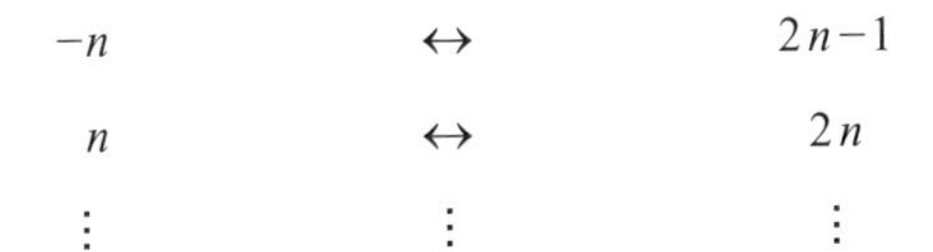

请注意，每一整数（在左列）和每一自然数（在右列）在表中出现一次并只有一次。在康托尔的理论中像这样的一一对应的存在建立了左列物体的数目和右列的是一样的命题。这样，整数的数目的确和自然数的数目一样。在这种情形下数目为无穷，但这没关系。（发生在无穷数中的仅有的古怪事情是，我们可以从一个表上取走一些数而仍然能找到两个表之间的一一对应！）以某种类似的但更复杂的形式，人们可在分数和整数之间建立起一一对应［为此我们可以采用把一对自然数（分子和分母）代表为一个单独自然数的方法］。可以和自然数建立一一对应关系的集称为可数的。所以，可数的无限集共有$\aleph_0$个元素。我们现在看到了，整数是可数的，所有的分数也是如此。

有没有不可数的集合呢？虽然我们进行了自然数首先到整数、然后到有理数的推广，但是我们实际上并没有增加所处理对象的总数。也许读者已得到印象，以为所有无穷集都是可数的。不对，在推广到实数时情况就变得非常不同。康托尔的一个最重大的成就是，他指出了，在实际上实数比有理数有更多的数目。康托尔进行论证的办法在第2章被称为“对角线方法”。这个方法被图灵用来表示图灵机的停机问题是不可解的。康托尔的论证，正如图灵的办法，是用反证法的步骤。假定我们所要建立的结果是错误的，也就是所有的实数的集是可数的。那么在0和1之间的实数肯定为可数的，而我们存在某种列表，可将实数和自然数之间进行一一配对，譬如：

自然数		实数
0	↔	0.**1**0357627183 ···
1	↔	0.1**4**329806115 ···
2	↔	0.02**1**66095213 ···
3	↔	0.430**0**5357779 ···
4	↔	0.9255**0**489101 ···
5	↔	0.59210**3**43297 ···
6	↔	0.636679**1**0457 ···
7	↔	0.8705007**4**193 ···
8	↔	0.04311737**8**04 ···
9	↔	0.786350811**5**0 ···
10	↔	0.4091673889**1** ···
⋮	⋮	⋮

我已把对角线上的数字用黑体字写出。对于这一特殊的表，这些数字分别为：

1，4，1，0，0，3，1，4，8，5，1，···

而对角线方法步骤是（在0和1之间）构造一个实数，其小数展开（在小数点后）在每一对应的位数上和这些数字都不同。为了确定起见，让我们讲，只要对角线数和1不同的都为1，而对角线数为1的都为2。我们在现在情况下就得到了

0.21211121112 ···

的实数。这个实数不可能出现在我们的表上。这是因为它在（小数点后的）第一个小数位上和第一个数不同，在第二个小数位上和第二个数不同，在第三个小数位上和第三个数不同等。由于我们假定这个表包含所有在0和1之间的实数，所以这是一个矛盾。这一矛盾导致我们所要证明的，也就是说，在实数和自然数之间没有一一对应。相应地，实数的数目实际上比有理数的数目更大，因而不是可数的。实数的数目是标有C的无限数。（C的意思是连续统，这是实数系统的另一名字。）人们会问，譬如讲，为何这一个数目不叫作$\aleph_1$呢？事实上符号$\aleph_1$是用来表示比$\aleph_0$大的下一个无限数。去决定事实上$C=\aleph_1$成立与否是一道著名的被称为连续统假设的未解决问题。

顺便可以提及，可计算数是可数的。为了数这些数，我们只要按照数字的顺序列出那些产生实数的图灵机（也就是产生实数连续数字的机器）。我们可望从这表中除去产生任何早先出现在表中的实数的图灵机。由于图灵机是可数的，所以可计算的实数也一定是可数的。我们为何不能把对角线方法应用到该表上以产生一个不在该表的新的可计算数呢？回答是基于这样的一个事实，即我们不能一般地可计算地确定，一台图灵机是否在这表上。为了做到这一点，事实上也就涉及我们能够解决停机问题。有的图灵机，可以开始产生一个实数的数字，然而停住而永远不再产生另一数字（因为它“不停机”）。没有可计算的方法去决定哪一台图灵机会以这种方法卡住。这基本上是停机问题。这样，我们对角步骤会产生某实数，这数不是可计算的。这个论证事实上可用于表明不可计算数的存在。图灵用于显示不能算法地解决的，正如在上一章所罗列的各类问题的存在，正是精确地沿用了这种推理方法。我们在后面还会看到对角线方法的其他应用。

实数的"实在性"

我们先不管可计算性的概念。由于实数似乎提供了测量距离、角度、时间、能量、温度或者许多其他几何和物理量的大小，所以被叫作"实"的。然而在抽象定义的"实"数和物理量之间的关系，不像人们所想象的那么一目了然。实数点被当成数学的理想化，而不是任何实际物理客观的量。例如，实数系统具有如下性质，在任何两个实数之间必有另一个实数，而不管该两数靠得多近。人们根本就不清楚，物理的距离或时间是否现实上具有这一性质。如果我们不断地对分两点之间的物理距离，最后就会到达这样微小的尺度，以至于在通常意义下的距离概念本身不再具有意义。人们预料在亚原子粒子的 $1/10^{20}$ 的"量子引力"尺度下[1]，这的确会发生。但是为了和实数相匹配，我们就必须走到比它小得任意多的尺度：例如 $1/10^{200}$，$1/10^{2000}$ 或 $1/10^{20000}$ 的粒子尺度。人们一点也不清楚，这么荒谬的微小尺度究竟有什么物理意义。类似的议论也适用于相应的微小的时间间隔。

物理学选用实数系统的原因在于它的数学上的可用、简单、精巧以及在非常广大的范围内和距离以及时间的概念相符合。它之所以被选用并不是因为知道它和这些物理概念在所有的范围中都一致。人们还可以预料到，在非常微小的距离或时间的尺度下，不存在这样的一致。人们通常用尺来测量简单的距离，但这样的尺在我们追溯到它们自身原子的尺度时，就变得粗糙起来。这一切并不妨碍我们继续准确地利用实数，但要经过更加精细的处理，才能测量更小的距离。我

1. 注意 10^{20} 表示100000000000000000000，也就是1后面跟20个0。

们至少要有点怀疑，在极小尺度的距离下，也许最终存在有根本原则上的困难。自然对于我们真是恩惠有加，我们从小习惯用于描述日常或更大尺度的事物的同一实数，在尺度比原子小很多，肯定在比“经典”的亚原子粒子，譬如电子或质子的经典直径小百倍的尺度下仍然有用，似乎直到比这粒子小20个数量级的“量子引力尺度”仍然适用。从经验得知，这是极不寻常的推论。熟知的实数距离的概念似乎还可外推到最遥远的类星体以及更远处，给出了至少10^{42}。也许10^{60}甚至更广的大范围。事实上，实数系统的适当性通常是不可置疑的。我们原先和实数相关的经验主要被限于相对有限的范围，人们为什么对实数于物理精密描述的可用性如此信心百倍呢？

这种信念——也许是不当的——必须来源于（虽然这个事实经常不被承认）实数系统逻辑的优雅、一致性和数学的威力以及对自然的深刻数学和谐的信仰。

复数

实数系统并没有全揽数学的威力和优雅品格。其中仍有一些讨厌之处，例如只能对正数（或零）而不能对负数取平方根。先不讲和物理世界有直接关系的任何问题，单从数学的观点知道，如果能像处理正数那样对负数求平方根，那就极其方便了。让我们简单地假定，或“发明”数-1的平方根。我们用i来表示它，所以就有：

$$i^2=-1。$$

当然i的数量不能是实数，因为任何实数自乘的结果总是正数（或是零，零自乘得零）。由于这个原因，习惯上用“虚数”来称呼其平方为负数的数。正如我早先强调的，“实”数和物理实在的关系不像初看起来那么直接、那么令人信服，这里实际牵涉到数学的无限精细化的理想化，自然并没有先天地保证这种做法的合理性。

一旦有了-1的平方根，就可以不费劲地得到所有实数的平方根，如果a为一个正实数，则量

$$\mathrm{i}\times\sqrt{a}$$

是负实数$-a$的平方根。（还有另一平方根$-\mathrm{i}\times\sqrt{a}$。）i本身又如何呢？它有平方根吗？它的确有，很容易检验量

$$(1+\mathrm{i})/\sqrt{2}$$

（以及其负量）的平方得i。这个数有平方根吗？答案又是肯定的；量$\sqrt{\frac{(1+1\sqrt{2})}{2}}+\mathrm{i}\sqrt{\frac{(1-1\sqrt{2})}{2}}$或者它的负量的平方的确为$(1+\mathrm{i})/\sqrt{2}$。

我们注意到，在形成这样的量时，我们允许把实数和虚数相加，也允许把我们的数乘任意实数（或除以非零的实数，这相当于乘以它们的倒数）。所得的结果称为复数。复数是具有形式

$$a+\mathrm{i}b$$

的数，这里a和b是实数，分别称作该复数的实部和虚部。将这样的两个数相加和相乘必须遵循通常的代数法则以及$i^2=-1$的规则：

$$(a+ib)+(c+id)=(a+c)+i(b+d),$$

$$(a+ib)\times(c+id)=(ac-bd)+i(ad+bc)。$$

现在出现值得注意的情况！我们对这个系统的动机是使对任何数都能取平方根。这个目的是达到了，虽然还不这么明显。但是，它做得比这还多得多：取立方根、5次方根、99次方根、π次根、$(1+i)$次根等都可以畅通无阻地进行（正如伟大的18世纪数学家列纳多·欧拉指出的那样）。作为复数的另外一个魔术，我们考察在中学就学到的三角几何中略显复杂的公式，两个角之和的正弦与余弦公式

$$\sin(A+B)=\sin A\cos B+\cos A\sin B,$$

$$\cos(A+B)=\cos A\cos B-\sin A\sin B,$$

只不过分别是简单得多（也容易记忆得多！）的复方程[1]

$$e^{iA+iB}=e^{iA}e^{iB}$$

的虚部和实部。

1. 量$e=2.7182818285\cdots$（自然对数的底。其数学上的重要性可和π相比的无理数）的定义为：

$$e=1+1/1+1/(1\times2)+1/(1\times2\times3)+\cdots,$$

而e^z表示e的z次方，e^z可展开为：

$$e^z=1+z/1+z^2/(1\times2)+z^3/(1\times2\times3)+\cdots。$$

我们在这里所要知道的是“欧拉公式”(众所周知，在欧拉之前多年，该公式就被16世纪杰出的英国数学家罗杰·柯特斯得到)

$$e^{iA}=\cos A+i\sin A,$$

把它代入前面的方程，其结果的表达式为

$$\cos(A+B)+i\sin(A+B)=(\cos A+i\sin A)(\cos B+i\sin B),$$

只要把右边乘出，我们就得到所需的三角关系式。

而尤其值得注意的是，任何代数方程

$$a_0+a_1z+a_2z^2+a_3z^3+\cdots+a_nz^n=0$$

(此处a_0，a_1，a_2，…，a_n为复数，$a_n\neq 0$)总有复数解。

例如，存在满足关系

$$z^{102}+999z^{33}-\pi z^2=-417+i$$

的一个复数z，虽然这一点绝非明显！这一个普遍的事实有时被称作“代数基本定理”。不少18世纪的数学家都为证明这个结果奋斗过。甚至欧拉也没有找到一个满意的一般的论证。后来在1831年，伟大的数学家和科学家卡尔·弗里德里希·高斯给出了惊人的独创的论证，并提供了第一个一般性证明。他的证明的关键部分是几何地表达复数，然而利用拓扑学[1]的论断。

高斯实际上不是使用复数描述的第一个人。沃利斯在大约200年前就这么做了，虽然他没有像高斯那样强有力地使用这工具。通常把复数的几何表示归功于瑞士的簿记员金·罗伯特·阿伽德，他在1806年将其描述出来，尽管挪威的测绘家卡斯帕·韦塞尔事实上在9年前就给出了完整的描述。为了和这个惯用的（虽然与历史不符）术语相一致，我将复数的标准几何表示称为复平面。

复平面是一个通常的欧几里得平面，它具有标准笛卡儿的x，y坐标，x标出水平距离（向右为正，向左为负），而y标出垂直距离（向上为正，向下为负）。复数

$$z=x+\mathrm{i}y$$

在复平面中以坐标为

$$(x, y)$$

的点所表示（图3.8）。

1. 术语“拓扑的”引自一个几何学分支——拓扑学有时称作“橡皮几何学”——在这种几何中，实际的距离是无所谓的，其所关心的只是对象的连续性质。

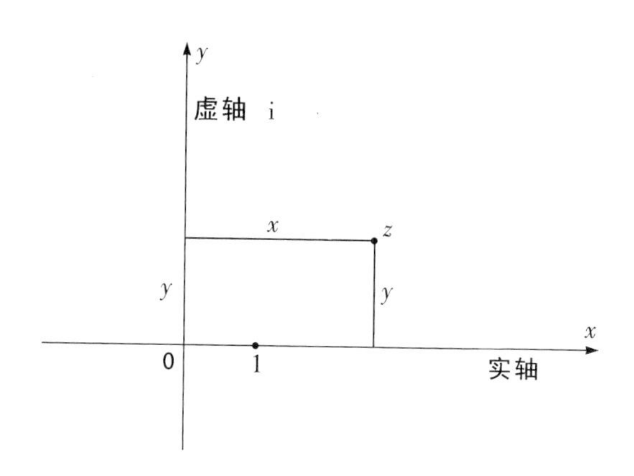

图3.8 在复平面上画出了复数$z=x+iy$

注意0（作为一个复数）由坐标系的原点代表，1是由x轴上的特殊的点代表。

复平面为我们把整个复数的家族组织成一个几何上有用的图形。这类事对我们而言并无新奇之处。我们已经熟悉实数可以组织成为一个几何的图像的方法，也就是一根向两个方向无限延伸的直线。直线上的特定点为0，另一点为1。点2的位置处于它到1的位移和1到0的位移相同的地方；点$\frac{1}{2}$处于0和1的中点；点-1使得0处于它和1的中间，等等。以这种方式标出实数的集合称为实线。对于复数，我们事实上用两个实数作为复数$a+ib$的坐标，也就是a和b。这两个数给出我们一个平面——复平面上的点的坐标。例如，我在图3.9上近似地标出了复数的位置。

$$u=1+i1.3,\ v=-2+i,\ w=-1.5-i0.4$$

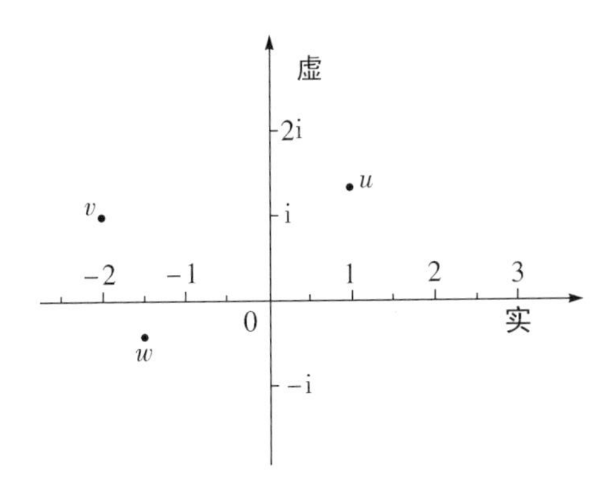

图3.9　复平面上的$u=1+\mathrm{i}1.3$，$v=-2+\mathrm{i}$和$w=-1.5-\mathrm{i}0.4$的位置

现在复数的加法和乘法的基本代数运算具有清楚的几何意义。首先考虑加法。假设u和v为两个复数，并按照上述的方案表示在亚根平面上。则它们的和$u+v$就由这两点的"向量和"来表示；也就是说，它处于由u，v和原点0构成的平行四边形的另一顶点。我们不难看出，由这种构造（图3.10）可以得到和，但是我在这里把证明省略掉。

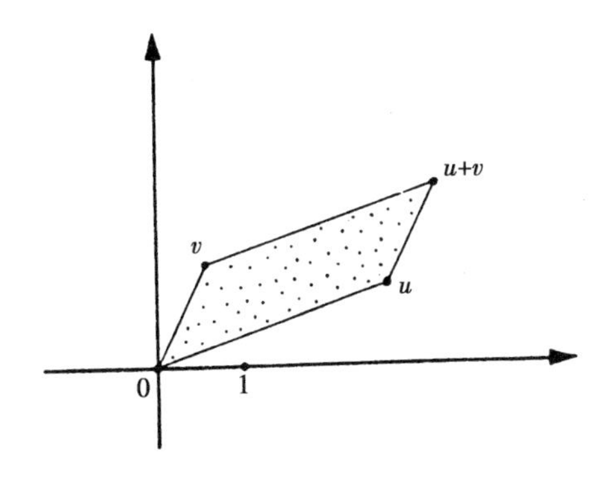

图3.10　两个复数u和v的和$u+v$可由平行四边形定律得到

乘积uv也有清楚的几何解释（图3.11），这稍微不太容易看得出来。（我在这里又省略了证明。）在原点处由1和uv的张角等于1和u以及1和v张角之和（所有角度都按反时针方向测量），uv离开原点的距离是u和v离开原点距离的乘积。这可以等效地叙述为，由0，v和uv形成的三角形与由0，1和u形成的三角形相似，并且具有相同的指向。（精力充沛而对此不熟悉的读者也许可以利用早先给出的复数加法和乘法的代数规则以及上面的三角等式来直接证明这些结果。）

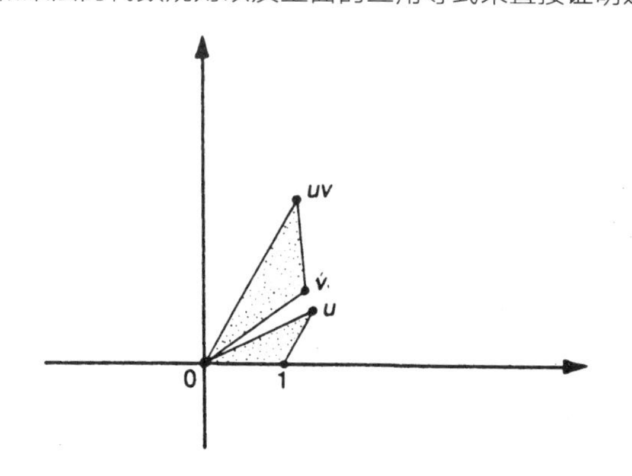

图3.11 两个复数u和v的乘积uv使得由**0**，u和uv形成的三角形与由**0**，**1**和u形成的相似，可以等效地说：uv到**0**的距离是u和v到**0**的距离的乘积，而uv和实轴（水平）构成的角度是u和v和该轴夹角的和

芒德布罗集的构成

我们现在可以看看如何定义芒德布罗集了。令z为一个任意选择的复数。不管这一个复数是什么，它都由复平面上的某一点所代表。现在考虑由下式

$$z \to z^2 + C$$

表出的映射，它把z由一个新的复数来取代。这儿C为另一个固定的（也就是给定的）复数。数z^2+C在复平面为某一个新的点所表示。例如，如果C刚好给出1.63－i4.2，则z就按点

$$z \to z^2 + 1.63 - i4.2$$

来映射。这样，特别是3就被

$$3^2 + 1.63 - i4.2 = 9 + 1.63 - i4.2 = 10.63 - i4.2$$

所取代，而$-2.7+i0.3$就会被

$$(-2.7+i0.3)^2 + 1.63 - i4.2 = (-2.7)^2 - (0.3)^2 + 1.63 + i\{2(-2.7)(0.3) - 4.2\} = 8.83 - i5.82$$

所取代。当这些数变得复杂时，最好用电脑来进行这些计算。

现在不管C是多少，特别是点0在这个方案下被数C所取代。C本身又如何呢？它被C^2+C取代。假定我们继续这个步骤，将这种取代应用于C^2+C，则就得到

$$(C^2+C)^2 + C = C^4 + 2C^3 + C^2 + C。$$

让我们再重复这个代换，把它应用到上面的数就得到

$$(C^4+2C^3+C^2+C)^2+C=$$
$$C^8+4C^7+6C^6+6C^5+5C^4+2C^3+C^2+C。$$

然后再对此数代换等。我们得到从0开始的一个序列

$$0, C, C^2+C, C^4+2C^3+C^2+C, \cdots。$$

现在如果我们选择一定的复数C来进行，则由这种办法得到的数的序列在复平面上永远不会徘徊到离原点非常远的地方去；更精确地讲，对于C的这种选择该序列是有界的，也就是说序列的每一个成员都位于以原点为中心的某一个固定圆周之内（图3.12）。$C=0$的情况是一个好例子，由于在这种情形下序列的所有成员都是0。另一发生有界行为的例子是$C=-1$，因为此序列为0，-1，0，-1，

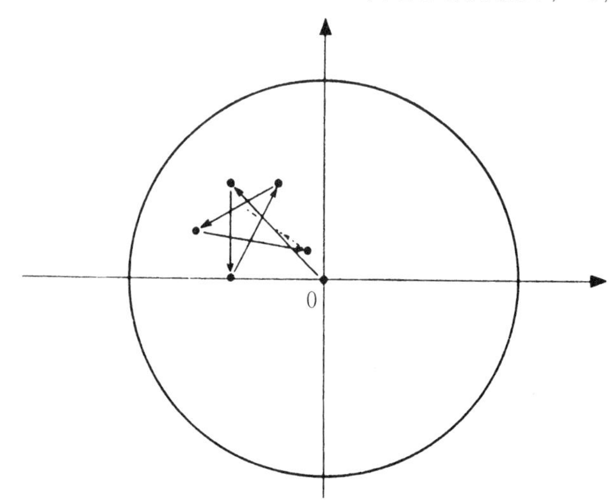

图3.12 如果在复平面上存在包括序列所有点的某一个固定圆周，则该序列是有界的（这个特殊的迭代从0开始并且$C=-\frac{1}{2}+\frac{1}{2}i$）

0，−1，…。还有另一例子是C=i，其序列为0，i，i−1，−i，i−1，−i，i−1，−i，…。然而，对于其他不同的复数C，序列徘徊到离原点越来越远的不定距离的地方去；也就是说该序列是无界的，不能被包容于一个固定的圆周之内。这种行为的例子发生在当C=1时，因为这时序列变为0，1，2，5，26，677，458330，…。C=−3时也发生这种行为，其序列为0，−3，6，33，1086，…，还有C=i−1，序列为0，i−1，−i−1，−1+i3，−9−i5，55+i91，−5257+i1001，…。

芒德布罗集，也就是我们托伯列南世界的黑色区域，正是亚根平面上由其序列维持有界的所有点C所组成的。白色区域是由产生无界序列的C所构成。我们前面所看到的细致的图像都是由电脑输出而绘成的。电脑系统地跑过所有可能的复数C，并对任意选取的C算出序列0，C，C^2+C，…，按照某种合适的判据来决定该序列发散与否。如果它是有界的，电脑就在屏幕上对应于C的那一点画上黑的。如果它是无界的，则画白的。电脑在所考虑区域的每一点都会最终决定画上白的或黑的颜色。

芒德布罗集的复杂性是非常引人注目的，尤其是和以下事实形成鲜明对照，这个集的定义在数学上是如此之简单。另外，这个集的一般结构对我们选取的$z \to z^2+C$的映射的代数形式并不敏感。许多其他的递推的代数复映射（例如$z \to z^2+\mathrm{i}z^2+C$）会给出极其类似的结构（假定我们从选取一个合适的数开始——也许不是零，对于每个适当选取的映射这一个数是按照一个明确的数学法则选取的）。就递推的复映射而言，这些“芒德布罗”结构的确有一种普适的或绝对的特征。研究这种结构本身是数学中称作复动力系统的学科。

数学概念的柏拉图实在

数学家世界的对象有多“实在”？一种观点认为。它们似乎根本就没有任何是实在的。数学对象仅仅是概念；它们是数学家制造的精神上的理想化，它经常受到我们四周世界的外观和表面秩序的刺激，但充其量仍不过是精神的理想化而已。它们能不仅仅是人类头脑的恣意创造物吗？同时人们经常发现，这些数学概念会显示出某种深刻的实在性，完全超越出个别数学家的深思熟虑之外。人类思想恰如受到真理的引导，其真理本身具有实在性，而且只能对我们之中任何人揭示一部分真理。

芒德布罗集提供了一个突出的例子。它的美妙和复杂无比的结果既非任何人的发明，也不是任何一群数学家的设计。波兰－美国数学家（兼分形理论的领袖）贝本华·芒德布罗首先[3]研究了该集合。他对其中蕴含的美妙的细节并无预先的概念，尽管他知道正在寻找某种非常有趣的东西，的确，当他的第一张电脑画图开始出现时，他的印象是，所看到的模糊的结构只是电脑失误的结果（*Mandelbrot 1986*）！他到了后来才相信集合就在那里。不但我们中的任何一个人都不能完全理解，而且任何电脑都不能指示芒德布罗集结构的复杂完整的细节。这个结构似乎不仅是我们精神的一部分，其本身也具有实在性。不管选择任一位数学家或任一台电脑去考察该集合，都会发现是对上述基本数学结构的近似。用哪台电脑去进行计算都不会有真正的区别（假如电脑处于准确的工作状态），除了计算速度和存储与画图能力的差异会导致细节以及产生该细节的速度差别之外。使用电脑和在探索物理世界时使用实验仪器的方法在本质上是相同的。芒德布罗集不是人类思维的发明：它是一个发现。正如喜马拉雅山那样，芒德布罗集就在*那里*！

类似地，复数系统本身具有根本而永恒的实在性，它超越出任何特殊的数学家的精神构想。大致在吉罗拉莫·卡尔达诺的工作中复数才开始受到赏识。他是生于1501年死于1576年的意大利人，也是正式的医生、赌徒兼占星家（还为基督占星过）。1545年他写了一本重要的影响久远的代数专著《大术》。他在该书中首次提出了一般的三次方程的（以n次方根表达的）解的表达式[1]。然而，他注意到，在某一类方程具有3个实解的而被人们称为“不可约”的情况下，在他的表达式的某一阶段必须*取负数的平方根*。虽然他为此深感迷惑，他却意识到，如果允许他取这种平方根，也*只有*这样，才能表达出全部答案（最后答案总是实的）。后来，1572年R. 邦贝利在他题为《代数》的著作中，推广了卡尔达诺的结果并开始研究真正的复数代数。

初看起来，这样地引进负数的平方根似乎仅仅是作为工具——为了达到特定目的的数学发明——后来人们越来越清楚，从这些东西所获取的比原先所设计的多得多。正如我在前面提到的，虽然复数引进的当初目的是为了使取平方根畅通无阻，后来人们发现作为奖赏，能够求任何其他根式或者解任何代数方程。我们还发现了复数的许多神奇性质，这些最初一点儿的征兆也没有。这些性质现存在*那里*。尽管卡尔达诺、邦贝利、沃利斯、柯特斯、欧拉、韦塞尔和高斯具有无可怀疑的远见，这些性质不是由他们以及其他伟大的数学家放在那儿

1. 部分地根据齐平纳·德尔·费罗和塔尔塔利亚更早的结果。

的。这些神奇是他们逐渐揭开的结构本身所固有的。当初卡尔达诺引进复数时，他根本对接踵而来的许多神奇没有任何一点暗示——而这些神奇的性质后来以不同的人来命名，例如柯西积分公式、黎曼映射定理以及卢伊扩张性质。这些以及其他显著的事实，正是卡尔达诺在1539年左右遭遇到的没有做过任何修正的那种数的性质。

数学究竟是发明还是发现？当数学家获得他们的结果时，是否仅仅产生了精神上的复杂构想，这种构思没有客观实在性，但它们是这样的有力和精巧，甚至把发明者也愚弄了，并使他们相信这些仅仅为精神的构想是“实在的”？或者数学家实际上是发现现成的真理——这种真理的存在完全独立于数学家的活动呢？我想到了现在，读者会很清楚，至少就复数以及芒德布罗集的这种结构而言，我执著地坚持第二种而不是第一种观点。

但是，情况也许还不像这么直截了当。正如我说过的，在数学中有些东西，用术语“发现”的确比“发明”更贴切得多，正如上面引用的例子。这些正是从结构出来的东西比预先放进的东西多得多的情形。人们可以认为，在这种情形下数学家和“上帝的作品”邂逅。然而，还有其他情形，数学结构并没有如此令人信服的唯一性。例如，在证明某些结果的过程中，数学家发现必须引进某种巧妙的而同时远非唯一的构想，以得到某种特别的结果。在这种情形下，从构想得出的结果不太可能比起先放进的更多，所以术语“发明”似乎比“发现”更为妥当。这些的确只是“人的作品”。从这种观点看，真正的数学发现一般地被认为比“仅仅”发明具有更伟大的成就和抱负。

这种分类法在艺术和工程中是相当熟悉的。伟大的艺术作品的确比不甚伟大者“更接近于上帝”。在艺术家最伟大的作品中，揭示了某种预先的天界存在的[1]不朽真理，而他们较差的作品可能更随意，但本质上只不过是会枯朽的作品，这种感觉对于艺术家并不稀罕。类似地，在漂亮经济的工程实施中，使用某些简单的预想不到的想法，并得到大量的成果，把这工程描述为发现比发明更妥当。

在叙述了这么多以后，我不禁感到，在数学中，至少对于其中某些最基本的概念，某种天国的不朽存在的信念比在其他情形下更强烈得多。在这种数学观念中存在比在艺术和工程中强烈得多的令人信服的唯一性和普适性。数学观念可在这样一种超越时间的天国的意义上存在的思想，是在古代（公元前360年左右）由伟大的希腊哲学家柏拉图提出的。随后这种思想就时常被称为数学柏拉图主义。它以后对我们很重要。

我在第1章用了一些篇幅讨论强人工智能的观点，根据这种观点，假设精神现象可在一个算法的数学观念中找到栖身之所。我在第2章中强调，算法的概念的确是根本的并为“上帝赋予”的思想。我在同一章论证道，这种“上帝赋予”的数学观念应有某种遗世独立的品格。由于为精神现象提供某种空灵存在的可能性，该观点是否赋予强人工智能观点某些信任度呢？也许是这样的——我甚至在下面进一步作和这个观点有点相似的推测。但是，如果精神现象的确可以找到这种一般的归宿，我不相信，这种归宿会是算法的概念。这里需要某种更

1. 正如卓越的阿根廷作家约格·路易斯·波格斯写道的：“……一位著名的诗人更具发现家而非发明家的品格……”

微妙得多的东西。算法的东西只构成数学中非常狭小和有限的部分的这一事实是下面讨论的重要方面。我们将在下一章看到非算法数学的范畴和微妙之处。

第 4 章
真理、证明和洞察

数学的希尔伯特计划

什么是真理？我们如何对世界的真假形成判断呢？我们是否只不过遵循着某种算法？这种算法由于自然选择的强有力的过程无疑地比其他效率更低的可能算法更加优越。或许还有其他探索真理的非算法的途径——直觉、禀性或洞察。这似乎是一个困难的问题。我们的判断是基于感觉数据、推理和猜测的盘根错节的结合。而且，在世间的许多情势中也许并没有何为真何为假的共识。为了使问题简化，让我们只考虑数学真理。我们如何形成自己关于数学问题的判断或许“某些”知识呢？在这儿事情至少应该是更明了些。关于究竟什么为真什么为假在这里不应成为问题——难道会有问题吗？究竟什么是数学的真理呢？

数学的真理是一个非常古老的问题，这可回溯到早期的希腊哲学家和数学家的时代——并毫无疑问地比这还要更早。但是，只有在100多年前人们才刚刚获得了一些伟大的彻悟以及令人眼花缭乱的新的洞察。我们想要理解的正是这些非常基本的问题。它正好触及了我们的思维过程在本质上是不是完全算法的问题。议定这些问题是非常重要的。

数学在19世纪下半叶有了伟大的进展，其部分原因在于人们发展了数学证明的越来越有力的方法。（我们在前面提到的大卫·希尔伯特和乔治·康托尔，还有将要提到的伟大的法国数学家亨利·庞加莱是处于发展最前沿的3位。）数学家在利用如此有力的方法时相应地获得自信心。其中许多方法涉及去考虑具有无穷多元素的集合[1]。正是由于可能将这样的集合当成实在的“东西”——完全存在的整体，而不仅仅为潜在的存在，使证明经常得到成功。这许多强有力的观念是从康托尔的高度创造性的无穷数的概念中孕育而来的。他利用无穷集合系统地发展了这一切。（我们在上一章对此有所领略。）

然而，1902年英国逻辑学家兼哲学家贝特朗·罗素提出其著名的悖论，完全粉碎了这种自信心。（康托尔已预示过这一悖论，并且它是康托尔“对角线法”的直系后代。）为了理解罗素的论证，我们首先对把许多集合当作完整的整体来考虑应有些了解。我们可以想象，某些集合是按照一个特殊的性质来表征的。例如，红的东西的集合是根据红性来表征的：就是说唯有当某物具有红性时才属于该集合。这样就允许我们把事情倒过来，按照单独对象也就是具有同一性质的事物的整个集合来谈论该性质。依照这种观点，“红性”是所有红的东西的集合。（我们还可以认为某一其他的集合就在“那里”，它们的元素为稍微复杂的性质所表征。）

---

1. 一个集合表示事物的整体——可被整体地处理的物理对象或数学概念。在数学中，集合中的一个元素（也就是成员）自身经常为一集合，因为集合可以被收集在一起而形成集合。这样人们可以考虑集合的集合以及集合的集合的集合，等等。

这种按照集合定义概念的思想是1884年由具有影响的德国逻辑学家戈特洛布·弗雷格引进的步骤的核心。他可按照集合来定义数。例如，实际的数3是什么意思呢？我们知道“三性”是什么性质，但是3本身是什么？现在“三性”是一群对象的性质，也就是一个集合的性质：唯有如果当该集合不多不少有3个成员，则它具有“三性”的特别性质。例如，在特定的奥林匹克比赛中，奖章获得者的集合具有“三性”。还有三轮车的轮子集合，正常三叶草的叶的集合或者方程$x^3-6x^2+11x-6=0$的解的集合。那么，弗雷格关于数3的实在定义是什么呢？依照弗雷格的论点，3必须是一个集合的集合：即所有具有“三性”[1]的集合的集合。这样，一个集合如果也只有如果属于弗雷格集3，才具有3个成员。

这似乎显得有点啰唆，但实际上并非如此。我们可以把数一般地定义为对等集合的总体，这里对等的意思是讲“具有能一一配对的元素”（用通常的术语也就是“具有同样多的成员”）。数3就是这些集合的一个特例，其中的一个成员可以是包括一个苹果、一个橘子和一个梨的集合。请注意，这和丘奇在93页给出的“3”的定义完全不同。还可以给出其他今日相当流行的定义。

那么，罗素悖论又是怎么回事呢？它是关于以如下方式定义的集合R：

R为一切不是自身元素的集合的集合。

这样，R是集合的某一整体；集X属于该整体的判据是集X自身不是它自身的成员。

假定一个集合可以实际是它自身的一个成员，这是否非常荒谬？不见得。例如，考虑一个无穷集合（具有无穷多元素的集合）的集合I。肯定存在无穷多不同的无穷集，这样I自身也是无穷的。这样I确实属于自身！那么，罗素的概念又如何导致悖论呢？我们问：罗素集合是它自身的一个成员或者不是它的成员？如果它不是它自身的成员，则它必须属于R，因为R刚好包括那些不是自身成员的集合。这样，R毕竟属于R—— 这是矛盾。另一方面，如果R是它的一个成员，那么由于“自身”实际上就是R，它就属于由自身并非其成员所表征的集合中，也就是它根本不是自身的成员—— 又导致矛盾[1]！

这种考虑并不轻率。罗素只不过以相当极端的形式利用数学家们正开始在证明中使用的、非常一般的、数学集论的同一类型的推理。事情很清楚地失去了控制，所以去弄清何种推理是允许的，何种是不允许的，应是适当的。很明显，可允许的推理必须没有冲突，而且只有真的陈述才能允许从原先已知的真的陈述中推导而来。罗素本人和他的合作者艾尔弗雷德·诺斯·怀特海着手发展一种高度形式化的公理和步骤法则的数学系统，野心勃勃地要把所有正确的数学推理翻译到他们的规划中去。他们非常仔细地选择法则以防止导致罗素自己悖论的那种悖论的推理类型。罗素和怀特海所完成的业绩是一部纪念碑式的著作。然而，它是非常繁琐的，并且它实际上统一处理的数学

---

1. 存在以日常术语来表述罗素悖论的十分好笑的方法。想象一个图书馆中有两本目录书，一本目录书刚好列出了所有引用过它们自己的书，另外一本是刚好列出所有不引用它们自己的书。试问第二本目录书应列到哪一本目录书中？

推理的类型是相当有限的。我们在第2章首次提到的伟大的数学家大卫·希尔伯特致力于一个更可行更广泛的计划。它囊括了所有特殊领域的一切正确的数学推理类型。而且，希尔伯特倾向于认为，有可能证明该计划免于矛盾冲突。那么数学就一劳永逸地处于无可争辩的安全基础之上。

然而，1931年25岁的奥地利天才、数理逻辑学家库尔特·哥德尔提出了一个实质上摧毁了希尔伯特计划的令人震惊的定理，使得希尔伯特及其追随者的希望落空。哥德尔指出的是，任何精确（"形式的"）数学的公理和步骤法则系统，只要它大到足以包含简单算术命题的描述（诸如第2章考虑过的"费马大定理"），并且其中没有矛盾，则必然包含某些用该系统内所允许的方法既不能证实也不能证伪的陈述。这种陈述的真理性以可允许的步骤是"不能判定的"。事实上，哥德尔能够向我们证明，公理系统本身的协调性的陈述被编码成适当的算术命题后，必定成为一个这种"不能判定的"命题。理解这个"不可判定性"的性质对我们很重要。我们将要看到为何哥德尔的论证直接捣毁了希尔伯特计划的核心。我们还将看到哥德尔的论证如何使我们能用直觉去超越所考虑的任何个别的形式化的数学系统的局限。这一点理解对于下面大部分讨论至关重要。

形式数学系统

我们必须把"公理和步骤法则的形式数学系统"的含义弄得更清楚些。先必须假定有一符号表，我们的数学陈述用这些符号来表达。为了使算术能归并到该系统中去，这些符号必须足够于用来表示自然数。如果需要的话，我们可以只用通常的阿拉伯数的记号0，1，2，3，…9，10，11，12，…，虽然这使得法则的说明比所需要的稍微复杂一些。我们如果譬如讲用0，01，011，0111，01111，…去表示自然数列（或作为折中，我们可以用二进制记数法），则说明就会简单得多。然而，由于这会在以下的讨论中引起混淆，所以在我的描述中只用通常的阿拉伯记号，而不管系统在实际上用什么符号。我们也许需要一个“间隔”符号去把我们系统的不同的“词”或“数”分开，但这又是令人混淆的，所以为了必要的目的我们可以只用（，）。我们还需要用字母来表示任意（“变量”）自然数（或许整数、分数等——但是让我们在这里只局限于自然数），譬如t，u，v，w，x，y，z，t'，t''，t'''，…。符号t'，t''…也许是需要的，因为我们不想对表式中可能出现的变量数目加上一个上限。我们把（′）当做形式系统的另外的符号，这样使**符号**实际数目保持为有限。我们还需要基本算术运算的符号=，+，×，等等，也许还需要不同种类的括号（，），[，] 以及诸如&（“和”），⇒（“蕴涵”），∨（“或”），⇔（“当且仅当”），~（“非”，或“不是以下论述”）等**逻辑符号**。此外我们还需要逻辑的“量词”：**存在量词**∃（“存在…使得”）和**全称量词**[∀]（“对于每一个……我们有”）。现在，我们可以把诸如“费马大定理”的陈述写成：

$$\sim \exists w, x, y, z\,[(x+1)^{w+3}+(y+1)^{w+3}=(z+1)^{w+3}]$$

（见第2章76页）。（我原可以用0111来表示3，并且利用“自乘”的记号使得和形式化符合得更好；但是正如我说过的，我只拘泥于传统的符号，以避免引起不必要的混淆。）上面的陈述（到第一方括号处结果）的意思为：

“不存在自然数w, x, y, z使得…”。

我们还可以用$\forall$把“费马大定理”重写成：

$$\forall w, x, y, z[\sim(x+1)^{w+3}+(y+1)^{w+3}=(z+1)^{w+3}],$$

其意思（到第一方括号的“非”符号处结束）为：

“对于所有的自然数w, x, y, z下述不真…”。

这和前面在逻辑上是相同的。

我们需用字母来表示整个命题，为此目的我用大写字母P, Q, R, S, …。如下的一个命题事实上为上面的费马的论断：

$$F=\sim\exists w, x, y, z[(x+1)^{w+3}+(y+1)^{w+3}=(z+1)^{w+3}]。$$

一个命题也可依赖于一个或更多的变量；例如，我们也许对某一特殊的[1]幂指数$w+3$下的费马论断感兴趣：

$$G(w)=\sim\exists x, y, z[(x+1)^{w+3}+(y+1)^{w+3}=(z+1)^{w+3}],$$

---

1. 虽然费马的全部命题F的真伪性仍然未知，但是个别命题$G(0)$, $G(1)$, $G(2)$, $G3S(3)$, …直到大约$G(125000)$的真理性是已知的。也就是说，已经知道没有任何一个立方可以是正数立方的和，没有一个四次方为四次方之和等，直到相应的关于125000次方的断言（见77页的译者注脚）。

这样$G(0)$断言“没有一个立方可代表正数立方之和”，$G(1)$对四次方作同样断定，等等。(注意$\exists$之后的w没有出现。)现在费马论断是说，$G(w)$对所有的w成立。

$F=[\forall]w[G(w)]$。

$G(\quad)$是一个所谓的命题函数，也就是依赖于一个或多个变量的命题的例子。

系统的公理是由一般命题的有限罗列所构成，假定在符号的意义已给定的情形下，这些命题的真理性是不证自明的。例如，对于任何命题或命题函数P，Q，$R(\quad)$，在我们公理之中有

$(P\&Q)\Rightarrow P$，
$\sim(\sim P)\Leftrightarrow P$，
$\sim\exists x[R(x)]\Leftrightarrow\forall x[\sim R(x)]$，

其“自明的真理性”清楚地可由其意义所确定。(第一个简单地断定：“如果P和Q都为真，那么P为真”；第二个断定：“P不真的断言为不真”和“P为真”是等价的；第三个可用上面给出的“费马大定理”的两种叙述方法的逻辑等价性作为例子)。我们还可包括基本的算术公理，诸如

$\forall x,y[x+y=y+x]$
$\forall x,y,z[(x+y)\times z=(x\times z)+(y\times z)]$，

尽管人们也许宁愿从某些更初等的东西建立这些算术运算，并将这些陈述作为定理导出。步骤法则是诸如这样（自明）的东西：

“从P和$P \Rightarrow Q$我们可推出Q”，

“从$\forall x[R(x)]$我们可推出把一特殊的自然数代入到$R(x)$中的x而得出的任何命题”。

这些是告诉我们如何从已成立的命题引出新命题的方针。

现在从公理开始，然后不断重复应用步骤法则，就可以建立起一长串的命题。我们在任何阶段都可再使用这些公理，并且总可以不断使用任何我们已经添加到越来越长的表上的命题。任何正确地集合到表上的命题都被称作定理（虽然它们中有许多是相当无聊和无趣的）。如果我们有一个要证明的特定的命题P，则我们可去找一个表，这个表按照这些法则正确地集合起来，并用我们特定的命题P作为终结。这样的表在我们的系统中为我们提供了一个P的证明；而P就相应地成为一个定理。

希尔伯特计划的思想是，对于任何定义好的数学领域，去找一足够广泛的公理和步骤法则的表，使得所有适合于该领域的正确的数学推理的形式都可以编入。让我们把数学领域暂定为算术（包括量词$\exists$和$\forall$使得可以作诸如“费马大定理”的陈述）。考虑比这更一般的数学领域在这里对我们并无益处。算术已经是足够一般到可以应用哥德尔步骤的地步。如果我们能够接受这样的事实，即如果按照希尔伯特规划，这样的一个公理和步骤法则的全面系统的确赋予我们的算术，那么它就为我们提供对算术中任何命题数学证明的“正确性”的确定判据。人们存在过希望，这样的公理和法则系统也许是完备的，也就是它会使我们在原则上决定任何可在此系统中表述的数学陈述的真伪。

希尔伯特的希望是，对于任何一串代表一个数学命题的符号，譬如讲P，人们应能证明P或者$\sim P$，依P是真的还是假的而定。我们在这里必须假定该符号串在构造上是语法正确的，也就是满足所有形式主义的记号法则，诸如括号必须正确地配对等——使得P具有定义清楚的真的或假的意义。如果希尔伯特的希望能被实现，这甚至使我们不必为这些命题的意义忧虑！P仅仅为一语法正确的符号串。如果P为一道定理（也就是可在系统内证明P），则符号串P的真值就可被赋予真。另一方面，如果能证明$\sim P$为定理的话，则可被赋予假。为了使这些有意义，我们除了完备性外还需要一致性。也就是说，不应有P和$\sim P$都为定理的符号串P。否则P会同时是真的和假的！

把数学陈述中的意义抽走，只把它们当成某种形式数学系统的符号串是形式主义的数学观点。有些人喜欢这种观点，而数学就变成一种“无意义的游戏”。然而，我不欣赏这种观点。确实是“意义”而非盲目的算法计算才赋予数学以实质。庆幸的是，哥德尔给了形式主义以毁灭性的打击！让我们看看他是怎么做的！

哥德尔定理

哥德尔论证的部分是非常繁琐和复杂的。然而我们没有必要去考察那纷乱的部分。另一方面，其中心思想是简单、漂亮和深刻的。这就是我们可能鉴赏的部分。其复杂的部分（其中不乏许多巧妙之处）仔细说明如何把形式系统的个别步骤法则以及不同公理的使用实际地编码成算术运算。（意识到这是一个富有成果的可进行的工作正是其深刻部分的一个方面！）为了实现编码，人们需要找到用自然数来对命题编号的某种方便方式。一种方法就是简单地对形式系统每个特定长度的符号串使用某种“字典”顺序，按照串的长度还有一个总的顺序。（这样，长度为1的串可按字母顺序排列，接着的是按字母顺序排列的长度为2的串，再后面是长度为3的串等）。这叫作字典顺序[1]。哥德尔原先用的编号顺序更复杂，但是这种差异对我们不重要。我们将特别关心依赖于单变量的命题函数，譬如上述的$G(w)$。令第n个这样的以w为自变量的命题函数（在选定的符号串顺序下）为：

$$P_n(w)。$$

如果我们愿意的话，可以让编号稍微有点“草率”，这样我们的一些表式可能语法上不正确。（这可使算术编码比在试图略去这种语法不正确的表式时容易得多。）如果$P_n(w)$是语法正确的，它就是关于两个自然数n和w的定义好的特定的算术陈述。哪一个算术陈述是

1. 当形式系统具有$k+1$个不同符号加上从未用过的新的“零”时，我们可把字典编序认为是“$k+1$进位”的自然数的通常顺序。这是因为以零开始的数和这前面的零被略去的同一个数一样。共有9个符号的串的简单字典顺序可以用通常的没有零的十进制写出的自然数得到：1，2，3，4，…8，9，11，12，…19，21，22，…99，111，112，…。

准确的应依所选取的特定编号系统的细节而定。那是属于论证的复杂部分，在此不予关心。构成系统中的某一定理的证明的一串命题在选定的编序方案中也可用自然数编号。令

$$\prod_n$$

表示第n个证明。(这里我又一次使用“草率的编号”，对于某些n的值，可能表示式“$\prod_n$”的语法不正确，并因此没有证明什么定理。)

现在考虑如下的依赖于自然数w的命题函数

$$\sim \exists x\,[\prod_n \text{证明} P_w(w)]。$$

在方括号中的陈述的一部分使用了文字，但它是完全精确定义的。它断定第x个证明实际上是$P_w(\ )$应用于值w本身的命题的证明。方括号之外的被否定的存在量词用以移走一个变量(“不存在一个x使得……”)，这样我们得到了一个只依赖于一个变量w的算术的命题函数。此整个表达式断定不存在$P_w(w)$的证明。我假定它的语法是正确的[甚至如果$P_w(w)$的语法不正确——在这种情形下该陈述仍然是对的，因为一个语法错误的表达式是不能被证明的]。由于事实上我们已假设将其转换成算术，所以上面实际上是关于自然数的某一算术的陈述(方括号中的部分为定义得很好的关于两个自然数x和w的算术描述)。该陈述是可以被编码成算术，但这一点并不假设是明显的。说明这样的陈述的确可被编码，涉及哥德尔论证的复杂部分的主要“困难工作”。正和前面一样，它究竟为哪个算术陈述将依赖于编

号系统的细节，并大大地依赖于我们形式系统的公理和法则的结构细节。由于所有那些都属于复杂的部分，我们在这里不关心其细节。

我们已将所有依赖于单变量的命题函数编号，所以我们刚刚写下的必须赋予一个数。让我们把这个数记作k。我们的命题函数是在表上的第k个。这样：

$\sim\exists x[\prod_x$证明$P_w(w)]=P_k(w)$。

现在对特殊的w值即$w=k$来考察这一个函数。我们得到：

$\sim\exists x[\prod_x$证明$P_k(k)]=P_k(k)$。

这个特定的命题$P_k(k)$是完好定义（语法正确）的算术陈述。它是否可在我们形式系统中有一个证明呢？它的反命题$\sim P_k(k)$有证明吗？这两个问题的答案都是“否”。从考察作为哥德尔步骤基础的意义可以看到这一点。虽然$P_k(k)$仅仅是一个算术命题，但我们已经将其构造成，使得写在左边的论断为“在这系统中不存在命题$P_k(k)$的证明”。如果我们非常仔细地设定好我们的公理和步骤法则，并假定做了正确的编号，则在这系统中不能存在这个$P_k(k)$的证明。因为如果存在这样的证明，则$P_k(k)$实际断言的陈述的意义，也就是不存在证明，将是错的，这样作为一个算术命题的$P_k(k)$就必须是错的。我们的形式系统不应构造得这么坏，使得它在实际上去允许证明错的命题！所以情况只能是$P_k(k)$在事实上无法证明。而这正是$P_k(k)$要告诉我们的。所以断定$P_k(k)$必须是一真的陈述，这样$P_k(k)$作为算术命题必须为真。于是，我们已经发现了在该系统中没有证明的真的命题！

关于它的反命题~ $P_k(k)$ 我们可以说些什么呢？最好我们也不能找到它的证明。我们刚刚建立了~ $P_k(k)$ 必须是错的 [因为 $P_k(k)$ 是真的]，而我们假定不能在此系统中证明错的命题！这样无论 $P_k(k)$ 还是~ $P_k(k)$ 在我们的形式系统中都是不可证明的。哥德尔定理就这样地被建立起来了。

数学洞察

请注意，在这里发生了某种非常奇异的事情。人们经常把哥德尔定理当作某种负面的东西——显示了形式化数学推理的不可避免的局限性。不管我们自以为是多么有智慧，总有些命题漏网。但是，我们是否要为这一特殊的命题 $P_k(k)$ 忧虑呢？在上述的论证过程中，事实上我们已建立了 $P_k(k)$ 是一个真的陈述！尽管在该系统中不能形式地证明这个事实，不管怎么样我们已设法看到了这一点。真正需要忧虑的人倒是严格的数学形式主义者。这是因为从这推理我们已确定形式主义者的"真理"概念不可避免地是不完备的。不管把哪一个（一致的）形式系统应用于算术，总存在一些命题我们可以看到是真的，但用形式主义者提出的上述过程不能赋予真理值为真的命题。一个严格的形式主义者试图躲开这个情况的可能方法也许是根本不提真理的概念，而仅仅讲在某一固定的形式系统中的可证明性。然而，这显得非常局限。由于哥德尔论证的基本点利用关于何者实际上为真的何者不真的推理，人们甚至都不能作出上述的论证[2]。一些形式主义者采用更"程序化"的观点，断言不去忧虑诸如 $P_k(k)$ 这样的陈述，由于它们作为算术命题来讲极端复杂和乏味。这些人会宣称：

> 是的，存在一些诸如$P_k(k)$的古怪的陈述，对于这些陈述我的可证明性或真理的概念不和你们的真理的内禀概念相符合。但是那些陈述却不会在严肃的（至少在我所感兴趣的那种）数学中出现。这是因为作为数学而言，这样的陈述是荒谬绝伦地复杂和不自然。

的确，像$P_k(k)$这样的作为关于数的数学描述的命题，被全部写出时，会是极端繁琐并显得古怪的。但是近年来，人们提出了一些具有非常可接受特性的相当简单的陈述，它们实际上等价于哥德尔类型的命题[3]。这些命题不能从正常的算术公理得到证明，而是从公理系统本身所具有的“显然正确”的性质而来。

对我来讲，形式主义者对“数学真理”缺乏职业的兴趣，似乎是对数学哲学所采取的非常古怪的观点。而且，也确实不是那么程序化的。当数学家在进行他们形式的推理时，他们没必要继续不断地检查他们的论证是否可按照某个复杂的形式系统的公理和步骤法则来表达。他们只要肯定其论证是确定真理的有效方法即可。哥德尔的论证是另一类有效步骤。这样我似乎认为，$P_k(k)$正和能利用预先给出的公理和步骤法则更传统地得到的数学真理一样好。

建议进行如下步骤。我们把$P_k(k)$接受为真正有效的命题，并简单地表示为G_0；这样可以把它作为一个额外的公理加到系统中去。当然，我们新的修改的系统又有了它自己的哥德尔命题，譬如讲G_1，它又是一个完全有效的关于数的描述。我们相应地又把G_1加到我们的系统，由此得到进一步修改的系统，它又有自己的哥德尔命题G_2（又是完全有效的），我们又把它合并进去，得到了下一个哥德尔命题G_3，再合并等，无限次地重复这一过程。当我们允许使用整列的G_0，G_1，G_2，G_3，… 作为附加的公理时，结果的系统是什么呢？它可以是完备的吗？由于现在我们有了一个无限制（无限）的公理系统，哥德尔步骤能否适用也许不太清楚。然而，不断附加哥德尔命题是一个完全系统化的方案，我们可将其当作通常的公理和步骤法则的有限的逻辑系统来重述。这一系统又有它自己的哥德尔命题，譬如讲G_w，它又能被用来作为公理去附加，而形成了所得到的系统的哥德尔命题G_{w+1}。正如上面那样重复，我们得到了命题G_w，G_{w+1}，G_{w+2}，G_{w+3}，… 的表，所有都是关于自然数的完全有效的陈述，并可附加到我们的形式系统中去。这又是完全系统化的，它导致一个包罗这一切的新系统；但是它又有自己的哥德尔命题，譬如讲G_{w+w}，我们可将其重写成G_{w2}。而整个步骤又可重新开始，我们得到一个新的无穷的，却是系统的公理G_{w2}，G_{w2+1}，G_{w2+2}等的表，它又导致一个新的系统以及一个新的哥德尔命题G_{w3}。重复这整个过程，我们得到G_{w4}，然后还有G_{w5}等。现在这一步骤又是完全系统化的，并具有自身的哥德尔命题G_{w^2}。

这会有终结吗？在一种意义上讲没有；但它导致我们进入不能在此作细致讨论的某些困难的数学考虑。1939年阿伦·图灵在一篇论文[4]中讨论了上面的步骤。事实上，令人印象深刻的是，任何真的（但普适量化的）算术命题都可由这类重复的“哥德尔化”步骤得到！可参阅*Feferman 1988*。然而，这在一定程度上依赖于我们如何实际上决定一个命题真假的问题。在每一阶段关键的问题是如何把哥德尔命题的无穷族合并，从而提供一个单独的（或有限数目的）附加公理。这就要求我们的无穷族能以某种算术的方式被系统化。为了保证正确地完成所预想的系统化，我们要使用系统之外的直觉—— 正如我们首先为了看到 $P_k(k)$ 是一个真的命题所做的那样。正是这些直觉是不能被系统化的—— 它必须超越于任何算法行为！

我们利用直觉得出哥德尔命题 $P_k(k)$ 实际上是算术中的真的陈述，是被逻辑学家称之为反思原理步骤的普遍类型的一个例子：这样，由“反思”公理系统和步骤法则的意义，并使自己坚信这些的确是得到数学真理的有效方法，人们可能把这直觉编码成进一步的、真的、不能从那些公理和法则推导出来的数学陈述。正如上面概述的，推出 $P_k(k)$ 的真理性依赖于这样的一个原则。另一个与原先哥德尔论证相关（虽然在上面没提及）的反思原理依赖于如下的事实去推出新的数学真理，即我们已经相信能有效得到数学真理的公理系统实际上是协调的。反思原理经常涉及有关无穷集合的推理，人们使用的时候一定要小心，不要过于接近会导致罗素类型悖论的论证。反思原理为形式主义推理提供了反题。如果人们很小心的话，就能使他跳出任何形式系统的严格限制之外，并得到原先似乎得不到的新的数学洞察。在我们的数学文献中会有许多完全可接受的结果，其证明需要远远超越原先的算术标准形式系统的法则和公理的洞察。所有这些表明，数学家得到真理判断的心理过程，不能简单地归结为某个特别形式系统的步骤。虽然我们不能从公理推出哥德尔命题 $P_k(k)$，却能看到其有效性。这类涉及反思原理的“看见”需要数学的洞察力，而洞察不是能编码成某种数学形式系统的纯粹算法运算的结果。我们将在第10章再回到这个论题上来。

读者也许会注意到在建立$P_k(k)$的真理却变成“不可证明性”和罗素悖论的论证之间的相似性，还和图灵解决停机问题的图灵机不存在的论证也有相似性。这些相似性不是偶然的。在这三者之间存在有强大的历史连接的脉络。图灵是在研习哥德尔工作之后才找到它的论证的。哥德尔本人非常熟悉罗素悖论，并能把这一类将逻辑延伸得这么远的悖论的推理转化成有效的数学论证。（所有这一切论证都起源于前一章描述的康托尔的“对角线法”。）

为什么我们应该接受哥德尔和图灵的论证，而必须排斥导致罗素悖论的推理呢？前者更直接明了得多，作为数学论证而言更出人意料，而罗素悖论则依靠牵涉到“巨大”集合的更为模糊的推理。但是必须承认，其差别并不真像人们以为的那么清楚。弄清这些差别的企图是整个形式主义观念的强大动机。哥德尔的论断表明，严格的形式主义者的观点是不能成立的，但他没有向我们指出另外完整的可信赖的观点。我认为这问题仍未解决。当代数学中为了避免导致罗素悖论的“巨大的”集合的推理的类型所实际采用[1]的步骤是不能完全令人满意的。而且，它仍然试图以明晰的形式主义的术语来表达，换句话说，按照我们并不完全相信不会出现矛盾的术语来描述。

无论如何，依我看来，哥德尔论证的清楚推论是，数学真理的概念不能包容于任何形式主义的框架之中。数学真理是某种超越纯粹形式主义的东西。甚至即使没有哥德尔定理，这一点也是清楚的。在我

1. “集合”和“族”之间存在差异，集合可允许集中在一起而形成另外的集合或族，但是族不能允许集中在一起而形成任何种类的更大的聚合。这被认为“太大”了。然而除了这种循环的论述，即集合是那种确能聚集成另外聚合的聚合之外。不存在决定何时聚合可被当作集合或只能被当作族考虑的法则。

们去建立一个形式系统任何试图中，如何决定采取什么公理和步骤法则呢？我们在决定采取法则的指导总是，在给定系统的符号的“意义”下对何为“自明正确”的直觉理解。根据关于“自明”和“意义”的直观理解，我们如何决定采用哪个形式系统是有意义的，哪个是没意义的呢？以自洽的概念来对此作决定当然不够。人们可以有许多自身具有一贯性但在含义上没有“意义”的系统，它们的公理和步骤法则具有我们会将其排斥的错误的意义，或者根本没有意义。甚至在没有哥德尔定理时，“自明”和“意义”的概念仍然是需要的。

然而，若没有哥德尔定理，人们可能想象“自明”和“意义”的直觉概念只要在开始建立形式系统时用一次就好了，而此后就与决定真理的清楚的数学论证不相干。那么按照形式主义者的观点，这些“模糊的”直觉概念在寻找适当形式的论证时，作为数学的初步思维或者导引而起作用，而在实际展示数学真理时不起作用。哥德尔定理表明，这个观点在数学基本哲学中不能真正站住脚。数学真理的观念超越形式主义的整个概念。关于数学真理存在某些绝对的“上帝赋予”的东西。这就是在上一章结尾处讨论的柏拉图主义的内容。任何特定的形式系统都具有临时和“人为”的品格。在数学的讨论中，这类系统的确起着非常有价值的作用，但是它只能为真理提供部分（或近似）的导引。真正的数学真理超越于仅仅人为的构造之外。

柏拉图主义或直觉主义

我已指出了数学哲学的两个相反的学派，我强烈地赞成柏拉图主义，而不赞成形式主义观点。我的划分实际上是非常朴素的。可以对此观点进行许多细致的推敲。例如，人们可以争论在“柏拉图主义”的总名称下，数学思维的对象是否具有任何实际的“存在”，或者它只是绝对的数学“真理”的概念。我不想在此做任何鉴别。依我看来，数学真理的绝对性和数学概念的柏拉图存在性本质上是等同的一件事。例如，必须归于芒德布罗集的“存在”是其“绝对”性质的特征。复平面上的一点是否属于芒德布罗集是一个绝对的问题，与哪个数学家哪台电脑在作考察无关。正是芒德布罗集的“数学家无关性”赋予它柏拉图式的存在。而且，它最精细的细节超过了我们目前使用电脑所能得到的极限。那些仪器只能得到具有更深刻的自身的“电脑无关”存在结构的近似。然而，我很欣赏对此问题的许多其他合情理的观点。在此我们不必过于忧虑这些差别。

如果的确有人声称自己为柏拉图主义者，他究竟愿意把柏拉图主义贯彻到何等程度，也有观点上的不同。哥德尔本人是一个非常强烈的柏拉图主义者。我迄今所考虑的数学陈述的类型是相当“温和的”[5]。特别在集论中可引入更令人争议的陈述。当考虑集论的所有分支时，就会遭遇到构造极其庞大的含糊的集合，以至于像我这样相当坚定的柏拉图主义者都开始怀疑其存在与否是个“绝对的”问题[6]。也许会面临着这样的阶段，集合具有如此繁复以及概念上可疑的定义，以至于有关它们数学陈述的真假问题开始具有某种“个人品位”而非“上帝赋予”的品质。人们是否准备和哥德尔一道把柏拉图主义坚持到底，要求关于这么巨大集合的数学论述的真假总为一个绝对的或“柏拉图”的事体，或者人们在某处停止，只有当集合为合理地构成并且没有这么巨大时才寻求绝对的真假的解答，对我们的讨论关系并不重大。以我刚刚提到的标准看，对于我们具有意义的

(有限或无限)集合，真是不可思议的微小！这样我们不必关心在这些不同柏拉图主义观点之间的差异。

然而，存在诸如称为直觉主义(或称作有限主义)的其他数学观点，它走到拒绝接受任何无穷集合的完整存在的另一极端[1]。直觉主义是1924年由荷兰数学家L.E.J.布劳威尔作为对某些(诸如罗素的)悖论的与形式主义相区别的响应而倡导的。这些悖论是由于在数学推理中太过自由地应用无穷集合所引起的。这种观点的根源可追溯到亚里士多德。他虽然是柏拉图的学生，却否定柏拉图关于数学本体的绝对存在和无穷集合的可接受性。直觉主义否认(无穷或其他)集合自身的“存在”，而集合仅仅被当作可能确定其成员的规则。

布劳威尔的直觉主义的一个特征是排斥“排中律”。该定律宣称，一个陈述的否定之否定等效于该陈述。(可用符号表示为$\sim(\sim P) \Leftrightarrow P$，这是我们上面遇到的关系。)也许亚里士多德会对在逻辑上如此“显明的”东西受到排斥感到不悦！排中律按照“常识”被认为是自明的真理：如果某事物不真的断言是错的，则该事物一定是真的！(这一个定律是被称作反证法的数学方法的基础，参阅78页。)但是直觉主义者发现他们能推翻这一个定律。这基本上是因为他们对存在的概念采取不同的看法，他们要求一个确定的(智力上的)建造必须是数学对象实际存在性被接受的先决条件。这样，对于直观主义者来说，“存在”的意思是“推定存在”。在一个用反证法来进行的数学论证中，人们提出某种假设，试图去显示出它的推论会导致一个矛盾，

1. 之所以这么称呼直觉主义是因为它反映了人类的思维。

这个矛盾为问题中假设的谬误提供了所需的证明。此假设可采用这样的一个陈述，具有某些要求的性质的数学实体不存在。当这个陈述导致矛盾时，在通常数学中，他就推论说所需的实体的确存在。但是，这样的论证本身并没为实际构造这样的实体提供任何手段。对于直觉主义者来说，这类存在根本就不是存在。他们正是在这个意义上拒绝接受排中律以及反证法的步骤。的确，布劳威尔对此非建造性的“存在”深为不满[7]。他断言，没有一个实在的构造，这种存在的概念是无意义的。在布劳威尔的逻辑中，人们不能从某种对象的不存在性的谬误推导出该物体实际上的存在！

我认为，虽然关于从数学的存在中寻求建造有某些令人赞赏的东西，但布劳威尔的观点是过于极端了。布劳威尔在1924年首次提出他的思想，比丘奇和图灵的工作早十多年。现在按照图灵的可计算性的建造性概念可在数学哲学的传统框架内研究，并没有必要走到像布劳威尔那么极端的程度。我们可以把建造性的问题和数学存在性的问题分开来讨论。如果我们跟随直觉主义，就必须摒弃数学中非常强有力的论证的使用，而课题就变得有点窒息和虚弱。

我不想细述直觉主义观点导致的种种困难的荒谬；但是仅仅提及一些问题也许是有益的。布劳威尔经常关心提及的一个例子是π的小数展开：

3.141592653589793…。

是否在这个展开的某一处存在20个接连的7的序列，也就是

$$\pi=3.141592653589793\cdots77777777777777777777\cdots$$

或者不存在这种情形呢？按照通常的数学，现在所有能说的是，或者存在或者不存在——而我们不知哪个是对的！这看来是一个肯定无害的描述。然而，除非人们已经（以某种直觉主义者接受的构造方式）确立存在这个序列或者不存在这个序列，他们实际上对讲“或者π的小数展开中某处存在连续20个7的序列或者不存在”采取否决的态度！直接的计算也许足以显示在π的小数展开的某处的确存在20个连续的7的序列，但要确证没有这样的序列则需要某种数学定理。迄今电脑在计算π时还不能进行足够远到能确认该序列的存在。在基于概率的基础上，人们预料这样的序列的确存在。但是即使利用一台每秒能恒定产生10^{10}位数的电脑，大约也需要100年或1000年左右才能找到这序列！我认为更可能是，不进行直接计算，该序列的存在某天会在数学上被确认（也许是作为某种更有力和更有趣得多的结果的一个推论）——虽然也许不是以直觉主义者能接受的方式！

这一个特殊问题并不具有实际的数学趣味。它只是由于容易叙述才作为例子提出。在布劳威尔的直觉主义的极端形式中，他会宣称：现在断言“在π的小数展开中的某处存在20位连续的7的序列”既不是真的亦不是假的。如果在将来用计算或（直觉主义的）数学证明得到适当的这种或那种结果，那么断言就变成“真”的或“假”的，视当时情况而定。“费马大定理”是一类似的例子。根据布劳威尔的极端直觉主义，现在这一个命题既不是真的亦不是假的，但将来也许会变成其中的一种。对我来讲，数学真理的这种主观性和时间依赖性是不可理喻的。数学结果是否或何时被接受为正式“证明了”的的确是一个主观的事体。但是数学真理不应取决于这些依赖社会的判据。对于人们希望能可靠地用来描述物理世界的数学，具有随时间而变的真理概念至少可以说是尴尬的和不令人满意的。并非所有的直觉主义者都采用布劳威尔那样强烈的观点。尽管这样，甚至对于那些同情推定主义目的的人也是这么认为，直觉主义观点显然是尴尬的。就仅仅因为人们可允许使用的数学推理的类型过于局限的原因，很少当代数学家愿意全心全意地追随直觉主义。

我已经简介了当代数学哲学的3个主流：形式主义、柏拉图主义和直觉主义。我并不掩饰自己强烈同情柏拉图主义的观点，也就是数学真理是绝对的、外在的、永恒的，并不基于人造的判据之上；数学对象具有超越时间的自身的存在，既不依赖于人类社会，也不依赖于特定的物体。我把这种观点贯穿于本节、上一节以及第3章的结尾处。我希望读者准备在这一点上和我大致“同心同德”。它对于后面要遇到的大量内容都很重要。

从图灵结果到类哥德尔定理

我在阐明哥德尔定理时忽略了许多细节，并且也忽略它的论证中或许在历史上的最重要的部分；这就是被叫作公理相容性的“不可判定性”。我在这里的目的不在于强调这“公理相容性的可证明性的问题”。这个问题对于希尔伯特及其同代人是如此之重要。我只是表明，利用所考虑的形式系统的公理和法则，某个特殊的哥德尔命题既不是可证明的也不是可证伪的。但是利用我们对该问题中运算意义的直觉可以清楚地看到，它是一个真的命题！

我提到过，图灵在研究了哥德尔的著作后发展了自己后来的论证，以确立停机问题的不可解性。这两个论证有许多共同的地方，事实上，哥德尔结果的关键方面可利用图灵步骤直接推出。让我们看看这是如何进行的，并因此对哥德尔定理的背后的东西有某种不同的洞察。

一个形式数学系统的主要性质是，决定某一给定的符号串是否构成该系统中给定的数学论断的证明应是可计算的事体。表达数学证明的全部要点毕竟在于对于什么是有效推理、什么是无效推理不必做进一步的裁决。以完全机械的和原先预定的办法来检查一个想象的证明是否确实是一个证明应是可能的；也就是说必须有检查证明的算法。另一方面，为提出的数学陈述去找证明（或证伪），我们并不要求它必须是算法的事。

事实上，在任何形式系统中只要某种证明存在，就总有找到证明的算法。由于我们必须假定该系统是以某种符号语言来表达的，这种语言是按照符号的某些有限“字母”来表达的。正如以前一样，让我们把符号串以字典的方式编序。我们记得这表示对于固定的串的长度按字母编序，先取所有串长为1的，然后串长为2的，串长为3的等（见139页）。这样，我们就把所有正确建立起来的证明按照这个字典方案进行编序。我们有了证明的列表，也就有了该形式系统的所有定理的列表。这是因为定理刚好是出现在正确构造的证明的最后一行的命题。这种列表完全是可计算的：由于不管系统的符号串是否有作为证明的意义，可以先考虑所有的串的字典列表，然后用我们的证明检查算法去检验其是否为一个证明，若不是则抛弃之；然后以同一方法检验第二个，若不是证明则抛弃之；然后第三、第四等。如果有一个证明，我们则可用这种办法最终在这一列表的某一处找到它。

这样，如果希尔伯特已经成功地找到它的公理和步骤法则的数学系统。该系统足够有力到能使人们用形式证明决定任何在该系统中正确表达的数学命题的真假——则就会有一般的算法方法去决定任何这种命题的真理性。为什么会这样呢？因为用上述的步骤，如果最终在某个证明的最后一行遇到了我们所寻求的命题，则我们就证明了该命题。反之，如果我们最终遇到的一行是我们命题的否定，则我们就证伪了它。如果希尔伯特计划是完备的，这种或那种的终局就总会发生（并且，如果是协调的，两者永远不会同时发生）。这样，我们的机械步骤总会在某一阶段结束，而我们就应有一种决定系统所有命题真假的普通算法。这就和第2章阐述的图灵结果相冲突，也就是说不存在决定数学命题的一般算法。因而我们实际上证明了哥德尔定理，就是说希尔伯特期望的计划在刚刚讨论的意义上不可能是完备的。

由于哥德尔所关心的形式系统的类型只对算术命题而不是对一般的数学命题适用，所以事实上哥德尔定理比上述的更特定。我们是否能安排只用算术的运算去实现图灵机的所有必需的运算呢？换句话说，是否所有自然数的可计算功能（也就是图灵机动作的结果，递归的或算法的功能）可按通常的算术表达呢？事实上，我们几乎真的可以，但还不是。我们需要在算术和逻辑（包括 $\exists$ 和 $\forall$ ）的标准法则外加上一个额外的运算。这个运算简单地选择为：

“使得 $K(x)$ 成立的最小自然数 x”，

这儿$K(\ )$是任何给出的算术地可计算的命题函数——并假定存在这样的一个数，也就是$\exists x[K(x)]$为真的。(如果没有这样的一个数，则我们的运算在试图寻求所需的不存在的x时就会“无限地进行下去”[1]。)无论如何，在图灵结果的基础上前面的论证确认了，把数学的一切分支归结为某个形式系统中的计算的希尔伯特计划的确是不成立的。

就此而言，这一步骤并没有这么清楚地显示，在这系统中我们具有真的，但不能在系统中证明的一个哥德尔命题[就像$P_k(k)$]。然而，如果我们回忆在第2章给出的关于“如何超越算法”(参阅85页)的论证，我们就看到了可以做非常类似的事情。我们在那个论证中指出，给定任何决定图灵机动作是否停止的算法，我们便能制造图灵机的一个动作，我们看到该动作不停止，但是该算法看不到这一点。(记得我们强调过，当一台图灵机将要停止时，该算法必须正确地通知我们，虽然有时在图灵机动作不停止——它会永远运行下去的情形，它不能告诉我们。)鉴于上述的哥德尔定理的情形，我们具有利用洞察可以看到实际上必须为真的命题(图灵机动作的不停止)，但是给定的算法动作不能告诉我们这些。

递归可数集

存在一种按照集论的语言形象地描述图灵的要素和哥德尔基本结果的方法。这就使得我们可以不用按照特别的符号主义或形式系

---

1. 允许发生这种不幸的可能性实际上是重要的，这样使得能有描述任何算法运算的潜力。我们记得，为了一般地描述图灵机，我们必须允许实际上永远不停止的图灵机。

统的任意描述，而使本质问题呈现出来。我们将只考虑（有穷或无穷的）自然数的集合0，1，2，3，4，…。这样我们将考察这些集合，诸如{4，5，8}，{0，57，100003}，{6}，{0}，{1，2，3，4，…，9999}，{1，2，3，4，…}，{0，2，4，6，8，…}，甚至整个集合**N**={0，1，2，3，4，…}或者空集ϕ={ }。我们将只关心可计算性的问题，也就是："自然数的何种集合可由算法产生，何种不能？"

为了提出这样的问题，如果愿意的话，我们可把每一单独的自然数n，在一特别的形式系统中，以特定的符号串来表示。按照系统中（"语法正确"地表达的）命题的某一字典顺序，n表示"第n个"符号串，譬如讲Q_n。则每一自然数代表一个命题。形式系统的所有命题的集合是由整个集合**N**来代表，例如，形式系统的定理可被认为是自然数的某一个更小的集合，例如集合P。然而，命题的任何特殊编号系统细节不是重要的。为了在自然数和命题之间建立一种对应，我们需要的是能从任一个自然数n得到它对应的（在一种适当的符号记法中写出的）命题Q_n的已知算法，以及从Q_n得到n的另一个已知算法。假定已知这两种算法，我们就能随心所欲地把一个特定形式系统的命题集合和自然数集合**N**相等同。

让我们选择一个形式系统，它是协调的，并广泛得足以包括所有图灵机的所有动作——并且在以下的意义上是"有意义的"，即它的公理和步骤法则可认为是"自明地真的"。现在，这形式系统的命题Q_0，Q_1，Q_2，Q_3，…中的一些实际上在该系统中有证明。这些"可证明的"命题有一些属于**N**的某一个子集的数，这事实上就是上面考虑的定理的集P。我们事实上已经看到了在某一个给定形式系统中存在一种一个接一个产生具有证明的所有命题的算法。(正如早先概述的，“第n个证明”$\prod_n$是在算法上从n得到的。所有我们要做的是去看第n个证明的最后一行，以发现在系统中可证明的第n个命题，也就是第n个“定理”。)这样，我们就有了一个接一个(也许会有重复——但这无所谓)产生P的元素的算法。

一个可用某种算法以这种方式产生的集合，譬如P，叫作递归可数的。注意，在系统中可被证伪——也就是其否定的命题可被证明的命题的集合也类似地为递归可数的，因为我们可简单地列举这些可证明的命题。在此过程中取它们的否定。存在许多**N**的其他递归可数的集，但我们不必介绍把它们定义出来的形式系统。递归可数集的简单例子是偶数

$$\{0, 2, 4, 6, 8, \cdots\},$$

和平方的集合

$$\{0, 1, 4, 9, 16, \cdots\},$$

以及素数的集合

$$\{2, 3, 5, 7, 11, \cdots\}。$$

很清楚，我们可以利用算法把这些集中的每一个元素产生出来。在这3个例子中还有这种情形，即集合的补集——也就是不在该集中的自

然数的集为递归可数的。3种情形的补集分别为

$$\{1, 3, 5, 7, 9, \cdots\},$$
$$\{2, 3, 5, 6, 7, 8, 10, \cdots\},$$

以及

$$\{0, 1, 4, 6, 8, 9, 10, 12\}。$$

为这些补集提供算法是轻而易举的事。我们的确可以在算法上决定，对于给定的自然数n，它是否为偶数，是否为平方或者是否为素数。这就为我们提供了既产生集合又产生补集的算法，因为我们可以按顺序地跑过自然数，并在每种情况下决定它是否属于原先的集合或它的补集。一个本身及其补集都是递归可数的集合称为递归集。很清楚递归集的补集仍为递归集。

现在，是否存在递归可数但不是递归的集合呢？我们暂停一下，注意一下它的推论。由于这种集合的元素可在算法上产生，我们就有一种对于怀疑属于该集合的元素决定其是否真的属于该集合的手段。这一时刻，我们暂且假定它实际上属于该集合。所有我们要做的是允许我们的算法跑过集合中的所有元素，直到它最终找到我们所考察的特殊的元素。但是假如我们怀疑的元素实际上不在这集合中，则我们的算法就无济于事了。由于它会不断地进行下去，永远得不出一个决断。在这种情形下，我们需要一个产生补集的算法。如果它发现了我们所怀疑的，则我们肯定地知道该元素不在这集合中。我们用两种算

法就应该是万无一失了。我们可以简单地交替使用这两种算法，并用任何一种方法找到所怀疑的。然而，这种快乐的情形只发生在递归集的情形下。我们这里只假定集合为递归可数的而不是递归的：我们提议的产生补集的算法不存在！这样，我们就面临着这等古怪的情形，即对于在集合中的一个元素，我们可在算法上决定它的确是在这集合中，但是我们用任何算法都不能保证决定恰巧不在这集合中的元素的这一个问题！

这种古怪的情形是否发生过呢？也就是说，是否的确存在不是递归的递归可数集呢？关于集合P的情况如何呢？它是一个递归集吗？我们已知它是递归可数的，所以我们必须决定其补集是否也为递归可数的。事实上它不是！我们何以知道呢？我们知道图灵机的动作被假定为在我们形式系统中允许的运算。我们用T_n来标志第n台图灵机，则陈述

“$T_n(n)$停止”

是一道命题——让我把它写作$S(n)$——也就是对于每一自然数n，我们可在我们的形式系统中把它表达出来。对于某些n值命题$S(n)$是真的，对于另外的n值它是假的。n跑过自然数0，1，2，3，… 时所有$S(n)$的集合将由$\mathbf{N}$的某一个子集S所代表。现在回忆一下图灵的基本结果（参阅第2章78页），在$T_n(n)$事实上不停的情形下，不存在作“$T_n(n)$不停”断言的算法。这表明假的$S(n)$的集合不是递归可数的。

我们观察到S在P中的部分刚好包括了那些是真的$S(n)$。为什么会这样子呢？如果任何特别的$S(n)$是可证明的，那么它必须是真的（因为我们已选择了“有意义的”形式系统），所以S在P中的部分必须只包括真的命题S，而且没有真的命题$S(n)$能处在P的外头，因为如果$T_n(n)$停止，那我们便可在这系统内提供证明说它是真的这样[1]。

现在，假定P的补集是递归可数的。那我们就应有某种产生这种补集的算法。我们可以使这些算法运行并在其经过每一命题$S(n)$时记下来。这些都是错的$S(n)$，所以我们的步骤实际上为我们递归地列举了错的$S(n)$的集合。但是，我们在上面注意到错的$S(n)$不是递归可数的。这一矛盾显示了，P的补集根本不是递归可数的；所以集P不是递归的，这就是我们所需要的结果。

这些性质在实际上表明了我们的形式系统不能是完备的，也就是说，在系统中必有一些既不能证明又不能证伪的命题。因为如果没有这样“不可决定的”命题，则集P的补集就必须为可证伪的命题（任何不能证明的东西都必须为可证伪的）。但是，我们已看到可证伪的命题包含一个递归可数集，所以这就使得P成为递归的。然而，P不是递归的，这一个矛盾导致了不完备性。这就是哥德尔定理的主要突破。

现在关于$\mathbf{N}$中的代表我们形式系统的真的命题的子集T能说些什么呢？T是递归的吗？T是递归可数的吗？T的补集是递归可数的

---

1. 事实上，该证明可由一系列步骤组成，这些步骤反映了直到停止以前的机器的动作。机器一旦停止则证明即告完成。

吗？事实上对所有这些问题的答案都是“否”。一种看到这一点的方法是注意到形式

“$T_n(n)$停止”

的假的命题不能由算法产生，正如我们前面所注意到的。所以，假的命题作为整体来说不能由任何算法产生，因为任何这种算法特别会列举出上面所有假的“$T_n(n)$停止”的命题。类似地，不能由一个算法产生所有真的命题（由于可轻易地修改任何这种算法以得到所有错误的命题，只要简单地把它产生的每一命题都取一个否命题即可）。由于真的命题因此不是递归可数的（假的也不能），它们构成了比系统中可证明的命题更复杂和深广得多的陈列。这再一次阐明了哥德尔定理的结论：形式论证只是得到数学真理的部分手段。

存在一定的真的算术命题的简单的族，却的的确确能形成递归可数集。例如，不难看出，具有如下形式的真的命题

$$\exists w, x \cdots, z [f(w, x \cdots, z)=0]$$

组成递归可数集（我把它记作A）[8]。这儿$f(\ )$是由通常的加、减、乘、除和自乘等算术运算所构成的。这种形式命题的一例——虽然我们不知它是否真的——是“费马大定理”的否定，此处f可取作

$$f(w, x, y, z)=(x+1)^{w+3}+(y+1)^{w+3}+(z+1)^{w+3}。$$

然而，人们发现集合A不是递归的（这是不容易看到的事实——虽然它是哥德尔实际的原先论证的一个推论）。这样，我们并没有任何算法手段哪怕在原则上决定"费马大定理"的真假！

我试图在图4.1中极其概略地把所有具有好的简单的边界的区域代表一个递归集合，这样人们可以想象，告知某一给定的点是否属于该集是件直截了当的事。图中的每一点都认为代表一个自然数。而其补集也为一个显得简单的区域所代表。我在图4.2中试图用具有复杂边界的集合来代表递归可数但非递归的集合。此处边界一边的集合——递归可数的那一边——被认为比另一边简单。这些图是非常概略的，一点也没有在任何意义上的"几何准确性"的企图。尤其是用平坦的二维平面来代表这些图像在实际上没有任何意义。

我在图4.3中概略地指出了区域P，T和A处在集合$\mathbf{N}$中的情形。

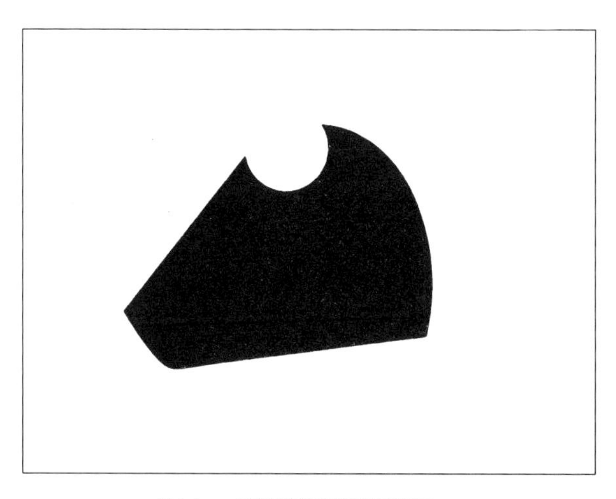

图4.1　一个递归集的高度概略的图示

图4.2 一个递归可数的，但不是递归的集合（黑区域）的高度概略的图示。其思想是，白的区域定义为当可计算地产生的黑的区域被取走后所“余下的”；断定一点是否在白的区域中不是一个可计算的问题

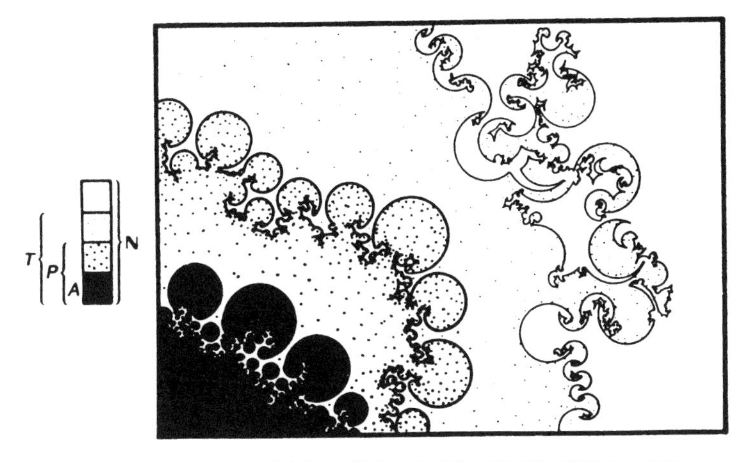

图4.3 不同命题集合的高度概略的图示。在系统中可证明的命题集合P，正如集合A那样，是递归可数但不是递归的；真的命题集合T甚至不是递归可数的

芒德布罗集是递归的吗

非递归集必须具有这样的性质，即它们在非常本质的方式上是复

杂的。在某种意义上看，它们的复杂性应当公然抵抗任何系统化的企图，否则该系统化就会导致某种适当的算法步骤。对于一个非递归的集合，不存在一般的算法的方式去决定一个元素（或一“点”）是否属于这个集合。我们在第3章的开头肯定是见证到一个非同寻常地复杂的集合，也就是芒德布罗集。虽然提供其定义的规则是令人吃惊地简单，但集合本身却呈现出高度繁复的结构和无穷的变化。这难道真的是呈现在我们眼前的非递归集合的例子？

然而，读者会很快地指出，现代高速电脑的魔术把这些模式的复杂性呈现于我们的面前。难道电脑不就是算法行为的体现吗？的确，这肯定是对的。但是，我们必须记住电脑实际上产生此图的方式。为了检验复平面上的一点——一个复数C——是否属于芒德布罗集（涂成黑色）或它的补集（涂成白色），电脑就要从0开始，然后利用

$$z \rightarrow z^2 + C$$

把0映射到C，然后从$z = C$得到$C^2 + C$，然后从$z = C^2 + C$得到$C^4 + 2C^3 + C^2 + C$等。如果序列0，C，$C^2 + C$，$C^4 + 2C^3 + C^2 + C$，…保持有界，则由C代表的点就涂成黑色；否则涂成白色。机器如何告知我们说这样的序列保持有界呢？这个问题原则上牵涉到知道在序列的无穷项后会发生什么，这本身不是电脑的事体。幸运的是，若序列是无界的，总存在有限项后就使人们得知的方法。（事实上，只要它达到以原点为中心以$1+\sqrt{2}$为半径的圆周就能肯定该序列是无界的。）

这样，在一定的意义上讲，芒德布罗集的补集（也就是白的区

域）是递归可数的。如果复数C在白的区域中，就有确定此事实的算法。芒德布罗集本身也就是黑的区域的情况又如何呢？是否有确切告知一个被怀疑处于黑区域的点果真是在黑区域的算法呢？迄今看来这一问题的答案仍是未知的[9]。我询问了许多同事和专家，似乎没有人知道存在这样的算法。他们也从未表明过不存在这样的算法。对于黑区域至少还没有已知的算法。芒德布罗集的补集也许真正是一个递归可数但不是递归的集合！

在进一步探索这个设想之前，必须先讨论我掩饰的某些问题。这些问题对于以后讨论物理的可计算性具有某种重要性。我前面的讨论实际上有些不精确。我把诸如“递归可数的”和“递归的”这样的术语应用于复平面也就是复数的集合上。严格地讲，这些术语只能适用于自然数或其他可数的集合。我们已经在第3章（110页）看到实数是不可数的，所以复数也不是可数的——由于实数可考虑作特殊种类的复数，也就是虚部为零的复数（参阅114页）。事实上，刚好存在和实数“一样多”数目的复数，也就是C那么多。（粗略地讲，为了建立复数和实数之间的一一对应，我们可以把每一复数的实虚部各作小数展开，然后将其交叉地塞到相应实数的奇数和偶数位上去：例如复数$3.6781\cdots+i512.975\cdots$对应于实数$50132.6977851\cdots$）

逃避这个问题的一种办法是只管可计算的复数，我们在第3章看到，可计算的实数——并因此可计算的复数——的确是可数的。然而，这里有严重的困难：事实上不存在决定两个按照它们相应的算法给出的可计算数是否相等的一般算法！（我们可以算法地形成它们的差，但我们不能算法地决定这个差是否为0。想象两个分别产生

0.99999…和1.00000…的算法，我们也许永远不会知道这些9和0是否无限地继续下去，因此这两个数相等，或最终某些其他的数会出现，因此这两个数不等。）这样，我们也许永远不能知道这些数是否相等。其中的一个含义是，甚至对诸如复平面上的单位圆盘这么简单的集合（所有到原点的距离不大于一个单位的点的集合，也就是图4.4中的黑的区域）都没有决定复数是否实际上处于圆上的算法。当点处于圆盘的内部（或在外部）时不会引起这个问题，但点处于圆盘的边缘时，也就是在单位圆本身上时就有了问题。单位圆被认为是圆盘的部分。假定我们简单地给出产生某复数的实部和虚部的位数的算法。如果我们怀疑该复数实际上处于单位圆上，我们并不能肯定这个事实。不存在去决定可计算数

$$x^2+y^2$$

是否实际上等于或不等于1的算法，也就是决定该可计算复数$x+iy$是

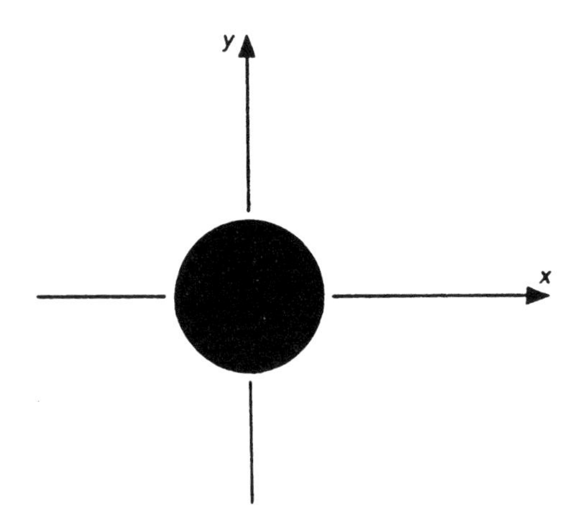

图4.4 单位圆盘肯定被当作“递归的”，但是这个需要一个适当的观点

否在单位圆上的判据。

这肯定不是我们所需要的。单位圆盘当然必须被当作递归的！没有很多集合比单位圆盘更简单！一种躲避这一问题的办法是不理睬边界。对实际上处于内部或外部的点肯定存在确认这些事实的算法。（简单地一个接一个地产生x^2+y^2的数位，最终会发现在小数展开0.99999…后面出现非9或1.00000…后面出现非0）。在这个意义上讲，单位圆盘是递归的。但是，这种观点是相当粗劣的，因为人们经常需要按照在边界上的行为来进行论证。另一方面，这种观点或许对物理学是合适的。我们以后还要再考虑这些问题。

人们或许还会采用另一种紧密相关的观点，它根本未涉及可计算复数的问题。我们简单地要求可对给定的复数决定其是否在该集中或在补集中的算法，而不试图去列举该问题的集外或集内的复数。我在这里的“给定”的意义是，对于我们检验的每一个复数，也许用某种魔术的办法，实部和虚部的连续位数可一个接一个地写出以供使用，要多长就有多长。我不要求存在任何已知或未知的把这些位数写出来的算法。对于一个复数的集合，如果存在一个单独的算法，使得只要并且只要一个复数实际上在此集中，一旦该数以这种方法用一串数位写出，就在有限的步骤后它最终会说“是”，则该集合被认为是“递归可数的”。和上面提出的第一种观点一样，这种观点“不理睬”边界。这样，单位圆盘的内部和外部分别都在这个意义上被当作递归可数的，而边界本身不是。

我一点也不清楚，这些观点是否真正必需[10]。把它应用到芒德布罗集时，“不理睬边界”的哲学可能将该集合的许多复杂性都损失了。该集合一部分包括具有内部区域的“点”，还有部分是“卷须”。其极端复杂性似乎存在于极其剧烈的弯曲的卷须之中。然而，卷须不在集合的内部，所以如果我们采用了上述的任一种哲学，则这些卷须都被忽略了。尽管如此，当只考虑斑点时，仍然不清楚芒德布罗集是否为“递归的”。这个问题似乎依赖于某个未被证明的有关芒德布罗集的猜测：它是所谓的“局部连通”的吗？我不想在此解释此术语的意义及其关联之处。我只想指出这些是困难的问题，它们引起了有关芒德布罗集的未解决的问题，而且其中一些正是当前某些数学研究的最前沿的问题。

为了绕过复数是不可数的问题，人们还可以采用其他的观点。人们不去考虑所有可计算的复数，而去考虑这样的一个适当的子集，该子集的数具有去决定其中两个数相等与否仍是可计算的问题的性质。“有理”复数即为这样的一种简单的子集，实部和虚部均为有理数的复数即为有理复数。我认为它并不在芒德布罗集中占多少，而这种观点又是非常局限的。考虑代数数也许会更令人满意些——这就是那些为整系数的代数方程的解的那些复数，例如，方程

$$129z^7-33z^5+725z^4+16z^2-2z-3=0$$

所有z的解为代数数。代数数是可数的并且是可计算的。实际上去决定它们中的两个是否相等正是可计算的问题。（它们其中许多处于单位圆的边界和芒德布罗集的须蔓上。）如果需要的话，我们可把这问题表述成，芒德布罗集是否按照它们为递归的。

在刚才考虑的两个集合的情况下代数数也许是合适的，但它实在不能一般地解决我们所有的困难。考虑由关系

$$y \geqslant e^x$$

所定义的集合（图4.5中的黑的区域）。这里$z=x+iy$是复平面上的点。按照上面所表述的任何观点，该集合的内部及其补集的内部，都是递归可数的。但是（从F. 林德曼在1882年证明的一个著名定理）边界$y=e^x$只包含一个代数点，即$z=i$。代数数对于这种情形下的边界的算法性质的研究毫无用处！虽然不难找到满足这种特殊情形的其他的可计算数子集，但人们会强烈地感到，我们还没得到正确的观点。

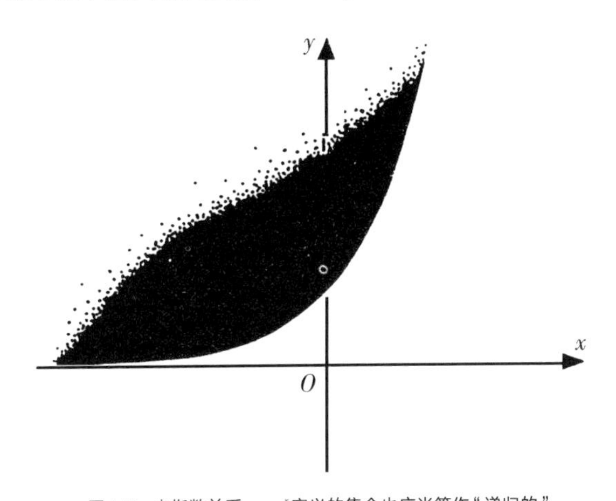

图4.5　由指数关系$y>e^x$定义的集合也应当算作“递归的”

一些非递归数学的例子

在许多数学分支中产生了非递归的问题。也就是说，我们会遇到

一系列的问题，它们答案或者为“是”或者为“非”，但是不存在决定究竟是什么答案的一般算法。在这类问题中有一些显得非常简单。

首先考虑求整系数代数方程组的整数解的问题。这种方程称为丢番图方程（以希腊数学家丢番图来命名，他的生活年代为公元前3世纪，他研究了这一类方程）。这样的一组方程可为

$$z^3-y-1=0,\ yz^2-2x-2=0,\ y^2-2xz+z+1=0,$$

问题在于决定它们是否有x，y，z的整数值的解。在给定的特殊情况下，事实上存在

$$x=13,\ y=7,\ z=2$$

的解。然而，不存在决定任意丢番图方程集合[1]的这一问题的算法：尽管丢番图算术是这么初等，它却是非算法数学的一部分！

[另一个稍微高等的例子是流形的拓扑等价。这里我仅仅简略地提及，因为它和第8章要讨论的问题有某种可以预料到的相关性。为了理解何为“流形”，先考虑一个线圈，它是仅仅为一维的流形。然后考虑一个闭合面，这是二维的流形。再摹想具有三维或更高维的“表面”。两个流形的“拓扑等价”表明其中一个可以连续运动地变形成

1. 这是在40页提到的希尔伯特第十问题的否定答案。（例如，参见*Devlin 1988*。）这里变量的个数是不受限制的。然而人们知道，为了使这种非算法性质成立，实际上需要变量的个数不超过9就可以。

另一个——不能撕裂，也不能粘住。这样，一个球面和一个立方体的表面就是拓扑等价的，同时它们和一个环或茶杯的表面不是拓扑等价的——后两者实际上是相互拓扑等价的。现在，对于二维流形，存在一种决定其是否拓扑等价的算法——事实上可归结为计算每一曲面所具有“环柄”的数目。在写此书时，对于三维这问题的答案还没有得到，但是对于四维或更高维的情况，已经知道不存在决定等价类的算法。四维情形和物理有些相关是可以理解的。这是由于按照爱因斯坦的广义相对论，空间和时间一起组成了一个四维流形（见第5章268页）。格罗许和哈特尔在1986年提出，这个非算法性质可能和“量子引力”有关；还可参阅第8章。]

现在我们考虑一个被称作字问题[11]的不同种类的问题。假定我们有某些符号字母，考虑把这些符号连成各种称作词的串。词本身可以不具有意义，但是我们有一张（有限的）在它们之间“等价”的表，可用此表来推导出更多这样的“等价”。这可以用如下办法做到，在较长的词中找出和表中某个词相同的部分，这一部分可用表中认为是相等的另一个词来取代。现在问题就归结为，对某一对给定的词，按照这些规则决定它们是否“相等”。

例如，我们原始的表为

$EAT = AT$

$ATE = A$

$LATER = LOW$

$PAN = PILLOW$

CARP=*ME*。

例如，从这些我们可以推出

LAP=*LEAP*

这可由连续地利用原表中的第二、第一以及再次利用第二个关系而得到：

LAP=*LATEP*=*LEATEP*=*LEAP*。

现在的问题在于，给定某一对词，我们能简单地用这种代入法从一个词得到另一个词吗？例如，我们能从ATERPILLAR得到MAN，或从CARPET得到MEAT吗？ 在第一种情形下的答案恰好为“是”，而在第二种情况下则为“非”。当答案为“是”时，通常显示这一点的方法是简单地写出一串等式，每一个词都是用允许的关系从前面的词得出。这样（要改变的字母用粗体印出，刚被置换的用斜体印出）：

C**ATE**RPILLAR=C*A*PRILL**AR**=CARPIL**LAT***TE***ER**=CAR**PILLOW**=**CARP***AN*=*ME***A**N=**MEAT***EN*=*M***ATE**N=M*A*N

按照允许的法则，我们何以得知不能从CARPET得到MEAT呢？对此问题，我们要稍微多想片刻，但是用各种不同的方法不难看到。最简单的方法如下：在我们原始表上的每个“等式”中，*A*加上*W*再加*M*出现的总次数在两边是相等的。这样，在所有允许替代的系列中A、W和M的总数目不应改变。然而，对于CARPET这个数为1，而NEAT为2。所以靠允许的替换不可能从CARPET得到MEAT。

请注意，当两个词“相等”时，我们可简单地使用所给定的规则，写出一串允许的形式符号串来显示这一点；而在“不相等”的情形，我们必须求助于关于给定规则的论证。只要两个词事实上是“相等”的时候，我们就有清楚的算法可用来在它们之间建立起“相等”。我们所要做的是，把所有可能的词的序列作字典式的列表。如果序列中含有接连的两个词，其中第二个词不能按允许的规则从第一个词得出的，就从这表中删去这样的序列。余下的序列就提供了所有要寻找的词之间的“等价类”。然而，一般地不存在这样明显的算法，它能决定两个词不“相等”。为了建立这个事实，我们必须求助于“智慧”。（我的确花了好一阵时间才注意到上面的“技巧”，它可用来建立CARPET和MEAT的不“相等”。对于其他例子，也许需要完全不同的“技巧”。顺便提及，对于建立“等式”的存在，智慧虽然不是必要的，却是有助的。）

事实上，在上述情况中对于包含5个“等式”的特殊的表，当两个词的确“不等”时，提供一种去确定其“不等”的算法并不特别困难。但是，为了找到对这种情况起作用的算法，我们必须使用一些智慧！人们发现，并不存在任何单独算法可普遍地应用于所有原始表的选择。在这个意义上讲，字问题不存在算法解。一般字问题是属于非递归数学的范畴！

甚至对于某种特别选取的初始表，不存在决定两个词语何时不相等的算法。其中一例便是：

$AH=HA$

$OH=HO$

$AT=TA$

$OT=TO$

$TAI=IT$

$HOI=IH$

$THAT=ITHT$

（这是采用G.S.蔡亭和丹娜·斯各特1955年给出的表；参阅*Gardner 1958*，第144页。）这样，这个特殊的字问题本身就是一个非递归数学的例子。也就是说，利用这张特殊的初始表，我们不能在算法上决定两个给定的词是否“相等”。

从形式化数理逻辑的考虑（正如我们早先考虑过的“形式系统”等）中产生了一般的字问题。初始表起着公理系统的作用，词的替代规则起着步骤的形式法则的作用。从这种考虑引起了字问题的非递归性的证明。

作为非递归数学问题的最后一个例子，现在我们考虑一个用多边形来覆盖欧几里得平面的问题。这里我们只允许用有限种不同形状的花砖，看看是否能将整个平面既没有裂缝又没有重叠地覆盖住。这种用多边形来铺满平面的方法称为平面的镶嵌。我们都对如下事实很熟悉，可以只用正方形或正三角形或正六边形来镶嵌（正如第10章图

10.2所示的)，但是不能只用正五边形。还有许多其他的单独形状可以用来镶嵌平面，正如画在图4.6中的两种**不规则**五边形。用**两个**形状来镶嵌，结果就更精巧。图4.7画出了两个简单的例子。迄今为止

图4.6　平面周期镶嵌的两个例子，每一种情形都只用单独形状的花砖(1976年由马乔丽·赖斯发现)

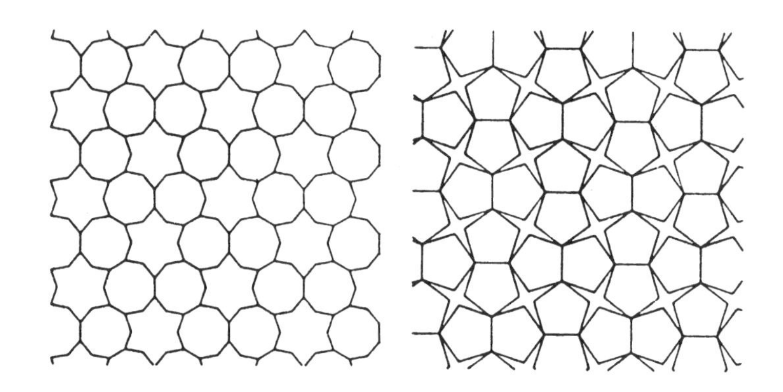

图4.7　平面周期镶嵌的两个例子，每一种情形都用两种花砖

所有的例子都具有称为周期性的性质。这表明它们在两个独立的方向上完全重复。按照数学语言，我们说存在一个周期平行四边形——一个平行四边形，如果我们用某种方法将其标出，并在平行于它的边的两个方向上不断地重复，则能重新产生给定的镶嵌花样。图4.8即为一个例子，在左面画出了用刺状的花砖进行的周期镶嵌，而在右面则画出与此周期性镶嵌相关的周期平行四边形。

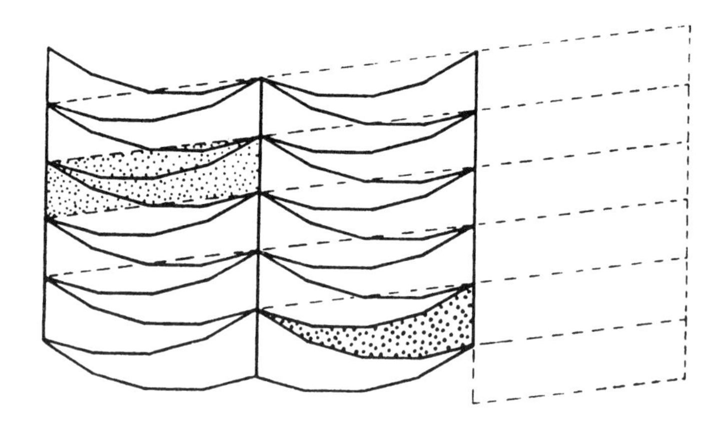

图4.8　一个周期性镶嵌，并标出和它的周期平行四边形的关系

存在许多不是周期性的平面镶嵌。图4.9画出了3种，这是用图4.8所示的同一种刺状花砖组成的非周期性的“螺旋”状镶嵌。这一种特别的花砖形状（由于明显的原因）被叫作“万能的”，它是由B.格林鲍姆和G.C.谢泼德设计的（1981，1987），这明显的是基于H.沃德伯格的更早的形状。值得注意的是，用这种花砖既可以构成周期性的也可以构成非周期性的镶嵌。许多其他单独花砖形状和花砖集合也具有这种性质。现在我们要问，是否存在一种花砖或一组花砖，只能非周期性地镶嵌平面呢？答案是肯定的。在图4.10中我画出了一族由美国数学家拉飞逸·罗宾逊（1971）构作的6个花砖，它们只能够非周期性地镶嵌整个平面。

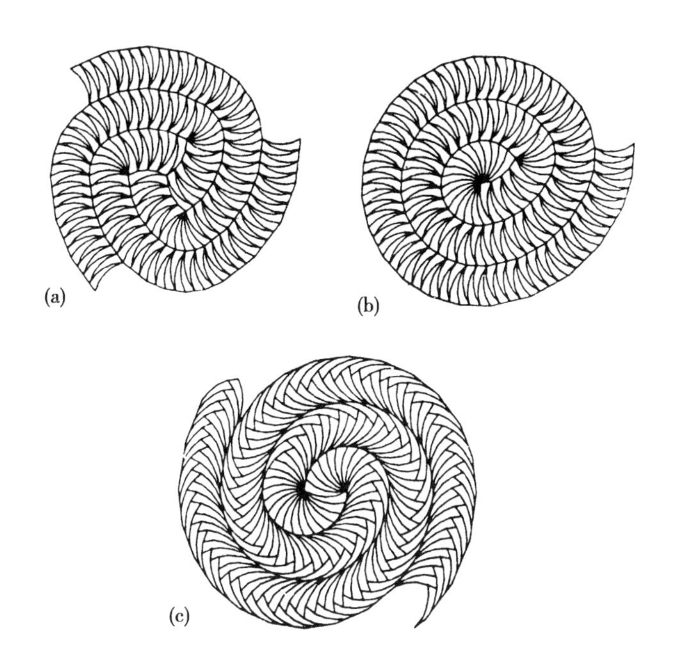

图4.9 3个非周期性的“螺旋”镶嵌，使用了图4.8中的同样的“万能”的形状

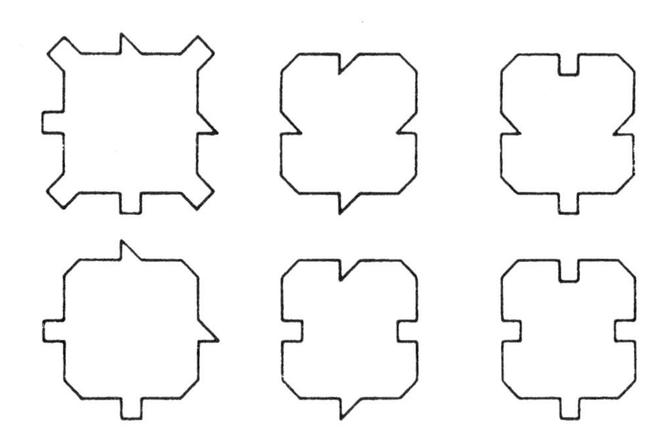

图4.10 拉飞逸·罗宾逊的只能对平面做非周期性镶嵌的6种花砖

值得稍微了解一下这种非周期性的花砖族由来的历史。(参阅*Grünbaum and Shephard 1987*)。1961年美籍华人逻辑学家王浩提出了对于镶嵌问题是否存在一个判定过程的问题，也就是说，是否存在一种算法，它可以判定给定的不同多边形的有限集合能否将整个平面镶嵌[1]！他指出，如果每一个以某种方式镶嵌平面的不同花砖的集合，还能把这平面周期性地镶嵌的话，则的确存在这样的决定步骤。我想，可能那时人们感到，不太会有违反这种条件的集合——亦即会存在“非周期性”的花砖集合。然而，1966年在王浩的建议指导下，罗伯特·伯杰指出，镶嵌问题的判定过程实际上不存在；镶嵌问题也是非递归数学的一部分[12]！

这样，我们从王浩的早期结果得知，必然存在非周期性的花砖集合，而且伯杰也确实找到了第一族非周期性花砖。但是，由于这些论

1. 王浩实际上考虑了稍微不同的问题——用方的花砖，不旋转，并且边缘颜色必须匹配，但是对我们这里这些差别并不重要。

证脉络之复杂性，他的集合涉及了非同小可的大数目的不同花砖——最初有20426个。伯杰又用了许多技巧才将其数目减少到104个。然后到1971年，拉菲尔·罗宾逊将此数目减少到图4.10所示的6个。

图4.11中还画出了另外一种非周期性的6种花砖的集合。

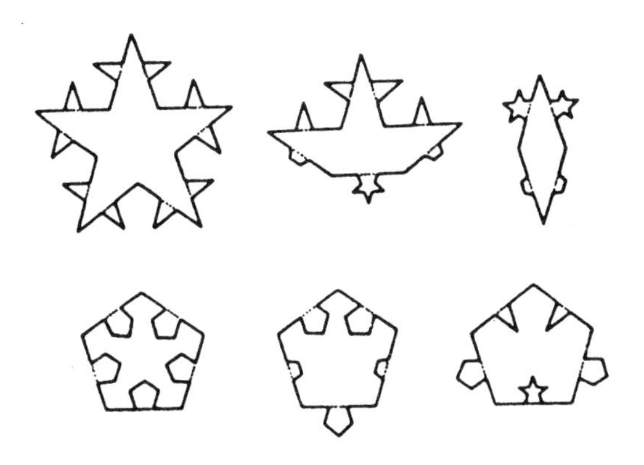

图4.11　另一种只能非周期性地对平面做镶嵌的6种花砖的集合

这是大约在1973年我自己沿着完全不同的思路得到的。（在第10章中我还将提及，图10.3画出了用这些形状铺就的排列。）我注意到罗宾逊的非周期性的6个集合后，开始设法减少此数目；试着拼拼凑凑，能够将其减少到两个。图4.12中画出了另外两种方案。这些完整的镶嵌显示出的必须为非周期性的花样，具有许多显著的性质，包括了似乎在结晶学上不可能的五重对称的准周期结构。以后我还会提及。

令人吃惊的是，数学中这么明显地“无聊的”领域——也就是用全等的形状去覆盖平面——初看起来像是“小孩游戏”，实际上应该是非递归数学的一部分。实际上，在这领域中还有许多未解决的困

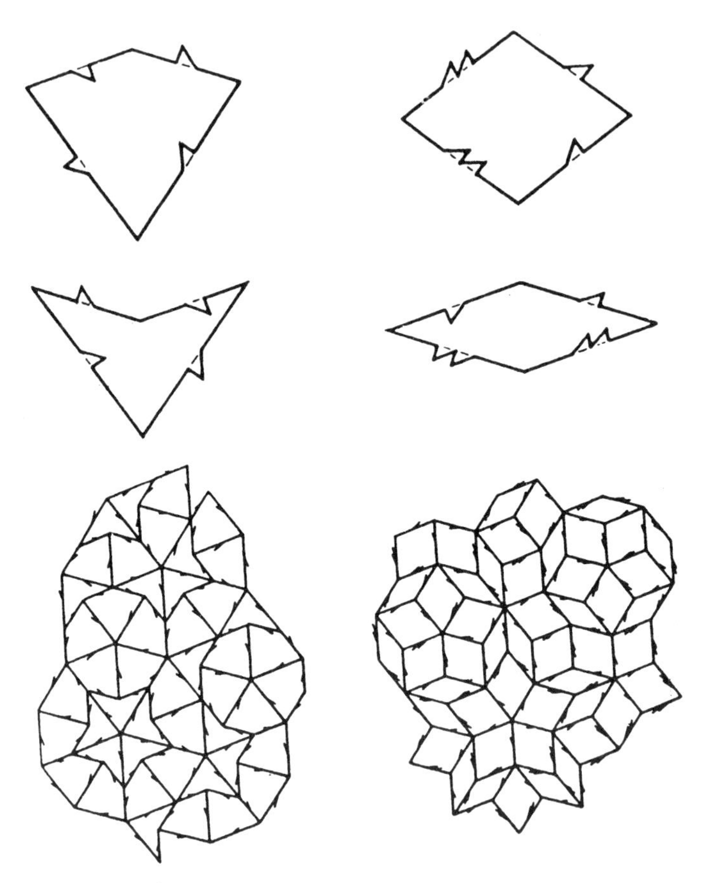

图4.12 （彭罗斯镶嵌）两对花砖，每对都只能非周期性地镶嵌平面。还有由每对花砖镶嵌的平面区域

难问题。例如，我们还不知道，是否存在只包括单独花砖的非周期性集合。

王浩、伯杰和罗宾逊处理镶嵌问题时，所用的花砖是以方块为基础的。我这里允许用一般形状的多边形，而且为了展现独特的花砖，人们需要一些适合的可计算方法。一种方法是将其顶点当成复平面上的点，也许这些点只要是代数数就完全足够了。

芒德布罗集像非递归数学吗

让我们回到早先的关于芒德布罗集的讨论。为了阐释的目的，我们假定，在某一适当的意义上，芒德布罗集是非递归的。由于它的补集是递归可数的，这就表明集合本身不是递归可数的。我认为，关于非递归集合和非递归数学方面，芒德布罗集的形式似乎对我们有许多教益。

回到第3章遇到的图3.2。我们注意到，集合的大部分似乎都由一个大的心状的区域所充满，在图4.13中用A来表示该区域。这个形状称为心脏线，它的内部区域可以定义为复平面的点c的集合。该集合是由

$$c=z-z^2$$

的形式产生的，z是离原点距离小于$1/2$的复数。这一集合在前面的意义上肯定是递归可数的：即存在一个算法，把它应用于区域的内部的一点时，将会断定这一点的确是在区域的内部。很容易从上述的公式得到实际的算法。

现在考虑刚好处于心脏线左边的圆盘状的区域（图4.13中的区域B）。它的内部区域为点

$$c=z-1$$

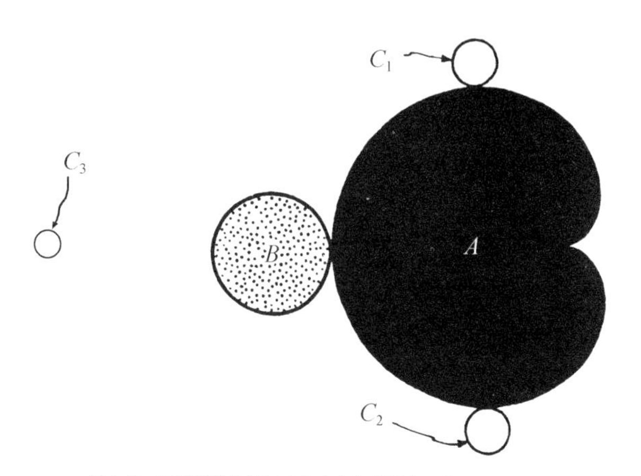

图4.13 可用简单的算法方程来定义芒德布罗集内部的主要部分

的集合，这里z离开原点距离小于1 / 4。这一区域的确是圆盘的内部——在一个正圆的内部的点集合。这一区域又是在上面意义下递归可数的。关于心脏线上其他"瘤"的情况又如何呢？考虑余下的两个最大的瘤。这是近似圆形的斑点，大致处于图3.2心脏线的上顶和底下，图4.13中用C_1，C_2表示。它们可按

$$c^3+2c^2+(1-z)c+(1-z)^2=0$$

的集合给出，这里z的范围是离开原点距离小于1 / 8的区域。这个方程事实上不仅为我们提供了两个斑点（在一起的），而且还提供一个"婴儿"心脏线形状，后者出现在图3.2的左边的地方——也就是图3.1的主要区域——在图4.13中标作C_3的区域。这些（一起或分开的）区域由于上述公式的存在又组成了递归可列集。

尽管我已经做过假设，即芒德布罗集可能是非递归的，我们运用某些定义完好的以及不过于复杂的算法，可以清理出该集合的最大面积。这个步骤似乎应该继续下去。集合中所有最明显的、肯定占满了它面积的绝大部分（如果不是所有的话）的区域，可以在算法上处理。如果正如我所设想的那样，这集合全体不是递归的，则我们的算法不能达到的区域必须是非常精巧的，并且很难找到。而且，当我们已经定位了这样的一个区域，就可以看看有无机会改善我们的算法，使那些特殊的区域也能达到。然而（如果我关于非递归性的假设是正确的），还会有其他这类区域躲藏在微妙的、复杂的、模糊的深处，甚至用我们改善了的算法都达不到。我们再次可能利用直觉、天才和勤奋的巨大努力，将这样的一个区域定位，但是还会有其他的会漏掉，等等。

我想这就像用数学方式处理困难的问题，且假定为非递归性的。人们在某些特别的领域遇到的最普遍问题可由简单的算法步骤——甚至是已经知道了几世纪的步骤来解决。但是其中仍有漏网之鱼，要掌握它们就需要更复杂的步骤。漏网之鱼当然特别刺激数学家们，并促使他们去发展更为有力的方法。这些必须是基于对涉及的数学性质的越来越深刻的洞察之上。在我们对物理世界的理解中也许存在某些这种东西。

在上面考虑的字问题及镶嵌问题中，人们可以对这一类事稍有了解（虽然在这些领域中数学工具还未发展得非常远）。我们在一个非常特殊的情形下能用非常简单的论证去显示，某一词不能用允许的规则从另一词得到。不难想象，更复杂得多的推理可在处理更古怪的情形时起作用。很可能这些新的推理可发展成算法步骤。我们知道，不存在一个可以足够应付字问题的所有情况的步骤，但是漏掉的例子需要非常仔细和精巧地去构造。的确，只要我们肯定知道我们算法漏掉的例子，只要我们知道如何构造这些例子，则我们可以改善我们的算法以包括这种情形。只有不“相等”的配对词会漏掉，故一旦我们知道它们漏掉，我们就知道它们不“相等”，这一事实可添加到我们算法上去。我们改善了的洞察就导致一个改善了的算法！

复杂性理论

我在前面以及上一章关于算法的性质、存在和局限的论证是处于非常“原则的”水平上。我根本就没有讨论到出现的算法是否在任何方面像是可行的。即使对于算法存在并且该算法如何构造都很清楚的问题，也还需要许多才干和勤勉，才能将此算法发展成有用的东西。有时小小的洞察和才干就能可观地降低算法的复杂性，以及有时极大地加快其速度。这些问题经常是非常精细和技术性的。近年人们在构造、理解和改善算法方面，在不同的情况下做了大量的工作。这是一个快速扩大和发展的研究领域。我不想对这些问题进行细致的讨论。然而，有关算法的速度可被增加的某一绝对的极限有各种普遍知道或猜测的东西。人们发现，甚至在具有算法性质的数学问题中，也存在种种内在的比其他问题更难于在算法上解决的问题。困难的问题只能用非常慢的算法（即，可能需要非同寻常地大量的存储空间的算法等）来解。有关这类问题的理论称为复杂性理论。

复杂性理论并不这么关心在算法上解决单个问题的困难，而是关心无限个问题的族，找到解决一个单独族的所有问题的一般算法。族中的不同问题会有不同的“尺度”。问题的尺度是由某一自然数n来测量。（关于这一个数n实际上如何表征问题的尺度，我一会儿还要再说。）算法对于每类中的每一特别问题所需的时间长度——或更正确地说，基本步骤的数目——是依赖于n的某一自然数N。稍微精确一点讲，我们讲在所有具有某一特别尺度n的问题中算法采用的最大的步骤数目为N。现在，当n变得越来越大，N也似乎变得越来越大。事实上，N似乎增加得比n快速得多。例如，N可以近似地和n^2，n^3或许2^n成比例（对于大的n，它比n，n^2，n^3，n^4以及n^5中的每一个都大多了，甚至比带有任何固定指数r的n^r都大），或者譬如讲N甚至近似地和2^{2^n}（这又更大得多）成比例。

当然，这些“步骤”的数目可依赖于实现该算法的电脑的类型。如果电脑为第2章描述的图灵机，那儿只有一盘磁带——这是相当低效率的——那数目N就会比允许两盘或三盘磁带的增加得更快速（也就是说机器会运行得更慢）。为了避免这类不定性，按照N作为n的函数增加的可能方式进行了宽广的分类，使得不管使用何种类型的图灵机，N的增加率的度量总是归到同一分类中去。一种称为P（说明“多项式时间”的分类包括了所有最多为n，n^2，n^3，n^4，n^5，…中的一个的固定倍数[1]的速率。也就是说，对P分类中的任何问题（这里我的“问题”的真正含义是具有解决它们的一个一般算法的一族问题），我们有

---

1. 一个“多项式”实际上是像$7n^4-3n^5+6n+15$这样的更一般的表达式，但是这并不增加我们的一般性。当n变大时，任何这类表达式中的所有包含n的更低方次的项都变得不重要（所以在我们的特例中，除了$7n^4$项之外可不管其他的项）。

$$N \leqslant K \times n^r,$$

这里K和r为常数（与n无关）。这表明N不比n的某一固定方次的某一倍数更大。

两个数相乘肯定是属于P问题的简单类型。为了解释这一点，我必须首先描述数目n如何表征一对特殊乘数的尺度。我们可以想象每一个数都以二进制写出，而每一个数的二进制位数简单地为$n/2$，总共给出了n个二进制数——也就是总共n比特。（如果一个数比另一个短，可以简单地从短的开始连续地在前头加上零使之和长的具有一样的长度。）例如，如果$n=14$，我们可以考虑

$$1011010 \times 0011011$$

（就是1011010×11011，但是在短的数上添了一些零）。最直接进行乘法的方式是只要写出：

$$\begin{array}{cccccccccccccc}
 & & & & & & & 1 & 0 & 1 & 1 & 0 & 1 & 0 \\
\times & & & & & & & 0 & 0 & 1 & 1 & 0 & 1 & 1 \\
\hline
 & & & & & & & 1 & 0 & 1 & 1 & 0 & 1 & 0 \\
 & & & & & & 1 & 0 & 1 & 1 & 0 & 1 & 0 & \\
 & & & & & 0 & 0 & 0 & 0 & 0 & 0 & 0 & & \\
 & & & & 1 & 0 & 1 & 1 & 0 & 1 & 0 & & & \\
 & & & 1 & 0 & 1 & 1 & 0 & 1 & 0 & & & & \\
 & & 0 & 0 & 0 & 0 & 0 & 0 & 0 & & & & & \\
 & 0 & 0 & 0 & 0 & 0 & 0 & 0 & & & & & & \\
\hline
 & 0 & 1 & 0 & 0 & 1 & 0 & 1 & 1 & 1 & 1 & 1 & 1 & 0
\end{array}$$

记住，在二进制中，$0 \times 0=0$，$0 \times 1=0$，$1 \times 0=0$，$1 \times 1=1$，$0+0=0$，$0+1=1$，

$1+0=1$, $1+1=10$。单独二进制乘法的次数为$(n/2)\times(n/2)=n^2/4$，并且可具有$n^2/4-(n/2)$次的单独的二进制加法（包括移位）。这样，总共有$(n^2/2)-(n/2)$次的单独算术运算——我们必须包括一些涉及移位的额外的逻辑步骤。总的步骤数为$N=n^2/2$（忽略低阶项），这肯定是多项式的[13]。

一般来说，对于一族问题，我们取这问题的“尺度”的测度n为需要指明该特别尺度的问题的自由数据所需要的二进制位数（或比特）的总数。这意味着，对于给定的n，在给定的尺度下问题会有多到2^n种不同的情形（因为每一位可有两种可能性中的任一个，0或1，而总共有n位数），而这些都必须由算法在不多于N步骤下被一致地处理好。

存在许多不属于P问题（的族）的例子。例如，为了进行从自然数r计算$2^{2^{2^r}}$的运算，甚至只要写出这一答案就大约需要2^n步骤，且不说进行计算了。n为在r的二进制表示中的位数。计算$2^{2^{2^r}}$的运算，只要写下就需要约2^{2^r}个步骤等！这些比多项式大多了，所以肯定不在P中！

在多项式时间内可以写下答案并甚至能检查正确与否的问题更为有趣。由此性质表征的（在算法上解出的）问题（的族）是一个重要的范畴。它们被称为NP问题（的族）。更精确地讲，如果在NP中的问题的族的个别问题有一解，那么该算法将给出这个解，并且它必须能在多项式时间内检验所设想的解确实是一个解。在问题没有解的情形下，算法会告诉我们这个，人们不必在多项式或别的时间内去检验的确没有解[14]。

*NP*问题既在数学本身，也在实在世界的许多范围内出现。我只给出一个简单的数学例子：在一个图中寻找所谓的“哈密顿回路”的问题（一个极简单概念的吓唬人的名字）。用“图”来表示点或“顶点”的有限集合，一定数目的点对由称为图的“边”的线连接起来。（我们在这儿并不对几何或“距离”性质感兴趣，只对由哪一顶点连接到哪一顶点感兴趣。这样，所有顶点是否在一个平面上表出是无关紧要的，我们的边是否互相穿越还是处于三维空间中都是无所谓的。）哈密顿回路就是一个只包括图的边的简单的闭合圈，该回路通过每一顶点刚好一次。图4.14中画出了一个在上面标出哈密顿回路的图。哈密顿回路问题是要判定，对于任何给定的图是否存在哈密顿回路，只要存在就把它明了地画出来。

可以以二进制数字用不同方式来表述一个图。用何种方法关系不大。一个步骤是给顶点编上号1，2，3，4，5，…，然后以某种适当的固定顺序列出成对的顶点来：

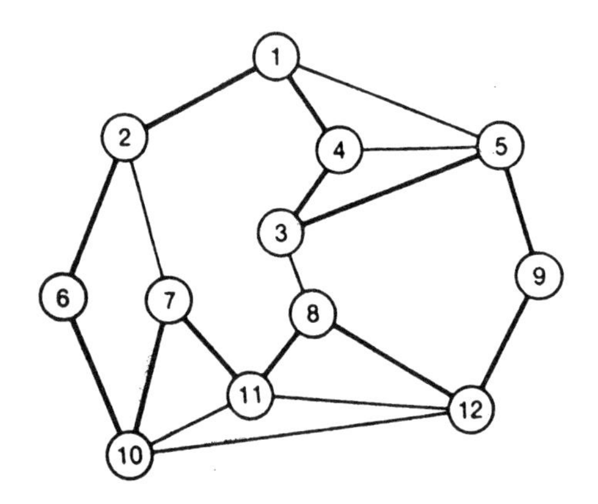

图4.14　带有（用稍粗一些的黑线）标出的哈密顿回路的一个图。还存在另一条哈密顿回路，读者若有兴趣可把它找出来

(1, 2), (1, 3), (2, 3), (1, 4), (2, 4), (3, 4), (1, 5), (2, 5), (3, 5), (4, 5), (1, 6), ⋯

然后我们做一个准确的0和1的搭配的表，当一对顶点对应于图的一个边缘时写上1，否则写0。这样二进制序列

100101101100⋯

表明顶点1接到顶点2、顶点4以及顶点5，⋯ 顶点3接到顶点4和顶点5，⋯ 顶点4接到顶点5，等等（图4.14）。如果需要的话，哈密顿回路可由这些边的子集给出，它用具有比前述的更多个零的二进制序列来描述。检验步骤是可以比开始找这些哈密顿回路更迅速地完成的事。人们所要做的一切，是检验作出的回路的确是一回路，也就是边须属于原先的图，而图中的每一顶点刚好只被用过两次——在两条边的每一端各一次。这一检验过程是某种可以在多项式时间内完成的事。

事实上，这个问题不仅是NP的，而且被认为是NP完备的。这表明其他任何NP问题都可在多项式时间内转变成它。这样，如果某个足够聪明的人能在多项式时间内找到解决哈密顿回路的算法，也就是能显示哈密顿回路问题实际上是在P中！则其推论是任何NP问题都在P中！这样的事情具有重大的含义。一般地讲，对于适当大的n，在一台快速现代电脑上，P中的问题被认为是“易处理的”（也就是“在一可接受的”时间长度里是可解的）。而在NP中又不在P中的问题，对于相当大的n被认为是“不易处理的”（也就是虽然在原则上可解，

“在实际上是不可解的”)，而不管我们将面临着何种可以预见的种类的电脑速度的增加。(对于大的n的不在P中的NP问题，需要的时间会急速地变得比宇宙的年龄还要长，这对于实际的问题没有什么用处！)任何在多项式时间内解决哈密顿回路问题的聪明算法都能转换成在多项式时间内解决任何其他NP问题的算法！

另一个NP完全问题[15]是“流动推销员问题”。这个问题和哈密顿回路问题很相像，只不过是在不同的边附上数字，人们寻求数(推销员走的“距离”)的和为极小的哈密顿回路。流动推销员问题的多项式时间解会又一次导致所有其他NP问题的多项式时间解。(如果真的找到这样的一个解，将会变成头条新闻！尤其是好几年来提出了密码系统，该问题有赖于大整数的因子化问题，这是另一种NP问题。如果可在多项式时间内解决这一问题，那么这样的码就可能被强大的现代电脑所破。但是如果不能，这码就是安全的。参见*Gardner 1989*。)

专家们普遍相信，不管用任何种类图灵机的仪器，实际上都不可能在多项式时间内解决一个NP完全问题。所以结论是，P和NP不是同样的这个信念很可能是正确的，虽然还没有一个人能证明之。这仍然是复杂性理论最重要的未解决问题。

物理事物中的复杂性和可计算性

复杂性理论对于本书的讨论是重要的，因为它引起了另外的问题，和事物是否可计算的问题有一点区别；也就是说，被认为是算法的事物实际上是否以一种有用的方式为算法的。在后面的章节中，我关于复杂性理论将讲得比可计算性更少。因为我倾向于认为（虽然毫无疑问地是在相当不足够的基础上）复杂性理论的问题和可计算性本身的问题不一样，在和精神现象相关联上不占有中心的地位。而且，我感到算法的可行性问题的现状才刚刚被复杂性理论所触及。

然而，关于复杂性作用的问题，我也很可能是错的。正如我将在后面（第9章504页）评论的那样，实在物理对象的复杂性理论也许和我们刚刚讨论的有显著的不同。为了使这种差异变得更明了，那就必须使用量子力学，这个关于原子、分子的状态，以及许多其他在大得多的尺度下重要现象的神秘而强有力的精确理论。在第6章我们将遇到这一理论。按照最近大卫·多伊奇（1985）提出的一系列思想，在原则上可能建造“量子电脑”，存在不属于P的然而由这种装置可在多项式时间内解的问题的（类）。直到现在一点也不清楚，一个实际的物理仪器如何建造成行为可靠的量子电脑，而且迄今所考虑的问题的（类）肯定是很人为的——但是，我们似乎已经知道了用量子物理仪器改善图灵机的理论可能性。

我在这里讨论时把它当作一台“物理仪器”的人类的头脑，尽管设计得非常微妙精巧，而且非常复杂，它本身会从量子理论的魔术中得到好处吗？我们是否理解量子效应可以用于解决问题或作判断的方式呢？为了利用这种潜在的好处，我们也许必须“超越”现存的量子理论，这是可以理喻的吗？实际物理仪器真的很可能改善图灵机的复杂性理论吗？实际物理仪器的可计算性理论又是如何呢？

为了研究这类问题，我们必须离开纯粹数学的领域，并在下面的章节中探求物理世界在实际上是如何行为的！

第 5 章
经典世界

物理理论的状况

为了了解意识为何是自然的一部分，我们对自然的运行要知道哪些呢？制约身体和头脑组成基元的定律与此关系重大吗？如果真的像许多人工智能的拥护者所竭力说服我们的那样，意识理解仅仅是由算法所制定的，那么这些定律实际上是什么样子的则是无关紧要的。任何能够实现算法的仪器都一样好。另一方面，也许我们的知觉比可怜的算法更富有内容。也许构成我们的详细方式正和实际上制约构成我们物质的物理定律一样重要。我们也许需要理解构成物体物质以及规定所有物体行为的根本性质。物理学尚未做到这一步。许许多多的秘密还有待揭示和探索。然而，大多数物理学家和生理学家却断言，我们已经拥有足够的关于通常尺度的、诸如人脑物体运作的物理定律的知识。作为一个物理系统，大脑毫无疑义是极端复杂的，我们对其结构的大部分细节和相应功能相当无知。几乎没有人说，人们对作为构成其行为基础的物理原则的理解不存在任何重大缺陷。

相反地，我在下面将持一种非传统的论点，也就是我们对物理学的理解，甚至在原则上还不足够用以描述我们大脑的运作。为了论证这一点，我首先必须概述物理学的现状。本章是关于所谓的“经典物理”，它包括牛顿力学和爱因斯坦相对论。此处“经典”基本上是指在1925年左右发现量子理论之前的占统治地位的理论。量子力学是由诸如普朗克、爱因斯坦、玻尔、海森伯、薛定谔、德布罗意、玻恩、约旦、泡利以及狄拉克的开创性工作的成果。它是一种不确定的、非决定性的、神秘的，描述分子、原子和亚原子粒子行为的理论。相反地，经典理论是确定性的，这样，将来总是由过去所完全固定。尽管许多世纪以来对经典物理学的理解使我们得到了非常精确的图像，它仍有许多神秘之处。我们还必须考察量子理论（在第6章）。因为和大多数生理学家的观点相反，我相信量子现象似乎对大脑的运行是相当重要的——这些是下面几章的内容。

迄今为止科学已取得了引人注目的成就。我们只要环视四周即可见证理解自然帮助我们取得了何等伟大的威力。现代世界的技术大多是从大量的经验中推导出来的。然而，正是物理学理论以更基本得多的形式成为我们技术的基础。这正是我们在此所关心的。我们的理论是相当精确的。但其力量并不仅仅在此，而且在于异乎寻常地遵从精密的、微妙的数学处理的这个事实。正是这两者一道为我们带来了威力无比的科学。

这个物理理论的大部分并不特别新颖。如果首先要挑选一个事件的话，那应该是1687年艾萨克·牛顿出版了《原理》一书。这本重要著作向人们展示了如何仅仅从几个基本的物理原理出发，能够理解并经常以惊人的精度预言了大量的物理对象的行为。（《原理》一书中很大部分是关于数学技巧的非凡的发展，尽管欧拉等人后来提供了实用的方法。)正如牛顿所坦率承认的，他自己的工作大大得益于更早期思想家的成果，其中最杰出者为伽利雷·伽利略、勒内·笛卡儿以及约翰斯·开普勒。还用了一些更古老的思想家们所奠定的重要概念，诸如柏拉图、欧多克索斯、欧几里得、阿基米德以及阿波罗尼奥斯等人的几何概念。我在下面还要更多地说到这些。

后来出现了对牛顿动力学基本框架的偏离。首先是19世纪中叶由詹姆斯·麦克斯韦发展的电磁理论。这个理论不仅包括了电场和磁场，而且还描述了光的经典行为[1]！此一杰出的理论将是本章后面所关注的课题。麦克斯韦理论对于今天的技术具有相当的重要性，并且毫无疑义地，电磁现象和我们大脑的工作密切相关。然而，和阿尔伯特·爱因斯坦名字联结的两种伟大的相对论对我们的思维过程是否具有任何意义，还没有这么清楚。亨利·庞加莱、亨德里克·安东·洛伦兹以及爱因斯坦为了解释当物体以接近于光速运动时所产生的使人迷惑的行为，从研究麦克斯韦方程出发，提出了狭义相对论(后来赫曼·闵可夫斯基给出了精巧的几何描述)。爱因斯坦著名的$E=mc^2$方程是该理论的一部分。但是迄今为止此理论对技术的影响(除了对核物理的效应之外)甚微，看来它和我们头脑工作的关联最多也只是外围的。另一方面，狭义相对论加深了我们对和时间本质有关的物理实体的理解。我们将会在后面几章看到，这给量子理论带来一些根本的迷惑，这些迷惑和我们对“时间流逝”的感觉有重要关系。况且，人们在鉴赏爱因斯坦的广义相对论之前必须理解狭义相对论。广义相对论是用弯曲的时空来描述引力。迄今为止此理论对技术的效用几乎是不存在的[1]，看来极端地假设其对我们头脑的功能有何相关真有点异想天开了！然而，值得注意的是，广义相对论的确和我们后面特别是在第7章和第8章的思考关系重大。在那里为了探索要获得量子理论首尾一贯的图像所必需的一些变动，我们要最彻底地研究空间和时间，——这些在后面还要更仔细地讲到！

经典物理学的领域很广阔。量子物理学的情况又如何呢？和相对论不同的是，量子理论正开始剧烈地影响技术。其部分原因在于，它为某些技术上诸如化学和冶金等重要领域提供了理解。人们的确可以讲，正是因为量子理论赋予我们新的详细的洞察力，才使这些领域被包含在物理之中。此外，量子理论还提供了许多全新的现象，我想最熟知的例子便是激光。量子理论的某些基本方面会不会在我们的思维过程的物理学中起关键的作用呢？

我们关于更现代的物理学能说些什么呢？一些读者也许会想起那些激动人心的观念，包括诸如“夸克”（参阅200页）、“GUT”（大统一理论）、暴胀宇宙论（参阅587页的注释13）、“超对称”、“（超）弦理论”，等等。将这些方案和我刚才提到的那些相比较又如何呢？我们是否也必须通晓这些呢？我相信，为了更清楚地透视，可将基本的物理理论分成三大类。我将这三类命名为：

1.超等的；

---

1. 几乎是这样的，但也不完全；空间探测器行为所需的精度实际上需要在对它们的轨道计算时计入广义相对论效应——存在能在地球上定位到如此精确（事实上达到几英尺）的仪器，以至于广义相对论的时空曲率效应的确必须考虑在内！

2.有用的；

3.尝试的。

本段之前所讨论的一切理论都必须归于**超等**类中。我并不强求只有该理论无可辩驳地适用于世界上的一切现象时才能称为**超等的**。但是，我要求在适当的意义上，该理论适用的范围和精确度必须是惊人的。就我所理解的“超等”这个术语而言，居然会有属于这一类的理论存在，这真是极其令人惊异的事！我不知在其他科学中是否有理论可以归入这一类。也许达尔文和华莱士提出的自然选择庶乎近之，但还差得相当远。

我们在中学学到的欧几里得几何是一种最古老的**超等**的理论。古代人也许根本不将其当作一种物理理论，但实际上它的确是物理空间以及刚体几何的卓越的理论。为何我将欧几里得几何归于物理理论而不是数学的一个分支呢？具有讽刺意义的是，现在我们知道，欧几里得几何不能当作我们实际生活其间的物理空间完全准确的描述，而这是采取这个观点的一个最清楚的原因！爱因斯坦的广义相对论告知我们，在引力场存在时，空间（或时空）实际上是“弯曲的”（也就是说不是完全欧几里得型的）。但是这个事实并没损坏欧几里得几何的**超等**的资格。在一米的尺度上，与欧几里得的平坦性偏差的确非常微小，它比一个氢原子的直径还小！

阿基米德、帕波斯和斯蒂文研究静态物体，并将其发展成一个漂亮的科学分支——静力学，该理论也可以合情合理地够格称作是**超等的**。现在该理论已被牛顿理论所包容。1600年左右由伽利略提出，并由牛顿将其发展成美丽的、内容丰富的理论，研究运动物体的动力学的根本观念，应该毫无疑问地纳入**超等**的范畴。把它应用于行星和月亮的运动时，具有惊人的可观察的精确性——其误差比一千万分之一还小。同一个牛顿的方案也以相当的精确性适用于地球以及外推到恒星和星系的范围。类似地，麦克斯韦理论在向内可达到原子和亚原子的粒子尺度，向外达到大约大一万亿亿亿亿倍的星系的尺度的异乎寻常的范围内准确地成立！（在此尺度的小的那一端，麦克斯韦方程必须和量子力学的规则适当地合并在一起。）它也肯定够格被称作**超等的**。

爱因斯坦的狭义相对论（为庞加莱所预想并被闵可夫斯基非常精巧地表述）对允许物体以接近光速运动的现象给出了令人惊叹的准确的描述。牛顿的描述最终在这种情况下开始动摇。爱因斯坦的无与伦比漂亮的和开创性的广义相对论推广了牛顿的引力动力学理论并改善了它的精确性，继承了牛顿理论处理行星和月亮运动的所有非凡的成就。此外，它还解释了各种和旧的牛顿方案不一致的观测事实。其中一个例子（参阅272页的脉冲双星的例子）指出爱因斯坦的理论能精确到大约$1/10^{14}$。两种相对论——第二种将第一种包含了——应该明确地归到**超等**的类中去（其数学上的优雅几乎和其准确性一样重要地作为这分类的原因）。

由不可思议漂亮的和革命性的量子力学理论所能解释的现象的范围以及它与实验符合的精度，很清楚地表明它必须归至**超等的**类中去。迄今尚未找到与该理论在观测上的偏差——然而在用该理论解释许多迄今令人费解的现象方面，显示出其威力远远地超过这些。化学定律、原子的稳定性、光谱线的狭窄（参阅289页）以及非常特别的花样，超导的零电阻的古怪现象以及激光的行为仅仅是其中的几个例子。

我给**超等的**分类立下了很高的标准，但这是我们在物理中已经习惯了的。那么，对于最近代的理论能说些什么呢？以我的观点看，恐怕其中只有一种或许够格被称为**超等的**，并且它还不是特别新的：即所谓的量子电动力学（或QED）。它是由约旦、海森伯和泡利提出，1926—1934年由狄拉克所表述，最终在1947—1948年由贝特、费曼、施温格以及朝永加以改进使之可以应用。这个理论是狄拉克将量子力学、狭义相对论、麦克斯韦方程以及制约电子自旋和运动的基本方程结合在一起的结果。总的来说，该理论缺乏早先的许多超等理论的令人信服的精巧和一致性，但它的资格在于真正惊人的准确性。特别值得一提的结果是它给出了电子磁矩的值。（电子的行为类似于一个自旋的电荷的微小磁铁。此处“磁矩”即是这小磁铁的强度。）由QED计算出的这一小磁矩的值为1.00115965246（以某一单位测量——误差大约在最后两位小数上的20），而最近的实验值为1.001159652193（误差大约在最后两位小数上的10）。正如费曼所指出的，其精确度等效于从纽约到洛杉矶之间相差一根头发的宽度！我们没有必要在此了解该理论。为了完整起见，我将在下一章的结尾简单地提到它的一些重要的特征[1]。

我要将一些现代理论放到**有用的**范畴中去。有两种理论虽然在这里不需要，却值得提及。第一个是称为强子（质子、中子、介子等组

1. 参阅费曼（1985）关于QED理论的通俗解释。

成原子核——或更准确地讲“强相互作用”的粒子)的亚原子粒子的盖尔曼-兹维格夸克模型以及描述它们之间相互作用的详细的(后期的)称为量子色动力学或QCD的理论。其思想是,所有强子都由称作“夸克”的部分组成,夸克之间以从麦克斯韦理论的某种推广(称为杨-米尔斯理论)的方式进行相互作用。第二种理论是由格拉肖、萨拉姆、瓦尔德和温伯格提出的,它又是利用杨-米尔斯理论将电磁力和描述放射性衰变的“弱”作用结合起来。该理论对所谓的轻子(电子、μ子、中微子;还有W粒子和Z粒子——所谓的“弱相互作用”的粒子)做出统一描述。这两种理论有好的实验支持。但是由于种种原因,这些理论远不如人们期望的像QED那么清爽,而且它们目前的观测精度以及预言能力离开**超等**类的惊人的标准还非常远。有时将这两种理论(第二种还包含QED)称作标准模型。

最后,还有另一种我相信至少可归于**有用**的范畴的理论。这就是称为宇宙的大爆炸起源的理论[1]。此理论在第7章和第8章的讨论中将起重要的作用。

我认为没有更多的理论属于**有用的**[2]范畴。现代(或近代)有许多盛行的观念。它们除了“GUT”理论(以及某些从它导出的观念,诸如“暴胀模型”,参阅587页的注释13)外还有:“卡鲁查-克莱因”理论、“超对称”(或“超引力”)以及还极其时髦的“弦”(或“超弦”)理论。依我之见,所有这些都毫无疑义地属于**尝试**类中(参阅*Barrow 1988*, *Close 1983*, *Davies and Brown 1988*, *Squires 1985*)。在有用和

1. 我在这儿是指大爆炸的“标准模型”,还有许多大爆炸理论的变种,目前最流行的是所谓的“暴胀模型”,依我看来,它无疑是属于尝试的范畴之中!

尝试类之间的重大差别是后者没有任何有意义的实验支持[3]。但是这并不是说，其中不会有一个将戏剧性地升格为**有用的**甚至**超等**的范畴的理论。其中某些的确包含有许多相当有前途的、富有创见的思想，但是，可惜迄今仍然没有得到实验的支持，而只停留在观念阶段。**尝试**类是一个非常宽广的范畴。它们其中有些牵涉到包括能导致新的实质性的理解上的进步的基因，同时我认为其他的一些肯定是误导的或做作的。（我曾经受不了诱惑，试图从可尊敬的**尝试**类中分出称作**误导的**第四类—— 但是后来我想还是不分的好，因为我不想失去我的一半朋友！）

超等的理论主要是古代的，人们不必为此感到惊讶。在整个历史上一定有过多得多的归于**尝试**类的理论，但是多数都被遗忘了。与此相似，许多**有用**类的理论后来也被湮没了；但是也还有一些被吸收到后来归于**超等**类的理论中。让我们考虑一些例子。在哥白尼、开普勒和牛顿提出优越得多的方案之前，古希腊人提出过一个十分精巧的行星运动的称作托勒密系统的理论。按照这一方案，行星的运行由圆周运动的复杂组合所制约。它能相当有效地做预言，但是在需要更高的精度时，变得越来越繁复。今天我们看来，托勒密系统的人为因素显得非常突出。这是一个**有用**理论（实际上大约用了2000年）后来整个退出物理理论的极好例子，虽然它曾在历史上起过很重要的组织作用。相反地，开普勒的辉煌的椭圆行星运动的观念便是从**有用的**理论变成我们能见到的最终成功的例子。化学元素的门捷列夫周期表是另一个例子。它们并没有提供具有“惊人”特征的预言方案，但是后来成为从它们成长出来的**超等的**理论的“正确”的推论（分别为牛顿动力学和量子理论）。

在以后的章节中，我不再对仅仅归于**有用的**和**尝试的**范畴的现代理论多加讨论。因为**超等**理论已足够讨论的了。我们有这等理论，并能以非常完整的方式理解生活其中的世界，确实是非常幸运的。我们最终必须决定，甚至这些理论是否足够丰富到能制约我们头脑和精神的作用。我将依序触及这些问题；但目前让我们先考虑**超等**理论并深入思考它们和我们目的相关联之处。

欧几里得几何

欧几里得几何即是我们在中学当作“几何”学习的学科。然而，我预料大部分人会将其视作数学，而不视作物理。当然，它也是数学。但是，欧几里得几何绝不是仅有的可以想得出的数学几何。欧几里得传给我们的特殊几何非常精确地描述了我们生活其间的世界的物理空间，但这不是逻辑的必然—— 它仅仅是我们物理世界的（几乎准确的）被观察的特征。

的确还存在另外称作罗巴切夫斯基（或双曲）的几何[1]，它大部分方面非常像欧几里得几何，但还具有一些有趣的差别。例如，我们记得在欧几里得几何中任意三角形的三个角的和为180°。在罗巴切夫斯基几何中，这个和总是比180°小，并且这个差别和三角形的面积成比例（图5.1）。

---

1. 尼古拉·伊凡诺维奇·罗巴切夫斯基（1792—1856）是几位独立发明这种和欧几里得几何不同的几何中的一个人。其他人是卡尔·弗里德里希·高斯（1777—1855），费迪南德·史威卡德和雅诺斯·波尔约。

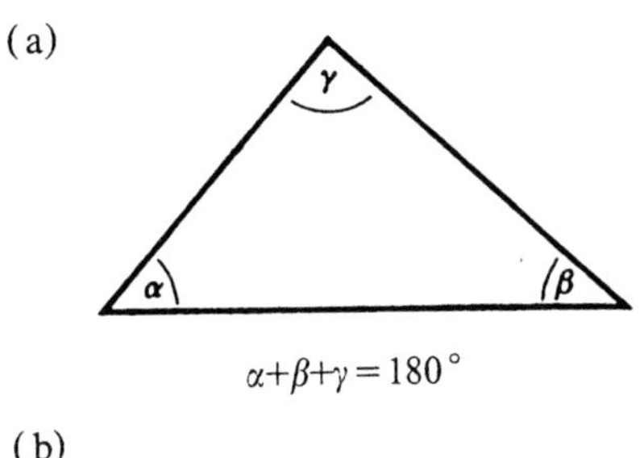

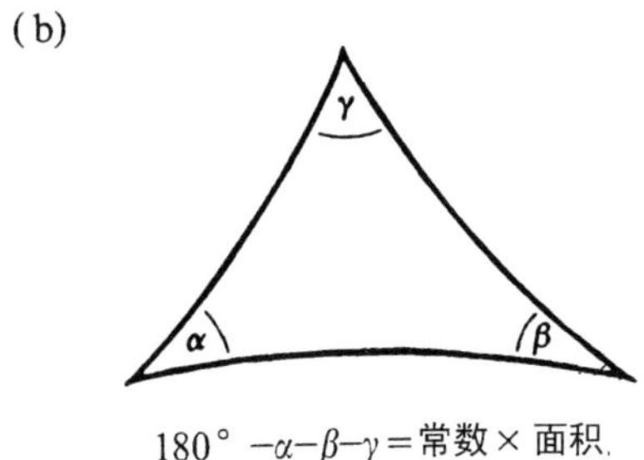

图5.1 （a）欧几里得空间中的一个三角形
（b）罗巴切夫斯基空间中的一个三角形

著名的荷兰艺术家莫里茨·C. 埃舍尔为这种几何给出了一种非常精细和准确的表象（图5.2）。按照罗巴切夫斯基几何，所有的黑鱼具有相同的大小和形状；类似地，白鱼亦是如此。不能将这种几何在通常的欧几里得平面上完全精密地表达出来，所以在圆周边界的内缘显得非常拥挤。想象你自身位于该模型的某一靠近边界的地方，罗巴切夫斯基几何使你觉得就像位于中间或任何其他地方一样。按照这一欧几里得表象，该模型的"边界"正是罗巴切夫斯基几何中的"无穷远"。此处边界圆周根本不应该被看成罗巴切夫斯基空间的一部分——在圆周之外的任何其他的欧几里得区域就更不是了。（这一罗巴切夫斯基平面的天才表象应归功于庞加莱。它突出的优点在于，非常小的形状在此表象中不被畸变——只不过它的尺度被改变。）该几何中的直

图5.2 罗巴切夫斯基空间的埃舍尔图（所有黑鱼和白鱼都认为是全等的）。

线（埃舍尔鱼就是沿着其中某些直线画出的）即为与边界圆周作直角相交的圆弧。

我们世界在宇宙学的尺度下，实际上很可能是罗巴切夫斯基空间（参阅第7章411页）。然而，在这种情形下，三角形亏角和它的面积的比例系数必须是极为微小。在通常的尺度下，欧几里得几何是这种几何的极好的近似。事实上正如我们在本章将要看到的，爱因斯坦的广义相对论告诉我们，在比宇宙学尺度小相当多的情形下，我们世界的几何的确与欧几里得几何有偏差（虽然是以一种比罗巴切夫斯基几何更复杂的“更无规”的方式），尽管这偏差在我们直接经验的尺度下仍是极为微小的。

欧几里得几何似乎精确地反映了我们世界“空间”的结构的这一事实，作弄了我们（以及我们的祖先），使我们以为几何是逻辑所必需的，或以为我们有种先天的直觉的领悟，欧几里得几何必须适用于我们在其中生活的世界。（甚至伟大的哲学家伊曼努尔·康德也作此断言。）只有爱因斯坦在许多年以后提出的广义相对论真正地突破了欧几里得几何，欧几里得几何远非逻辑所必需的，它只是该几何如此精确地（虽然不是完全准确地）适合于我们物理空间结构的经验的观测事实！欧几里得几何确实是一个**超等的**物理理论。这是它作为纯粹数学的一部分的精巧性和逻辑性以外的又一个品质。

在某种意义上，这和柏拉图（约公元前360年，大约在欧几里得著名的《原本》一书出版之前50年左右）信奉的哲学观点相差不远。依柏拉图观点，纯粹几何的对象——直线、圆周、三角形、平面等——在实际的物理世界中只能近似地得到实现。而那些纯粹几何在数学上的精确对象居住在一个不同的世界里——数学观念的柏拉图的理想世界中。柏拉图的世界不包括有可感觉的对象，而只包括“数学的东西”。我们不是通过物理的方法，而是通过智慧来和这个世界接触。只要人的头脑沉思于数学真理，用数学推理和直觉去理解，则就和柏拉图世界有了接触。这个理想世界被认为和我们外部经验的物质世界不同，虽然比它更完美，但却是一样地实在。（回顾一下我们在第3章127页和第4章147页关于数学概念的柏拉图实在性的讨论。)这样，可以单纯地用思维来研究欧几里得几何，并由此推导其许多性质，而外部经验的“不完美的”世界不必要刚好符合这些观念。基于当时十分稀少的证据，柏拉图以某种不可思议的洞察力预见到：一方面，必须为数学而研究数学，不能要求它完全精确地适用于物理经验的对象；另一方面，实际的外部世界的运行只有按照精确的数学——亦即按照“智慧接触得到的”柏拉图理想世界才能最终被理解！

柏拉图在雅典创建了学园以推动这种观念。极富影响的著名的哲学家亚里士多德即为其中之出类拔萃者。但是我们要在这里论及另一位比亚里士多德名望稍低的学园成员，即数学家兼天文学家欧多克索斯。依我看来，他是一位更优秀的科学家，也是古代最伟大的思想家之一。

欧几里得几何中有一基本的、微妙的，并的的确确最重要的部分，那就是实数的引进，虽然今天我们几乎不认为它是几何的(数学家宁愿将它称作“分析”的，而非“几何”的)。因为欧几里得几何研究长度和角度，所以必须了解用何种“数”来描写长度和角度。新观念的核心是在公元前4世纪由欧多克索斯(约公元前408至前355年)[1]提出的。由于毕达哥拉斯学派发现了像 $\sqrt{2}$ 这样的数不能被表达成分数，使得希腊几何陷入了“危机”之中(参阅第3章第104页)。将正方形的对角线，以其边长来度量时就必然出现 $\sqrt{2}$ 这个数。对于希腊人来说，为了用算术的定律来研究几何量，将几何测量(比)按照整

---

1. 欧多克索斯也是2000年以来行星运动的**有用**理论的首创者。此理论后来由希帕恰斯和托勒密所发展，之后即被称为托勒密系统。

数(比)来表示是很重要的。欧多克索斯的基本思想是提供一种以整数表达线段之比的办法(也就是实数)。他依赖于整数的运算提出了决定一个线段之比是否超过另一个线段之比，或两者是否完全相等的判据。

该思想可概述如下：如果a，b，c和d是4条线段，则断定比例a/b大于比例c/d的判据是：存在整数M和N，使得a增大到N倍超过b增大到M倍，而同时d增大到M倍超过c增大到N倍[1]。可用相应的判据来断定a/b是否比c/d小。所寻求的使a/b和c/d相等的判据也就是前两个判据都不能满足！

直到19世纪，戴德金和魏尔斯特拉斯等数学家才发展出完全精确的抽象的实数数学理论。但是他们的步骤和欧多克索斯早在22个世纪以前已经发现的思路非常相似！我们在此没有必要描述这个现代发展。在第3章第107页我已给出了这个理论的模糊暗示。但是，为了更容易表达，我宁愿在这里用更熟悉的小数展开的方法来讨论实数理论。(这种展开实际是在1585年才由斯蒂文引进的。)必须指出，虽然我们很熟悉小数表达方式，但希腊人却对此无知。

然而，在欧多克索斯设想和戴德金-魏尔斯特拉斯设想之间有一个重大差别。古希腊人认为实数是由几何量(之比)产生的东西，即当作"实在"空间的性质。希腊人用算术来描述几何量是为了要严格地处理这些量以及它们的和与积——亦即古人这么多美妙几何定

1. 用现代的语言，这表明存在分数M/N使得$a/b>M/N>c/d$。只要$a/b>c/d$，则在两实数a/b和c/d之间一定存在一个这样的分数，以使欧多克索斯判据确实被满足。

理的要素的先决条件。(我在图5.3画出并解释了杰出的托勒密定理——虽然托勒密比欧多克索斯要晚许久才发现它——该定理和一个圆周上的4点之间的距离相关，它很清楚地表明了和与积都是需要的。)历史证明欧多克索斯判据极其富有成果，尤其是它使希腊人能严格地计算面积和体积。

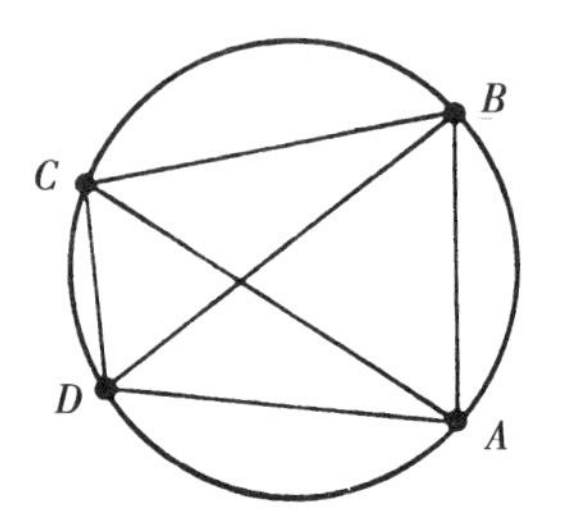

$$AB \cdot CD + AD \cdot BC = AC \cdot BD$$

图5.3　托勒密定理

然而，对于19世纪尤其是当代的数学家而言，几何的作用已被改变了。古希腊人，尤其是欧多克索斯，认为“实”数是从物理空间的几何中抽取出来的东西。现在我们宁愿认为在逻辑上实数比几何更基本。这样的做法还可以允许我们建立所有不同种类的几何，每一种几何都是从数的概念出发。(其关键的思想是16世纪由费马和笛卡儿引进的坐标几何。坐标可用来定义其他种类的几何。)任何这种“几何”必须是逻辑相容的，但不必和我们经验的物理空间有任何直接的关联。我们似乎感知的特别物理几何是经验的理想化(例如，依赖于我们将其向无穷大或无穷小尺度的外推，参阅第3章第112页)。但是现代的实验已足够精密，以至于我们必须接受“经验的”几何的确和欧几里得观念有差别的这一事实(参阅272页)。这种经验和从爱因斯坦广义相对论推导的结果相一致。然而，尽管我们的物理世界的几何观点起了变化，欧多克索斯23世纪之久的实数概念在实质上并没有改变。它对爱因斯坦理论正如对欧几里得理论一样重要。其实，迄今为止它仍然是一切严肃物理理论的重要部分。

欧几里得《原本》的第五部基本上是关于欧多克索斯“比例论”的阐述。这对整本书而言是极为重要的。全书首版于公元前300年的《原本》的确必须列为有史以来最具深远影响的著作之一。它成为后来的几乎所有科学和数学思想的舞台。它全部是由一些被认为空间的“自明”性质，亦即清楚叙述的公理出发演绎而来，其中许多重要推论根本不是显而易见的，而是令人惊异的。无疑地，欧几里得的著作对后世科学思想的发展具有深刻的意义。

阿基米德（公元前287—前212）无疑是古代最伟大的数学家。他天才地利用欧多克索斯的比例论，计算出诸如球体，或者更复杂的牵涉到抛物线和螺线的许多不同形体的面积和体积。今天我们可以用微积分十分容易地做到这些。但是我们要知道，这是比牛顿和莱布尼茨最终发现微积分早19个世纪的事！（人们可以说，阿基米德已经通晓微积分的那一多半——亦即“积分”的那一半！）阿基米德的论证，甚至以现代的标准看，也是毫无瑕疵的。他的写作深深地影响许多后代的数学家和科学家，最明显的是伽利略和牛顿。阿基米德还提出了静力学的（超等的？）物理理论（亦即制约平衡的物体，诸如杠杆和浮体的定律）。他用类似于欧几里得发展几何空间和刚体几何的科学方法，将其发展成演绎的科学。

阿波罗尼奥斯（约公元前262—前200）是我必须提及的一位阿

基米德的同时代人。他是一位具有深刻洞察力的、伟大的、天才的几何学家。他关于圆锥截线（椭圆、抛物线和双曲线）的研究极大地影响了开普勒和牛顿。令人惊异的是，这些截线的形状刚好是描述行星轨道所必需的！

伽利略－牛顿动力学

对运动的理解是17世纪科学的根本突破。古希腊人对静态的物理——刚性的几何形状或处于平衡的物体（此时所有的力都平衡，因而没有运动）理解得很透彻。但是他们对制约实际运动的物体的定律并没有很好的概念。他们所缺少的是一个好的动力学理论，亦即自然实际上控制物体的位置从第一时刻到下一时刻变化的完美方式的理论。其部分原因（绝非全部）则是没有测量时间的足够精密的手段，亦即没有相当好的“钟表”。为了给位置变化定时以及确定物体的速度和加速度，人们必须有钟表。因此，1583年伽利略观察到摆能作为计时的可靠手段的这个事件对他（甚至对整个科学！）极具重要性，因为这样一来运动的计时就变准确了[4]。随着55年后的1638年伽利略《对话》一书的出版诞生了新的学科——动力学——开始了从古代神秘主义到现代科学的转化！

让我仅仅列举伽利略提出的4个最重要的物理观念，第一是作用在物体上的力决定的是它的加速度，而不是速度。此处“加速度”和“速度”的含义是什么呢？粒子——或物体上的某点——的速度是该点位置相对于时间的变化率，速度通常是一个矢量，亦即必须同时考虑其方向和大小的量（否则我们用“速率”这一术语，见图5.4）。加

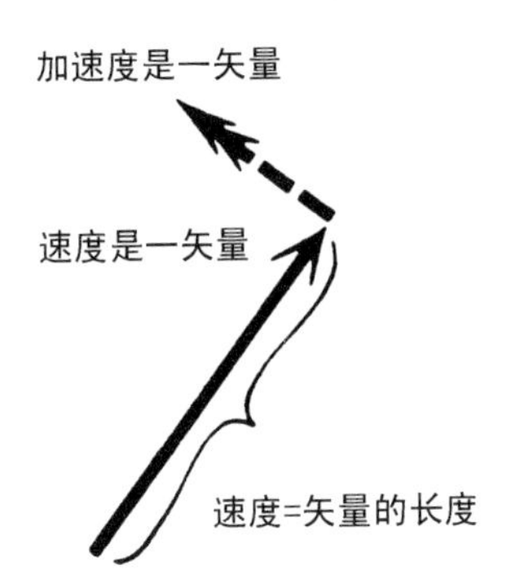

图5.4　速度、速率和加速度

速度（又是一个矢量）是速度相对于时间的变化率——这样加速度实际上是位置相对于时间的变化率的变化率！（这对于古人来说实在太难为了！他们既缺乏可胜任的“钟表”，又不具备与变化率相关的数学概念。）伽利略断言，作用在物体的力（在他的情形下是指重力）制约物体的加速度，而非直接制约其速度——正和古代人（例如亚里士多德）所相信的不一样。

特别是当不存在外力时，速度必须是常数——因此，在直线上作的恒常运动应是没有外力作用的结果（牛顿第一定律）。自由运动着的物体继续其匀速运动，而不必施加外力去维持它。伽利略和牛顿发展的动力学定律的一个推论是，直线匀速运动和静止状态亦即不运动在物理上完全不可区分：不存在一种局部的方法，将匀速运动从静止中区别开来！伽利略关于这点特别清楚（甚至比牛顿还清楚）。他以海上的航船作例子对此作了非常形象的描绘（参阅 *Drake 1953*，P182—P183）：

> 把你和某位朋友关在某艘大船的甲板下的主舱里，和你一道的还有一些苍蝇、蝴蝶和其他飞行的小动物。一些鱼在一大碗水中自由自在地游着；水一滴一滴从悬挂着的瓶子落到下面的一个大器皿里。当船静止时，仔细观察这些小动物如何以同样的速率向船舱的所有方向飞行。鱼儿不辨方向地游着，水滴落到下面的器皿中；…… 在仔细地观察了这一切以后 …… 让船以你想要的速度行驶。只要其运行是均匀的，并且不让它作这样那样的摇动，你就会发现，不但所有提及的现象没有丝毫变化，而且你根本就不知道船是在行驶，还是在静止不动 …… 正如早先那样，小水滴落到下面的器皿中去，而不向船尾的方向飘去，虽然就在水滴在空气中的时间间隔里，船已经向前走了船身长度好几倍的距离。水中的鱼向前游动并不比向后更费力，同样轻松地向放在碗的任何方向的边缘上的鱼饵游去。还有，蝴蝶和苍蝇毫无异样地继续飞向四方。似乎它们为了避免落后，在空中随着船作长途旅行后感到疲劳，最后聚集到船尾的现象从未发生过！

这个被称为伽利略相对论原理的惊人事实，在使哥白尼观点具有动力学意义上十分关键。尼古拉·哥白尼（1473—1543）以及古希腊天文学家阿利斯塔克（约公元前310—前230）——［不要和亚里士多德相混淆！——阿利斯塔克比哥白尼早18个世纪］提出了日心说，即太阳处于静止状态，而地球在沿自己的轴自转的同时绕着太阳公转，公转速度为每小时10万千米。为何我们没有感觉到这种运动？在伽利略提出动力学理论之前，这的确是哥白尼观点的深深的困惑。如果更早先的“亚里士多德式”的动力学观点是正确的话，即在空间中运动的系统的实在速度要影响其动力学行为，那么地球的运动对我们就会有直接明显的效应。伽利略相对论弄清了，何以地球在运动，而同时我们却不能直接感觉到它的原因[1]。

值得指出的是，在伽利略相对论中，“静止”的概念并无任何局部上的意义。它对人类的时空观念已经具有显著的含义。我们直观的时空图像是，“空间”构成了物理事件在其中发生的舞台。物理对象在某一时刻可处于空间的某一点，在后一时刻可处于同一个，或另一个不同的空间的点。我们想象空间中的点可以从一个时刻维持到另一个时刻。这样，一个物体实际上是否改变其空间位置的说法就具有意义。但是，伽利略相对论指出，不存在“静止状态”的绝对意义；所以，“在不同时间的空间的同一点”的说法是毫无意义的。某一时刻的物理经验的欧几里得三维空间的哪一点是我们的欧几里得三维空间另一时刻的“同一点”呢？没有办法找到。对应于每一时刻我们似乎必须有一个完全“新”的欧几里得空间！考虑具有物理实在性的四维时空图就会使这一层意思明了（图5.5）。不同时刻的欧几里得三维空间的确被分开，但所有这些空间合并在一起构成了完整的四维的时空图。在时空中进行匀速直线运动的粒子的历史是一条直线（称为世界线）。以后在讨论爱因斯坦相对论时我还会回到时空以及运动的相对性的问题上来。我们将发现在那种情形下对四维维数的论证会更加有力。

1. 严格地讲，这仅就将其近似地认为在作匀速直线运动，尤其是没有旋转时而言。地球的旋转的确有（相对小的）可探测到的动力学效应，最明显的即是北半球和南半球的风偏折方式不同，伽利略认为海潮的起因在于这种非均匀性。

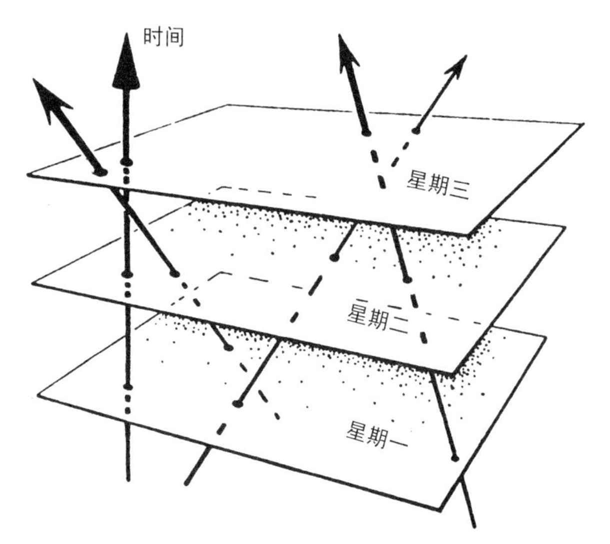

图5.5　伽利略时空：匀速运动的粒子可用直线标出

伽利略的第三个伟大洞察是开始理解能量守恒。伽利略主要关心物体在重力下的运动。他注意到，如果从一静止状态释放一个物体，则不管它是简单地落下，还是随一个任意长度的摆振动，或是沿着一个光滑斜面滑下，其速率只依赖于它从释放之处下落的垂直距离。正如我们现在所说的，储存于超过地面的高度的能量（引力势能）会转换成它的运动的能（只依赖于物体速率的动能）。反之亦然，但总能量既不损失也不增加。

能量守恒定律是一个非常重要的物理原则。它不是物理学的一个独立要求，而是我们很快就要讨论的牛顿动力学定律的推论。笛卡儿、惠更斯、莱布尼茨、欧拉以及开尔文等人几个世纪来的努力，使这一定律的表述越发清晰。在本章的后面部分以及第7章，我们将要再回到这个问题上来。如果把能量守恒定律和伽利略的相对论原理相结合，我们就能得到更多的相当重要的守恒定律：质量和动量守恒。粒子的动量是它的质量和速度的乘积。火箭的推进即是动量守恒的众所周知的例子之一，火箭往前动量的增加恰好和（更轻的，但是更急速的）废气往后的动量相平衡。枪的后坐力也是动量守恒的一个表现形式。牛顿定律的进一步推论是角动量守恒，角动量守恒是描写一个系统的自旋的不变性，地球绕自己的轴自旋以及网球的自旋都是依靠它们的角动量守恒来维持的。组成任何物体的每一个粒子都对该物体的总角动量有贡献，这贡献等于它的动量与它离开中心的垂直距离的乘积。（自旋转物体只要变紧凑，其角速度就会增加，即是其中的一个推论。滑冰者和马戏团高架秋千艺术家经常表演的令人惊叹而熟悉的动作也起源于此。他们经常利用收回手臂或腿的动作使旋转速度自动增加。）在后面的内容中我们将会看到质量、能量、动量以及角动量都是重要的概念。

最后，我应该让读者回顾一下伽利略的先知的洞察力，那就是当大气摩擦力不存在的时候，在重力作用下所有物体都以同一速率下落。（读者也许会回想起他从比萨斜塔上同时释放不同物体的著名故事。）3个世纪以后，正是这一个洞察导致爱因斯坦将其相对论原理推广到加速参考系统，从而为他的非凡的引力的广义相对论提供了基石，这在本章的结尾处将会看到。

在伽利略创立的令人印象深刻的基础上，牛顿建立了绝顶庄严华美的大教堂。牛顿指出了物体行为的定律。第一和第二定律基本上是伽利略给出的：如果没有外力作用到一个物体上，则物体将继续其匀速直线运动；如果有外力作用到上面，则物体的质量乘以它的加速度

(亦即其动量变化率)等于这个力。牛顿本人的一个特殊的洞察,在于意识到还需要第三定律:物体A作用在物体B上的力,刚好和物体B作用到物体A上的力大小一样而方向相反("每一个作用必有其大小一样方向相向的反作用")。这就提供了基本的框架。"牛顿宇宙"是由在服从欧几里得几何定律的空间中运动的粒子所组成。作用到这些粒子上的力决定了它们的加速度。每一个粒子所受的力是由所有其他粒子分别贡献到该粒子的力利用矢量加法定律相加而得到的(图5.6)。为了很好地定义这个系统需要一些规则,这些规则可以告诉我们从另一个粒子B作用到粒子A的力是什么样子的。通常我们需要该力沿着AB之间的连线作用(图5.7)。如果该力是引力,则A和B之间的力是互相吸引的,其强度和它们质量乘积成正比,而和它们之间的距离的平方成反比:亦即平方反比律。对于其他种类的力,其依赖于位置的方式可与此不同,也可能决定于粒子质量以外的其他性质。

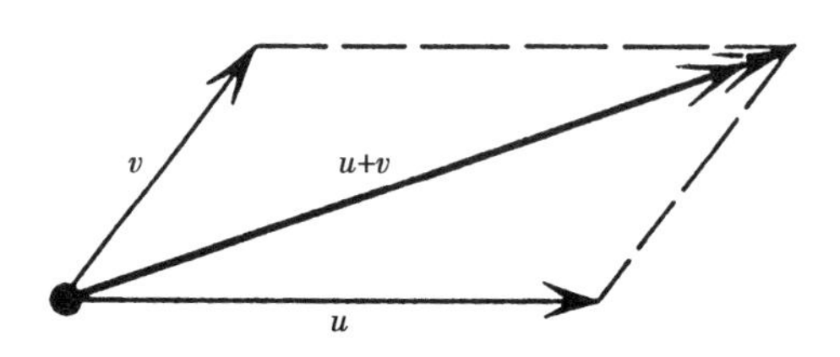

图5.6　矢量加法的平行四边形定律

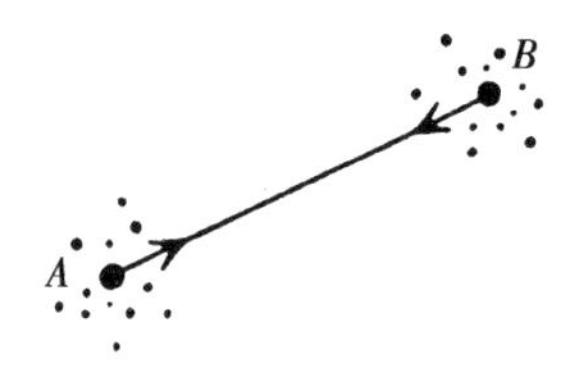

图5.7　两粒子之间的力是沿着它们之间连线的方向(由牛顿第三定律,B作用到A的力总是和A作用到B的力大小相等且方向相反)

伽利略的一位同时代人，伟大的约翰斯·开普勒（1571—1630）注意到，行星绕太阳公转的轨道是椭圆而不是圆周（太阳总是处于该椭圆的一个焦点上，而不在其中心）。他还给出了制约行星作此椭圆运动的速率的其他两个定律。牛顿能够从他自己的一般理论（以及引力的平方反比律）推导出开普勒三定律。不仅如此，他还对开普勒的椭圆轨道做了各种细节上的修正，诸如春秋分日点的进动（许多世纪以前的希腊人已注意到这些地球旋转轴方向的这种极慢的运动）。为了取得所有这些成就，牛顿就必须发展除微积分之外的许多数学手段。他惊人的成就得大大归功于其超等的数学技巧及其同等超人的物理洞察力。

牛顿动力学的机械论世界

如果已知特定的力的定律（例如引力的平方反比律），则牛顿理论就表达成一组精密的确定的动力学方程。如果各个粒子在某一个时刻的位置、速度和质量是给定的，则它们随后任何时间的位置、速度（以及质量——这被当作常数）就在数学上确定，这种牛顿力学的世界所满足的决定论形式对哲学思维产生了（并正在产生着）深远的影响。让我们更仔细地考察牛顿的决定论。它对“自由意志”有何含义呢？一个严格的牛顿世界能包含精神吗？甚至牛顿世界能包含计算机器吗？

让我们先明确一下什么是世界的“牛顿”模型。例如，我们可以认为组成物体的所有粒子是数学的，亦即没有尺度的点。另外的办法是将它们当作球状的刚性球。无论如何，我们都必须假定知道力的定律，例如，牛顿引力论中的引力的平方反比律。我们还要对自然的其他力，比如电力和磁力（威廉·吉尔伯特在1600年首先仔细研究过）以及现代已知将粒子（质子和中子）绑在一起形成原子核的强核力的定律也表述出来。电力正和引力一样满足平方反比律，但类似的粒子互相排斥（而不像引力那样互相吸引）。这里不是粒子的质量，而是它们的电荷决定它们之间电力的强度。磁力和电力一样也是“平方反比的”[1]，但是核力以相当不同的形式随距离而变化。在原子核中当粒子相互靠得紧密时核力极大，而在更大距离下则可以忽略不计。

假定我们采用刚体圆球的模型，并要求两个球碰撞时，它们即完全弹性地反弹。也就是说，它们如同两个完好的撞球那样，在能量（或总动量）没有损失的情况下分离开。我们还必须明确指明两球之间的作用力。为了简单起见，我们可以假定任两球之间的作用力都沿着它们中心的连线，其大小为该连线长度的给定的函数。（由于牛顿的一个出色的定理，此假设对牛顿引力自动成立。对其他力的定律，这可当成一个协调的要求而加上的条件。）如果刚体只进行成对碰撞，而不发生3个刚体或更多个刚体的碰撞，则一切都定义得很好，而且结果会连续地依赖于初始条件（亦即只要初态的变动足够小，则能保证结果变化也很小）。斜飞碰撞的行为是两球刚好相互错过的行为的连续过渡。但在三球或多球碰撞的情形下就产生了新问题。例如，如果三球A、B、C一下子跑到一块，那A、B先碰撞，紧接着C和B碰撞，或A、C先碰撞，紧接着B和A碰撞，情况就很不一样（图5.8）。在我们的模型中，只要有三体碰撞发生就存在非决定性！只要我们愿意，

1. 电和磁之间的不同在于单独“磁荷”（亦即北极或南极）似乎不能在自然中分开存在，磁粒子被称作“偶极子”，亦即微小的磁铁（北极和南极连在一起）。

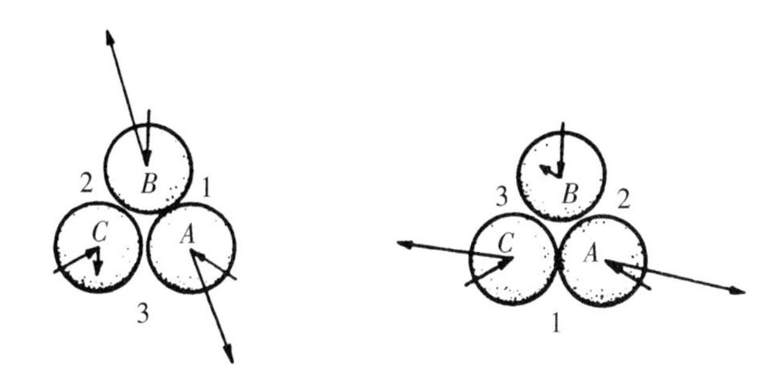

图5.8　三体碰撞。最后的行为关键地决定于哪两球先碰撞，这样使得结果不连续地依赖于起因

就可以用“极不可能”的理由简单地将三体碰撞或多体碰撞的情形排除掉。这就提供了一种相当一致的方案，但三体碰撞的潜在问题表明终态将以不连续的方式依赖于初态。

这有点使人不满意，我们也许会更喜欢点粒子的图像。但是，为了避免某些点粒子模型引起的理论困难（当两个粒子撞到一起时出现的无限大力和无限大能量），人们必须做其他假设，诸如在短距离时粒子的相互作用力变成非常强的排斥力，等等。在这种情形下，我们可以保证任何一对粒子实际上都不会碰撞到一起。（这也使我们避免了它们碰撞时的点粒子如何运动的问题！）然而，为了直观起见，我宁愿完全按照钢球模型来讨论。看来这种“台球”图像正是大多数人下意识的实体的模型。

牛顿[5]台球的实体模型（不管多碰撞问题）确实是一个决定论模型。此处“决定论”的含义是：所有球（为了避免某些麻烦，假定为有限个）在将来（或过去）的物理行为数学地被某一时刻的位置和速度所完全决定。这样看来，在这个台球的世界上根本没有余地让“精神”用“自由意志”的行动去影响物体的行为。我们如果还信仰“自由意志”的话，就要被迫对实际世界的如此构成方式提出质疑。

这个令人烦恼的“自由意志”问题一直徘徊在这整部书的背景里——虽然在多数情况下，我必须说只在背景里。在本章后面有一个很小却很奇特的地方牵涉到它（关于相对论中超光速信号传递的问题）。我将在第10章直接着手自由意志的问题。读者一定会对我的结果深感失望。我的确相信，这里存在一个真正的，而非想象的问题。但它是非常根本的，并且要把它表述清晰非常困难。物理理论中的决定论是一个非常重要的问题，但是我相信这只是问题的一部分。例如，这个世界很可能是决定性的，但同时却是不可计算的。这样，未来也许以一种在原则上不能计算的方式被现在所决定。我将在第10章论证，我们具有意识的头脑的行为的确是非算法的（亦即不可计算的）。相应地，我们自信所具备的自由意志就必然和制约我们在其中生活的世界的定律中某些不可计算部分紧密地纠缠在一起。是否接受这样的关于自由意志的观点，亦即给定的物理（例如牛顿）理论，是否的确是可计算的，而不仅仅是否是决定性的，是一个有趣的问题。可计算性不同于决定性——这正是我试图在本书中所要强调的。

台球世界中的生活是可计算的吗

我现在使用一个决定性的，但不可计算的“宇宙玩具模型”，来解释可计算性和决定性是不同的。我承认这是一个人为的特别例子。宇宙任何“时刻”的“态”可用一对自然数（m，n）来表示。用T_u表示一台固定的通用图灵机，譬如在第2章（73页）定义的那一台。为了决定下一“时刻”宇宙的态，我们必须知道T_u在m上的作用最终停止或不停止（亦即用第2章76页的记号，$T_u(m) \neq \square$还是$T_u(m) = \square$成立）。如果它停止，则下一时刻的态为$(m+1, n)$。如果它不停止，则为$(n+1, m)$。从第2章我们知道，不存在图灵机停机问题的算法。这样就不存在去预言这个模型宇宙“将来”的算法，尽管它是完全决定性的[6]！

当然，这不能认为是一个严肃的模型。但它表明存在一个要回答的问题。我们可对任何决定性的物理理论考察其可计算性。那么，牛顿的台球世界究竟是否可计算的呢？

物理可计算性的问题部分地依赖于我们打算对此系统问哪一种问题。在牛顿台球模型中，我能想到一些可以问的问题。我对这些问题的猜测是，要弄清其答案不是一个可计算（亦即算法的）事体。球A和球B究竟会碰撞否便是这样的一个问题。其思路是，在某一特定时刻（$t=0$）所有球的位置和速度作为初始数据给定后，我们要知道，A和B是否会在将来的任一时刻（$t>0$）碰撞？为使这个问题更明确（虽然不是特别现实），我们可以假定，所有球的半径和质量都一样，并且每一对球之间的作用力是平方反比律的。我之所以猜想这是非算法可解的问题的一个原因是，该模型有点像爱德华·弗雷德金和托马索·托佛利在1982年提出的“计算的台球模型”。在他们的模型中，球被若干堵“墙”所限制（而不是平方反比律的力）；但是它们互相以类似于我刚描述过的牛顿球那样弹性反弹（图5.9）。在弗雷德金–托佛利模型中，所有电脑的基本逻辑运算都可由球来实现。我们可以模拟图灵机的任何计算：对图灵机T_u的特别选取规定了弗雷德金-托佛利机器的“墙”等的搭配；运动的球的初态可认为是输入磁带的信息的码，将球的终态解码就得到图灵机输出磁带的信息。这样一来，人们会特别关心这样一个问题：如此这般的图灵机会有停止之时吗？“停机”意味着球A最终和球B碰撞。我们已知这个问题不能用算法回答（78页），这事实至少暗示我前面提出的“球A最终和球B碰撞吗？”的牛顿问题也不能用算法回答。

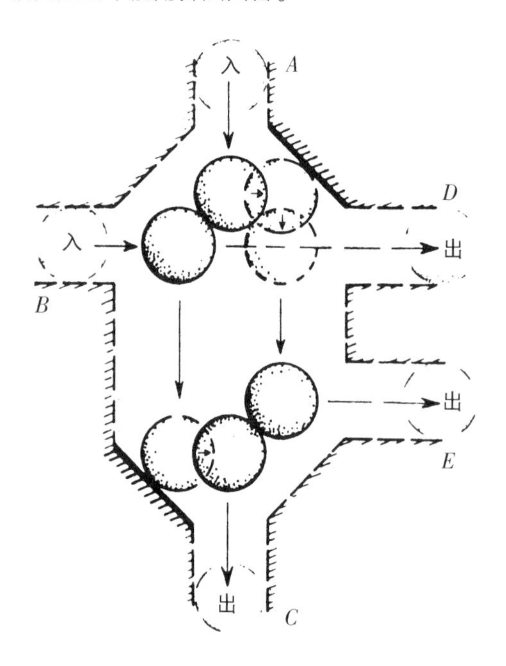

图5.9 弗雷德金-托佛利台球电脑中的一个“开关”（由A.雷斯勒提出的）。如果一个球进入B，则是否有一个球接着从D或E出来，得看是否另一球进入A中（假定A和B的同时进入）

事实上，牛顿问题比弗雷德金和托佛利提出的问题要棘手得多，后者可依照离散参数（亦即按照诸如“球或者在通道上或者不在”的“在或不在”的陈述）来指明其状态。但在完整的牛顿问题中必须以无限的精度，按照实数的坐标而不是以离散的方式指明球的初始位置和速度。这样，我们又面临着在第4章处理关于芒德布罗集是否可递归的问题时所必须考虑的所有麻烦。当允许输入和输出数据为连续变化的变数时“可计算性”的含义是什么呢[7]？我们可以暂时假定所有初始位置和速度坐标均为有理数（虽然不能预料在t的时刻以后的有理数仍保持为有理数），而使此问题变得稍为缓和。我们知道有理数为两整数的比，所以为一可数集。我们可用有理数来任意地逼近所选择用来考察的任何初始数据了。对于有理数的初始数据，也许不存在决定A和B是否最终会碰撞的算法的猜测决不是毫无道理的。

然而，这并不是诸如“牛顿台球世界是不可计算的”断言的真正含义。我用来和我们的牛顿台球世界作比较的弗雷德金-托佛利“台球电脑”的特殊模型的确按照计算而进行。无论如何，这是弗雷德金和托佛利思想的基本点——他们模型的行为应该和一台（通用）电脑一样！我试图要提的问题是，在某种意义上，人类大脑驾驭适当的“不可计算的”物理定律，能比图灵机做得更好，这一点是不是可以想象的。追究如下的问题将是无用的：

“如果球A永远碰不到球B，则你的问题的答案为‘非’。”

人们可能永远也等待不到断定问题中的球不会碰到一起的时刻！那当然正是图灵机行为的方式。

事实似乎很清楚地表明，牛顿台球世界在某个合适的意义上（至少在如果我们不管多碰撞的问题之时）是可计算的。人们通常计算这种行为的方法是做一些近似。我们可以想象这些球的中心被指定在点的网格上，譬如讲网格的点被划分到百分之几单位。时间也被认为是“离散”的，所有可允许的时刻是某一小单位（用Δt表示）的倍数。这就产生了使“速度”在一定程度上离散的可能性（两个连续允许的格点的位置的坐标值的差，除以Δt）。利用力的定律来计算加速度的适当的近似，再利用它使“速度”并因此下一允许时刻的新的格点位置被确定到所需要的近似程度。只要我们能维持所需的精度，则这种计算就可一直进行下去。很有可能算不了多少次其精度就失去了。以后的步骤是从更细的空间分格以及更细的时间间隔重新开始。这一回能得到更好的精度，并在精度损失之前能计算到更久的将来的某一时刻。不断地增加细度，则计算的精度和所到达的将来的时间的长度就能不断地改进。可用这种方法将牛顿台球世界计算到任意高的精度（不管多碰撞的问题）——我们可以在这种意义上讲牛顿世界的确是可计算的。

然而，认为这一个世界在实际上是“不可计算的”断言是具有某种含义的。这是因为得知的初始数据的精度总是受限制的。这类问题的确存在着固有的不可忽视的“不稳定性”。初始数据的极为微小的改变会导致结果行为的绝大的变化。（任何玩台球的人，在他想用一个球去撞另一个球使之落入球囊时，都知道我这样说的意思！）这在（连续）碰撞发生时尤为明显。但是，这种不稳定性行为也会发生在牛顿的引力远距离作用时（多于两体的情况下）。所谓的“混沌”或“混沌行为”经常用来表示这种不稳定的类型。例如，混沌行为对天气影响重大。虽然我们对控制基本元素的牛顿方程式了解甚多，但是远期天气预报之不可靠性则是饱受诟病的！

这根本不是那类可以任何方式驾驭的“不可计算性”。这只是因为所知的初始态的精度有限，而终态不能由初态可靠地算出，实际上只是随机元素被引入到未来的行为中而已。如果大脑的确使用了物理定律中的不可计算性的有用的元素，则它们必须具有完全不同的，并从这里引出更正面得多的特性。相应地，我根本不把这种“混沌”行为称为“不可计算性”，而将其称为“不可预见性”。正如我们很快就会看到的，在（经典）物理学中的决定性的定律中存在不可预见性是一种非常一般的现象。在制造思维机器时，不可预见性正是我们希望尽量减小而不是去“驾驭”的东西！

为了更一般地讨论可计算性和不可预见性的问题，对物理定律采用比以前更广泛的观点将会更有帮助。这就促使我们不仅只考虑牛顿力学的理论，而且研究随后超越过它的各种理论。我们需要领略力学的美妙的哈密顿形式。

哈密顿力学

牛顿力学不仅在于非凡地应用到物理世界方面，而且在于它所引起的数学理论的丰富方面取得瞩目的成功。令人惊异的是，自然界所有超等理论都被证明是数学观念的丰富来源。这些绝顶精确的理论就作为数学而言也是极富成果的，这个事实具有一种深刻和美丽的神秘。它毫无疑问地表明，在我们经验的实在世界和柏拉图的数学世界之间有某种根本的关联。（我将在第10章542页再讨论这些。）牛顿力学也许是这方面的一个顶峰，因为它一诞生即获得了微积分。而且，牛顿理论形成了非凡的称为经典力学的数学观念的实体。18世纪和19世纪许多伟大数学家的名字都和此发展相关联：欧拉、拉格朗日、拉普拉斯、刘维尔、泊松、雅科比、奥斯特罗格拉茨基、哈密顿。所谓“哈密顿理论”[8]即为这一工作的总结。为了我们的目的对其稍微了解即可以了。威廉姆·罗曼·哈密顿（1805—1865）是一位多才多艺和富有创见的爱尔兰数学家，他还是在188页讨论过的哈密顿回路的发明者。他把力学发展成强调其与波传播相类似的形式。波和粒子的关系的暗示以及哈密顿方程的形式对于后来的量子力学的发展极为重要。我在下一章还会提及。

用以描述物理系统的“变量”是哈密顿理论的一个奇妙的部分。迄今为止，我们一直把粒子的位置当作基本的，而速度作为位置对时间的变化率。我们记得在牛顿系统中为了确定随后的行为，必须指定初始态（217页），也就是需要所有粒子的位置和速度。在哈密顿形式中，我们必须挑选粒子的动量，而不是速度。（我们在215页提到粒子动量是速度和质量的乘积。）这种改变似乎很微不足道，但是重要的在于每一粒子的位置和动量似乎被当作独立的量来处理。这样，人们首先“假装”不同粒子的动量和它所对应的位置的改变率没有什么关系，而仅仅是一组分开的变量。我们可以想象它们“可以”完全独立于位置的运动。现在在哈密顿形式中我们有两组方程。有一组告诉我们不同粒子的动量如何随时间变化，另一组告诉我们位置如何随时间变化。在每一种情况下，变化率总是由在该时刻的不同位置和动量所决定。

粗略地讲，第一组哈密顿方程表述了牛顿的关键的第二运动定律（动量变化率=力），而第二组方程告诉我们动量实际上即是依赖于速度（位置变化率=动量÷质量）。我们记得，伽利略-牛顿的运动定律是用加速度，即位置变化率之变化率（亦即“二阶”方程）来描述。现在，我们只需要讲到事物的变化率（“一阶”方程），而不是事物变化率的变化率。所有这些方程都是从一个重要的量推导而来：哈密顿函数H，它是系统的总能量按照所有位置和动量变量的表达式。

哈密顿形式提供了一种非常优雅而对称的力学描述，我们在下面写出这些方程，仅仅是为了看看它们是什么样子的。虽然，甚至许多读者并不熟悉完全理解之所必需的微积分记号——它在这里是不需要的。就微积分而言，所有我们真正要理解的是，出现在每一个方程左边的点表示（在第一种情况下，动量的；在第二种情况下，位置的）对时间的变化率：

$$\dot{p}_i = -\frac{\partial H}{\partial x_i},\ \ x_i = \frac{\partial H}{\partial p_i}$$

这里下标i用以区别所有不同的动量坐标p_1，p_2，p_3，p_4，…和所有不同的位置坐标x_1，x_2，x_3，x_4，…。n个不受限制的粒子具有$3n$个动量坐标和$3n$个位置坐标（每一个代表空间中的3个独立的方向）。符号∂表示“偏微分”（“在保持其他变量为常数的情况下取导数”）。正如前述的，H为哈密顿函数。（如果你不通晓“微分”，不必担心。只要认为这些方程的右边是某些定义完好的，以x_i和p_i来表达的数学式子就行了。）

实际上，坐标x_1，x_2，…和p_1，p_2，…可允许为某种比粒子通常的笛卡儿坐标（亦即x_i为通常的沿三个不同的相互垂直的方向测量的距离)更一般的东西。例如坐标x_i中的一些可以是角度(在这种情形下，相应的p_i就是角动量，而不是动量，参见215页)，或其他某些完全一般的测度。令人惊异的是，哈密顿方程的形状仍然完全一样。事实上，合适地选取H，哈密顿形式不仅仅是对于牛顿方程，而且对任何经典方程的系统仍然成立。对于我们很快就要讨论的麦克斯韦(-洛伦兹)理论，这一点尤其成立。哈密顿方程在狭义相对论中也成立。如果仔细一些，则广义相对论甚至也可并入到哈密顿框架中来。此外，我们将要看到在薛定谔方程(369页)中，哈密顿框架为量子力学提供了出发点。尽管1世纪以来发生的物理理论的所有革命性变化是如此地令人眼花缭乱，动力学方程结构的形式却是如此地统一，这真是令人惊叹!

相空间

哈密顿方程的形式允许我们以一种非常强大而一般的方式去“摹想”经典系统的演化。想一个多维“空间”，每一维对应于一个坐标x_1，x_2，…，p_1，p_2，…(数学空间的维数，通常比3大得多。)此空间称之为相空间(图5.10)。对于n个无约束的粒子，相空间就有$6n$维(每个粒子有3个位置坐标和3个动量坐标)。读者或许会担心，甚至只要有单独一个粒子，其维数就是他或她通常所能摹想的2倍！不必为此沮丧！尽管6维的维数实在太多，很难画出，但是即使我们真的把它画出也无太多用处。仅仅就一满屋子的气体，其相空间的维数大约就有

10 000 000 000 000 000 000 000 000 000，

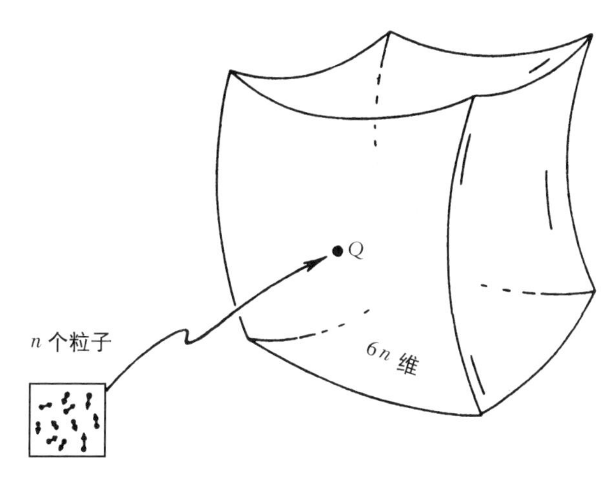

图5.10　相空间，相空间的单个点Q表明某一个物理系统的整个态，包括其所有部分的瞬态运动

去准确地摹想这么大的空间是没有什么希望的！既然这样，秘诀是甚至对于一个粒子的相空间都不企图去这样做。只要想想某种含糊的三维（或者甚至就只有二维）的区域，再看看图5.10就可以了。

我们如何按照相空间来摹想哈密顿方程呢？首先，我们要记住相空间的单个的点Q实际代表什么。它代表所有位置坐标x_1，x_2，…和所有动量坐标p_1，p_2，…的一种特定的值。也就是说，Q表示我们整个物理系统，指明组成它的所有单个粒子的特定的运动状态。当我们知道它们现在的值时，哈密顿方程告诉我们所有这些坐标的变化率是多少；亦即它控制所有单个粒子如何移动。翻译成相空间语言，该方程告诉我们，如果给定单个的点Q在相空间的现在位置的话，它将会如何移动。为了描述我们整个系统随时间的变化，我们在相空间的每一点都有一个小箭头——更准确地讲，一个矢量——它告诉我们Q移动的方式。这整体箭头的排列构成了所谓的矢量场（图5.11）。哈密

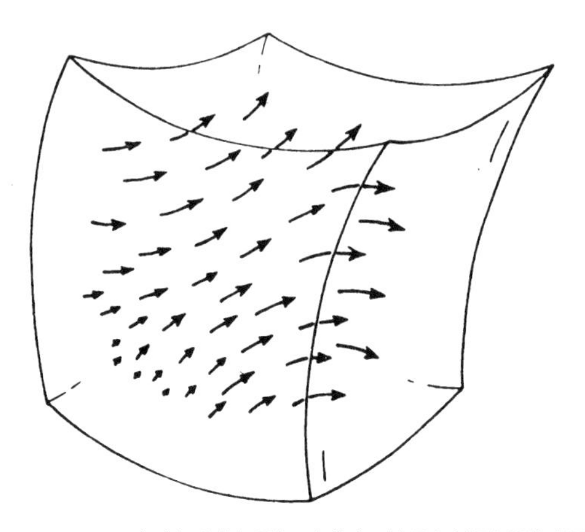

图5.11 相空间中的矢量场。它代表了按照哈密顿方程的时间演化

顿方程就这样地在相空间中定义了一个矢量场。

我们看看如何按照相空间来解释物理的决定论。对于时间$t=0$的初始数据，我们有了一组指明所有位置坐标和动量坐标的特定值；也就是说，我们在相空间特别选定了一点Q。为了找出此系统随时间的变化，我们就跟着箭头走好了。这样，不管一个系统如何复杂，该系统随时间的整个演化在相空间中仅仅被描述成一点沿着它所遭遇到的特定的箭头移动。我们可以认为箭头为点Q在相空间的“速度”。“长”的箭头表明Q移动得快，而“短”的箭头表明Q的运动停滞。只要看看Q以这种方式随着箭头在时间t移动到何处，即能知道我们物理系统在该时刻的状态。很清楚，这是一个决定性的过程。Q移动的方式由哈密顿矢量场所完全决定。

关于可计算性又如何呢？如果我们从相空间中的一个可计算的点（亦即从一个其位置坐标和动量坐标都为可计算数的点，参阅第3

章106页）出发，并且等待可计算的时间t，那么一定会终结于从t和初始数据计算得出的某一点吗？答案肯定是依赖于哈密顿函数H的选择，实际上，在H中会出现一些物理常量，诸如牛顿的引力常量或光速——这些量的准确值视单位的选定而被决定，但其他的量可以是纯粹数字——并且，如果人们希望得到肯定答案的话，则必须保证这些常量是可计算的数。如果假定是这种情形，那我的猜想是，答案会是肯定的。这仅仅是一个猜测。然而，这是一个有趣的问题，我希望以后能进一步考察之。

另一方面，由于类似于我在讨论有关台球世界时简要提出的理由，对我来说，这似乎不完全是相关的问题。为了使一个相空间的点是不可计算的断言有意义，它要求无限精确的坐标——亦即它的所有小数位！（一个由有尽小数描述的数总是可以计算的。）一个数的小数展开的有限段不能告诉我们任何关于这个数整个展开的可计算性。但是，所有物理测量的精度都是有限的，只能给出有限位小数点的信息。在进行物理测量时，这是否使“可计算数”的整个概念化成泡影？

的确，一个可以任何有用的方式利用某些物理定律中（假想的）不可计算元素的仪器想必不应依赖于无限精确的测量。也许我在这里有些过分苛刻了。假定我们有一台物理仪器，为了已知的理论原因，模拟某种有趣的非算法的数学过程。如果此仪器的行为总可以被精密地确定的话，则它的行为就会给一系列数学上有趣的没有算法的（像在第4章中考虑过的那些）是/非问题以正确答案。任何给定的算法都会到某个阶段失效。而在那个阶段，该仪器会告诉我们某些新的东西。该仪器也许的确能把某些物理常量测量到越来越高的精度。而为了研究一系列越来越深入的问题，这是需要的。然而，在该仪器的有限的精度阶段，至少直到我们对这系列问题找到一个改善的算法之前，我们得到某些新的东西。然而，为了得到某些使用改善了的算法也不能告诉我们的东西，就必须乞求更高的精度。

尽管如此，不断提高物理常量的精度看来仍是一个棘手和不尽如人意的信息编码的方法。以一种离散（或“数字”）形式得到信息则好得多。如果考察越来越多的离散单元，也可重复考察离散单元的固定集合，使得所需的无限的信息散开在越来越长的时间间隔里，因此能够回答越来越深入的问题。（我们可以将这些离散单元想象成由许多部分组成，每一部分有“开”和“关”两种状态，正如在第2章描述的图灵机的0和1状态一样。）由此看来我们需要某种仪器，它能够（可区别地）接纳离散态，并在系统按照动力学定律演化后，又能再次接纳一个离散态集合中的一个态。如果事情是这样的话，则我们可以不必在任意高的精度上考察每一台仪器。

那么，哈密顿系统的行为确实如此吗？某种行为的稳定性是必须的，这样才能清晰地确定我们的仪器实际上处于何种离散态。一旦它处于某状态，我们就要它停在那里（至少一段相当长的时间），并且不能从此状态滑到另一状态。不但如此，如果该系统不是很准确地到达这些状态，我们不要让这种不准确性累积起来；我们十分需要这种不准确性随时间越变越小。我们现在设想的仪器必须由粒子（或其他子元件）所构成。需要以连续参数来描述粒子，而每一个可区别的“离散”态图覆盖连续参数的某个范围。（例如，让粒子停留在2个盒子中的一个便是一种表达离散双态的方法。为了指明该粒子确实是在某一个盒子中，我们必须断定其位置坐标在某个范围之内。）用相空间的语言讲，这表明我们的每一个“离散”的态必须对应于相空间的一个“区域”，同一区域的相空间点就对应于我们仪器的这些可选择的同一态（图5.12）。

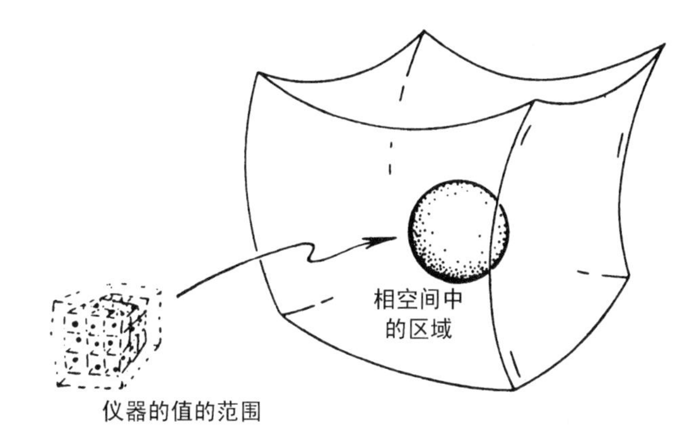

图5.12　相空间中的一个区域对应于所有粒子位置和动量的可能值的一个范围。这样的区域可代表某仪器一个可区别态（亦即“选择”）

现在假定仪器在开始时的态对应于它的相空间中的某一个范围 R_0。我们想象 R_0 随着时间沿着哈密顿矢量场被拖动，到时刻 t 该区域变成 R_t。在画图时，我们同时想象对应于同一选择的所有可能的态的时间演化（图5.13）。关于稳定性的问题（在我们感兴趣的意义上讲）是，当 t 增加时区域 R_t 是否仍然是定域性的，或者它是否会向相空间散开去。如果这样的区域在时间推进时仍是定域性的，我们对此系统就有了稳定性的量度。在相空间中相互靠近的点（这样它们对应于相互类似的系统的细致的物理态）将继续靠得很近，给定的态的不准确性不随时间而放大。任何不正常的弥散都会导致系统行为的等效的非预测性。

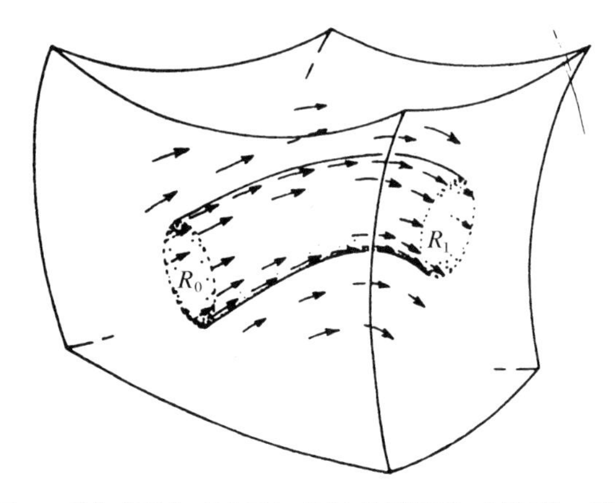

图5.13　随着时间演化，相态区域R_0沿着矢量场被拖到一个新区域R_t。这可表示我们仪器的某一特定选择的时间演化

我们对于哈密顿系统一般地可以说什么呢？相空间的区域究竟是否随时间散开呢？似乎对于一个如此广泛的问题，很少有什么可说的。然而，人们发现了一个非常漂亮的定理，它要归功于杰出的法国数学家约瑟夫·刘维尔（1809—1882）。该定理讲，相空间中的任何区域的体积在任何哈密顿演化下必须保持常数。（当然，由于我们的相空间是高维的，所以“体积”必须是在相应高维意义上来说的。）这样，每一个R_t的体积必须和原先的R_0的体积一样。初看起来，这给了我们的稳定性问题以肯定的答案。在相空间体积的这层意义上，我们区域的尺度不能变大，好像我们的区域在相空间中不会散开似的。

然而，这是使人误解的。我们在深思熟虑之后就会感到，很可能情况刚好与此相反！在图5.14中我想表示人们一般预料到的那种行为。我们可以将初始区域R_0想象成一个小的、“合理的”，亦即较圆的而不是细长的形状。这表明属于R_0的态在某种方面不必赋予不合情

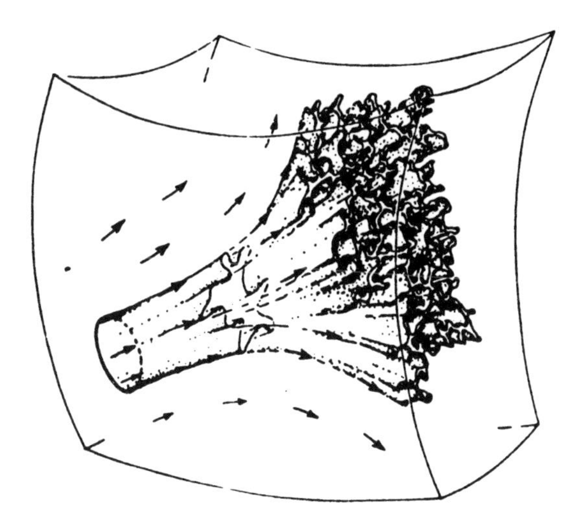

图5.14 尽管刘维尔定理告诉我们，随着时间演化相空间体积不变，但是由于该演化的极端复杂性，这个体积通常会等效地弥散开来

理的精确性。然而，随着时间的发展，区域R_1开始变形并拉长——初看起来有点像变形虫，然后伸长到相空间中很远的地方，并以非常复杂的方式纠缠得乱七八糟。体积的确是保持不变，但这个同样小的体积会变得非常细，再发散到相空间的巨大区域中去。这和将一小滴墨水放到一大盆水中的情形有点类似。虽然墨水物质的实际体积不变，它最终被稀释到整个容器的容积中去。区域R_t在相空间中的行为与此很类似。它可能不在全部相空间中散开（那是称之为“遍历”的极端情况），但很可能散开到比原先大得极多的区域去。（可参阅 *Davies 1974* 的进一步讨论。）

麻烦在于保持体积并不意味就保持形状：小区域会被变形，这种变形在大距离下被放大。由于在高维时存在区域可以散开去的多得多的“方向”，所以这问题比在低维下严重得多。事实上，刘维尔定理远非“帮助”我们将区域R_t控制住，而是向我们提出了一个基本问题！若无刘维尔定理，我们可以摹想相空间中区域的毫无疑义的发散趋势可由整个空间的缩小而补偿。然而，这一个定理告诉我们这是不可能的，而我们必须面对这个惊人的含义——这个所有正常类型的经典动力学（哈密顿）系统的普适的特征[9]！

鉴于这种发散到整个相空间去的行为，我们会问，经典力学怎么可能作出预言？这的确是一个好问题。这种弥散所告诉我们的是，不管我们多么精确地（在某一合理的极限内）知道系统的初始态，其不确定性将随着时间而不断增大，而我们原始的信息几乎会变得毫无用处。在这个意义上讲，经典力学基本上是不可预言的。（回想前面考虑过的“混沌”概念。）

那么，何以迄今为止牛顿动力学显得如此之成功呢？在天体力学中（亦即在引力作用下的天体）其原因在于，第一，有关的凝聚的物体数目相对很少（太阳、行星和月亮），这些物体的质量相差悬殊——这样在估量近似值时，可以不必管质量更小物体的微扰效应，而处理更大的物体时，仅仅需要考虑它们相互作用的影响；第二，可以看到，适用于构成这些物体的个别粒子的动力学定律，也可以在这些物体本身上的水平上适用——这使得在非常好的近似下，太阳、行星和月亮实际上可以当作粒子来处理，我们不必去为构成天体的单独粒子的运动的微小细节担忧[10]。我们再次只要考虑“很少”的物体，其在相空间中的弥散不重要。

除了天体力学和投掷物行为（它其实是天体力学的一个特例）之

外，只牵涉到小数目的粒子的简单系统的研究，牛顿力学所用的主要方法是根本不管这些细节的“可决定性的预言的”方面。相反地，人们利用一般的牛顿理论做模型，从这些模型可以推导出整体行为。某些诸如能量、动量和角动量守恒定律的准确推论的确在任何尺度下都有效。此外，存在可与制约单独粒子的动力学规律相结合的统计性质，它能对有关的行为作总体预言。（参阅第7章关于热力学的讨论；我们刚讨论过的相空间弥散效应和热力学第二定律有紧密的关系。我们只要相当仔细，便可利用这些观念作预言。）牛顿本人所做的空气声速的计算（1个世纪后拉普拉斯进行了微小的修正）便是一个好例子。然而，牛顿（或更笼统来说，哈密顿）动力学中固有的决定性在实际中适用的机会非常稀少。

相空间弥散效应还有一个惊人的含义。它告诉我们，**经典力学不能真正地描述我们的世界**！我说得有点过分了一些，但是并不太过分。经典力学可以很好地适用于流体——特别是气体的行为，在很大的程度上适用于液体——此处人们只关心粒子系统的“平均”性质，但是在对固体作计算时就出了毛病，这里要求知道更细节的组织结构。固体由亿万颗点状的粒子所组成，由于相空间弥散其排列的有序性应不断地降低，何以保持其形状大致不变呢？正如我们已经知道的，量子力学在理解固体的实在结构时是不可或缺的。量子效应可多多少少防止相空间的弥散（第8章和第9章）。

这也和制造“计算机器”的问题相关。相空间弥散是某种必须控制的东西。相空间中对应于一个电脑的“离散”态的区域（例如前述的R_0）不应允许其过度弥散开来。我们记得，甚至弗雷德金-托佛利

“台球电脑”需要某种外围的固体墙才能工作。包括许多粒子的物体的“刚性”正是需要量子力学起作用的某种东西。看来，甚至“经典”电脑也必须借助于量子物理学的效应才能有效地工作！

麦克斯韦电磁理论

在牛顿的世界图像中，人们设想一个微小粒子靠一种超距作用的力作用到另一个粒子上。如果粒子不是完全点状的，可以认为由于偶尔的实际物理接触而互相反弹离开。正如我前面（218页）提到的，电学和磁学（古人即知道此两者的存在，威廉·吉尔伯特在1600年和本杰明·富兰克林在1752年分别进行了一些细节的研究）的行为和引力很类似。虽然同号的电荷（磁极强度）相互排斥而不是吸引，它们都以距离的平方反比律衰减。这里的电磁力是由电荷（磁极强度），而不是由质量决定其强度。在这个水平上，将电学和磁学归并到牛顿理论中去并没有什么困难。光的行为也可以粗略地（虽然有某些困难）容纳进去。我们或者将光当作单独粒子（正如我们现在应称之为“光子”的那样）组成，或者把它当作某种媒质中的波的运动。在后一情况该媒质（“以太”）本身应认为是由粒子组成的。

运动电荷会产生磁力的这一事实引起了额外的复杂性，但是这并没有把整个体系瓦解。大量的数学家和物理学家（包括高斯）提出了在一般牛顿框架中似乎满意的、描述运动电荷效应的方程组。第一位向这个“牛顿式”的图像提出严肃挑战的科学家是英国伟大的实验家兼理论家迈克尔·法拉第（1791—1867）。

为了理解这个挑战的性质，我们首先要定义物理场的概念。首先考虑磁场。大部分读者都有过这样的经验，将一张纸放在磁铁上时，纸上的铁粉末具有特别的形态。这些粉末以一种令人惊异的方式沿着所谓的“磁力线”串起来。我们可以想象，即便粉末不在该处，磁力线仍在那里。它们构成了我们称之为磁场的东西。这“场”在空间的每一点都朝着一定的方向，亦即在该点力线的方向。实际上，我们在每一点都有一个矢量。这样，磁场就给我们提供了一个矢量场的例子。（我们可把它和上一节考虑的哈密顿矢量场相比较，但现在这一个矢量场是在通常的空间中，而不在相空间中。）类似地，一个带电的物体被一种称之为电场的不同种类的场所围绕；而且引力场也类似地围绕着任何有质量的物体。这些也都是空间的矢量场。

远在法拉第之前，人们就有了这些观念，它们已成为牛顿力学理论家的一部分武器。但是认为这种“场”中不包含实际物理物质的观点占优势。反之，它们被当作为某一个粒子放在不同的点时所作用的力提供一种必要的“簿记”。然而，法拉第深刻的实验发现（利用运动线圈、磁铁等）使他坚信，电磁场是真正的“东西”，并且变化的电磁场有时会相互“推挤”到原先空虚的空间，以产生一种脱离物体的波动！他猜测到光也许就包括这类波动。这种观点背离了占统治地位的“牛顿智慧”。按照牛顿的观点，这类场不能在任何意义上被认为是“真实的”，而仅仅是作为“真正的”牛顿点粒子超距作用“实在”图像的方便的数学辅助物而已。

面临着法拉第以及优秀的法国物理学家安德烈·玛丽·安培（1775—1836）和其他人更早的实验发现，伟大的苏格兰物理学家兼数学家詹姆斯·克拉克·麦克斯韦(1831—1879)对从这些发现产生的电磁场方程的数学形式感到疑惑。他以惊人的灵感,对这些方程作了初看起来似乎非常微小的,但却是含义深远的改变。这个改变根本不是由已知的实验事实(虽然与之相协调)暗示的。这是麦克斯韦理论自身所要求的结果,部分是物理学上的,部分是数学上的,还有部分是美学上的。麦克斯韦方程的一个含义是电磁场的确在空虚的空间中相互“推挤”。振荡的磁场产生振荡的电场(这是法拉第的实验发现所隐含的)。而振荡的电场又反过来产生振荡的磁场(由麦克斯韦理论推导得来的),并且这又接着产生电场,等等。(这种波的详图见344页的图6.26和346页的图6.27。)麦克斯韦能够算出这种效应在空间传播的速率——并且他发现这正是光的速率!此外,这些所谓的电磁波还展示出了很久以来就知道的干涉和令人困惑的偏振性质(我们在第6章298页、344页还要回到这些上来)。除了说明波长在一个特定范围($4\times10^{-7}\sim7\times10^{-7}$米)的可见光的性质外,还预言了导线中电流产生的其他波长的电磁波。出色的德国物理学家亨利希·赫兹于1888年在实验上证实了这种波的存在。法拉第的富有灵感的希望在美妙的麦克斯韦方程中的确找到了坚实的基础!

虽然我们在这儿并不必了解麦克斯韦方程的细节,稍微看看它们是什么样子并没有什么害处:

$$\frac{1}{c^2}\cdot\frac{\partial \boldsymbol{E}}{\partial t}=\mathrm{curl}\,\boldsymbol{B}-4\pi\boldsymbol{j},\quad \frac{\partial \boldsymbol{B}}{\partial t}=-\,\mathrm{curl}\,\boldsymbol{E}$$

$$\mathrm{div}\boldsymbol{E}=4\pi\rho,\qquad \mathrm{div}\boldsymbol{B}=0.$$

此处$\boldsymbol{E}$、$\boldsymbol{B}$和$\boldsymbol{j}$分别为电场、磁场和电流；ρ为电荷密度，c只是一个常数，也就是光速[11]。不必忧虑curl及div等项，它们简单地表示不同类型的空间变化。（它们是某种相对于空间坐标的偏微分算符的组合。可以回想我们在讨论哈密顿方程时遇到的用符号∂表示的偏微分运算。）在前面两个方程左边出现的算符$\partial/\partial t$实际上和用在哈密顿方程的点一样，其不同之处只是技术性的。这样$\partial E/\partial t$表示电场的变化率，而$\partial B/\partial t$表示磁场的变化率。第一个方程[1]说明电场如何按照磁场和电流在该时刻的行为而变化；而第二个方程说明磁场如何按照电场在该时刻的行为而变化。第三个方程粗略地讲是平方反比律的另一种形式，它是讲（该时刻的）电场必须和电荷分布相关；而第四个方程是对磁场说同样的东西，除了在这情况下没有“磁荷”（或分开的“北极”或“南极”粒子）以外。

这些方程在下面这一点和哈密顿的很相像，即依据在任何给定时刻的电场和磁场的值，它们给出了这些量对时间的变化率。所以麦克斯韦方程和通常的哈密顿理论一样是决定论的。仅有的也是一个重要的差别是，麦克斯韦方程是场方程而不是粒子方程。这表明我们需要用无穷多个参数去描述系统的态（空间中的每一点的场矢量），而不仅仅需要像在粒子论中的有限的数目参数（每个粒子的3个位置和3个动量坐标）。因此麦克斯韦理论的相空间是无限维的！（正如我以前提到过的，一般的哈密顿框架，实际上可以包容麦克斯韦方程。但由于这无限的维数，该框架必须稍微推广一下[12]。）

1. $\partial E/\partial t$在此方程中的存在正是麦克斯韦的理论推导的妙举。本质上讲，方程中的其他所有的项从直接实验证据中都已知道。系数$1/c^2$非常小，这正是为何该项未被实验观察到的原因。

麦克斯韦理论为我们的物理实在的图像添加上具有根本性的新的部分。我们必须接受场自身的存在，而不能把它仅仅当作牛顿物理中的“实在”粒子的数学的附属物。在这一点上它超越了我们的原先的理论框架。麦克斯韦的确向我们指出，当场以电磁波传播时，它们自身携带一定量的能量。他还给出了这种能量的显明的表达式。从一处传播到另一处的“脱离物体”的电磁波能传递能量的这一惊人事实，最终由赫兹在实验上探测到它的存在而被证实。这个事实虽然如此惊人，而现在却变成这么熟悉的东西了。

可计算性和波动方程

麦克斯韦能直接从他的方程推导出，在没有电荷或电流（亦即在上述方程中$\boldsymbol{j}=0$，$\rho=0$）的空间区域，所有电磁场的分量必须满足一个称为波动方程[1]的方程。由于波动方程是关于一个单独的量的，而不是电磁场的所有6个分量的方程，所以可视作麦克斯韦方程的“简写”。它的解表现了类似波动的行为，并牵涉到诸如麦克斯韦理论的“极化”（电场矢量的方向，见344页）等其他复杂性。

因为波动方程及其可计算性的关系已被清楚地研究过，所以我们对它格外有兴趣。事实上，玛丽安·玻伊坎·普埃尔和伊恩·里查兹（1979，1981，1982和1989）指出，尽管波动方程在平常的意义上具有决定性的行为——亦即初态数据一被提供，则其他时刻的解即被决定——还存在某种古怪类型的可计算的初始数据，它使得在以后

1. 波动方程（或达朗贝尔方程）可写成$\{(1/c^2)(\partial/\partial t)^2-(\partial/\partial x)^2-(\partial/\partial y)^2-(\partial/\partial z)^2\}\varphi=0$。

可计算的时刻被决定的场的值实际上是不可计算的。这样，此一似是而非的物理场论的方程（虽然不完全是在我们世界中实际成立的麦克斯韦方程）会在普约尔和里查兹的意义上产生不可计算的演化！

这结果在表面上似乎相当令人震惊——这看来和我在上一节的猜测相抵触，除了那时人们关心的是“合理的”哈密顿系统的可能的可计算性以外。然而，普约尔和里查兹结果固然是惊人的并和数学有关系，它和猜测的冲突并没有什么真正的物理意义。原因在于，他们“古怪”的初始数据不以一种通常人们对物理上有意义的场所要求的方式而“光滑地改变”[13]。普约尔和里查兹实际上证明了，如果我们不容许这一类场，则不会产生不可计算性。无论如何，甚至如果允许这类场，很难想象任何物理“仪器”（诸如人脑？）能利用这样的“不可计算性”。这只有当允许作任意高精度的测量时才相干。但正如我说过的，这在物理上不是非常现实的。尽管如此，普约尔和里查兹的结果代表了一个重要研究领域的美妙开端，迄今这个领域还很少被研究过。

洛伦兹运动方程；逃逸粒子

麦克斯韦方程本身还不是一个完整的方程组。如果给定了电荷和电流的分布，则它们提供了电磁场传播方式的美妙的描述。在物理上，这些电荷主要是我们知道的电子和质子等带电粒子，而电流是由这种粒子的运动所引起的。如果我们知道这些粒子在何处并如何运动，则麦克斯韦方程告诉我们电磁场会如何行为。该方程并没有告诉我们这些粒子自身如何行为，此问题的部分答案在麦克斯韦年代即已经知道，但直到1895年杰出的荷兰物理学家亨德里克·安东·洛伦兹利用与狭义相对论有关的思想去推导现在称之为带电粒子的洛伦兹运动方程后（参阅*Whittaker 1910*，P310，P395），才得到令人满意的方程组。这些方程告诉我们带电粒子的速度如何因所处的电磁场的影响而连续地改变[14]。把洛伦兹方程和麦克斯韦方程相联立，人们便能同时得到带电粒子和电磁场的时间演化的规则。

然而，这一套方程并非一切都相安无事。如果一直到粒子的自身的直径的尺度之下（电子的“经典半径”大约为10^{-15}米）场都是非常均匀的，而且粒子运动也不过分激烈的话，则它们给出了极好的结果。但此处存在一个原则上的困难，在其他情况下它会变得重要起来。洛伦兹方程要我们去做的是考察带电粒子所在处的准确的那一点的电磁场（并且实际上提供了该点的“力”）。如果粒子是有限尺度的，则那一点应如何选取呢？是否我们应取粒子的“中心”，或是对表面上所有点的场（“力”）取平均？如果场在粒子尺度下不是均匀的，则这就产生了差异。还有更严重的问题：粒子表面（或中心）的场究竟如何？记住我们考虑的是一个带电的粒子。粒子本身引起的电磁场必须叠加到粒子所处的地方的“背景场”上去。粒子的自身场在靠近“表面”处变得极强，并且轻而易举地糟蹋它附近的所有其他的场。而且，围绕着自身的粒子场会多多少少地指向外面（或内面）。这样粒子所要反应的总的实际的场根本不是均匀的，在粒子“表面”的不同地方指向不同的方向，更不要说它的“内部”了（图5.15）。现在我们必须开始忧虑，互异的作用到粒子上的力是否使之旋转或变形，我们必须知道它的弹性性质等（并且这里还有一个和相对论有关的特别有疑问的问题，我先不在此烦恼读者）。显然，这个问题比初看时复杂得多。

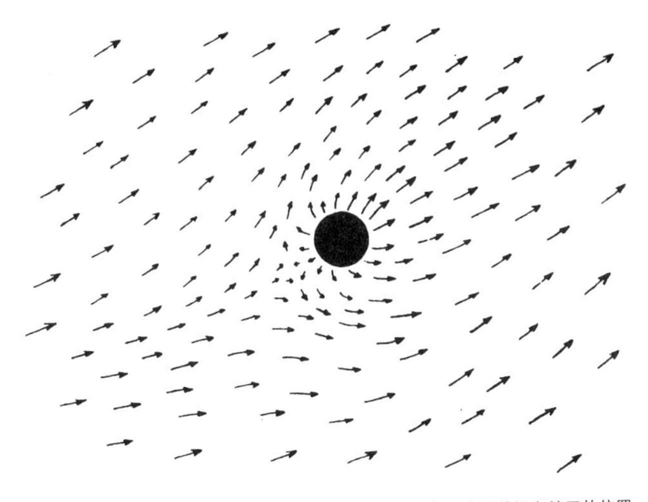

图5.15　我们要如何严格地应用洛伦兹运动方程？由于自己的场在粒子的位置处起主导作用，作用在它上面的力不能简单地从该粒子所处地方的场得到

也许我从一开始就把粒子当做点粒子会更好些。但这会导致另一类问题，因为在粒子的邻近处其自身的电场会变成无穷大。按照洛伦兹方程，如果它必须对它所处的地方的电磁场响应，则它必须对此无穷大的场响应！为了使洛伦兹力定律有意义，必须找出一种减去粒子自身的场以剩下有限的背景场的方法，这样粒子才能毫不含糊地对背景场响应。1938年狄拉克（我们在后面还要提到他）解决了这个问题。但是，狄拉克解导出了某些令人恐慌的结论。他发现为了决定粒子和场的行为，不但必须知道每个粒子的初始位置和速度，也必须知道其初始加速度（这是一种在标准的动力学理论的范围内不太正常的情况）。对大多数的初始加速度值，粒子的最终行为变得完全疯狂，它自发地加速并很快地趋近于光速！这就是狄拉克的“脱逸解”，它并不对应于任何实际发生在自然里的东西。人们必须找到一种正确选择初始加速度以避免脱逸解的方法。只有一个人使用“先知”—— 也

就是，必须指明能最终导出脱逸解的初始加速度并避免之，才能做到。这根本就不是在一个标准的决定性的物理问题中选择初始条件的方法。在传统的决定论中，这些初始数据可以任意给定，不受任何未来的行为要求的约束。而在这里，不仅是将来完全决定了在过去某一时刻的应选取的初始值，而且这些非常特别的数据由于要使未来行为确实“合理”的要求，而被非常苛刻地约束。

基本的经典方程就只能走到这么远。读者会意识到经典物理定律中决定性和可计算性的问题真是乱麻一团，在物理学定律中是否有一个目的论的因素呢？未来是否对过去允许发生的事有某种影响呢？实际上，物理学家并未认真地将这些经典电动力学（经典带电粒子和电磁场的理论）的含义当作实在的描述。他们对上述困难的通常回答是，带电的单独粒子问题是在量子电动力学范畴里，我们不能指望利用纯粹经典过程得到有意义的答案。这无疑是对的。但正如我们以后将要看到的，在这一点上量子理论自身也有问题。事实是，狄拉克正是因为想到，也许能为解决（物理上更适当的）量子问题中的甚至更大的基本困难得到灵感，而考虑带电粒子的经典问题。以后我们必须面临量子理论的这个问题！

爱因斯坦和庞加莱的狭义相对论

我们回顾一下伽利略的相对性原理。它告诉我们，如果我们从一个静止坐标系转换到运动坐标系，伽利略和牛顿的物理定律完全不变。这意味着仅仅考察在我们周围的物体的动力学行为，不能确定我们是处于静止状态，还是沿着某一方向作匀速运动。（回忆一下211页至212页描述伽利略在海上的船。）当我们将麦克斯韦方程合并到这些定律中去时，伽利略的相对论仍然对吗？我们知道麦克斯韦电磁波以固定的速率——即光速传播。常识似乎告诉我们，如果我们在某一方向非常快地运动，则光在那一方向相对我们的速率应减少到比c小（因为我们沿着那个方向去“追逐”光线），而且在相反的方向光速应相应地增加到比c大（因为我们向着光运动）——这都和麦克斯韦理论的不变的值c不一致。确实，常识似乎是对的：合并的牛顿和麦克斯韦方程不满足伽利略相对论。

正是由于对这个问题的忧虑导致爱因斯坦于1905年——事实上庞加莱在他之前（1898—1905）——提出狭义相对论。庞加莱和爱因斯坦各自独立地发现麦克斯韦方程也满足一个相对性原理（参阅*Pais 1982*）；也就是如果我们从一个静止坐标系换到运动坐标系时，方程也有类似的不变的性质。虽然在这种情况下，变换规则和伽利略-牛顿物理不相容！为了使两者相容，必须修正其中的一组方程——或者抛弃相对性原理。

爱因斯坦不想抛弃相对性原理。他凭着超等的物理直觉坚持，这个原则必须对于我们世界的物理定律成立。此外，他知道伽利略-牛顿物理对于所有的已知现象，只在速度和光速相比很微小的情况下被检验，这时不相容性并不显著。而人们早已知道，只有光本身的速度很大，才足以使这种偏离变得重要。所以，正是光的行为才能告诉我们究竟要采用何种相对性原理——而制约光的方程正是麦克斯韦方程。这样适合于麦克斯韦理论的相对性原理要保留；而相应地伽利略-牛顿定律要作修正！

在庞加莱和爱因斯坦之前，洛伦兹也致力于解决并部分回答了这些问题，直到1895年，洛伦兹采取的观点认为将物质结合在一起的力具有电磁性（后来证明正是如此）。这样，实在物体的行为应该满足从麦克斯韦方程推导出的定律。其中一个推论，是以与光速可相比拟的速度运动的物体在运动的方向会有微小的收缩（所谓的“费兹杰拉德-洛伦兹收缩”）。洛伦兹利用它来解释迈克耳孙和莫雷在1887年进行的令人困惑的实验发现。该实验似乎指出不能用电磁现象来确定一个“绝对”静止的坐标系。（迈克耳孙和莫雷指出，地球表面上的光的表观速度不受地球绕太阳公转的影响，这和预想的非常不一样。）是否物体的行为总是这样，以至于不可能在局部检验它的（匀速）运动呢？这是洛伦兹的近似的结论；而且他只局限于物体的特殊的理论，在这里只有电磁力才有意义。作为一位杰出的数学家，庞加莱在1905年指出，根据作为麦克斯韦方程基础的相对性原理，物体有一个精确的行为方式使得局部检测物体的匀速运动根本办不到。他并透彻地了解了此原理的物理含义（包括我们很快就要考虑到的“同时性的相对性”）。他似乎认为这仅仅是一种可能性，而不像爱因斯坦那样坚持相对性原理必须成立。

麦克斯韦方程满足的相对性原理后来被称作狭义相对论。要掌握它不甚容易。它有许多反直观的特征，一下子很难把这些特征当作我们生活其中的世界的性质接受下来。事实上，若不是富有创见和洞察力的俄国/德国几何学家赫曼·闵可夫斯基（1864—1909）于1908年引进了进一步的要素，很难理解狭义相对论。闵可夫斯基曾是爱因斯坦在苏黎世高等理工学院的导师。1908年，闵可夫斯基在他发表在格丁根大学的著名演讲中说道：

从今以后空间自身以及时间自身必像影子般地渐渐消退，只有两者的某种结合保持为独立的实体。

现在，让我们按照美妙的闵可夫斯基时空来理解狭义相对论的基础。

和时空概念相关的一个困难在于它是四维的，这样要去摹想它就非常困难。然而，我们已逃过了相空间这一关，区区四维不会引起我们太多的麻烦！和以前一样，我们将采用"欺骗"的手法把空间画成更少的维数——但是，这回欺骗的程度没有过去那么严重，我们的图画也相应地更为准确一些。二维图（一维空间和一维时间）对许多目的是足够的。但我还希望读者允许我有点更冒险地升高到三维图（二维空间和一维时间）。这样子我们就得到了非常好的图画，并在原则上认为不必做许多改变就可将三维图的观念推广到四维的情况去。关于时空图要记住的是，在它上面的每一点代表一个事件——也就是某一时刻的空间的一点，只有瞬息存在的一点。整个图代表过去、现在和将来的全部历史。因为一个粒子总存留在时间内，所以它不是以一点，而是以称作粒子的世界线的一条线来代表。如果粒子做匀速直线运动，则其世界线为直线。如果它做加速运动（亦即非匀速运动），则世界线是弯曲的。世界线描述了粒子存在的整个历史。

我在图5.16中画出了具有二维空间和一维时间的时空图。我们可想象沿着垂直方向测量有一标准的时间坐标t，以及在水平方向测量的两个空间坐标x/c和z/c[1]，在中心处的圆锥是时空原点O的（未来）

1. 把空间坐标除以c——光速——的原因是为了以后使用便利，使光子世界线和垂直方向的夹角为45°。

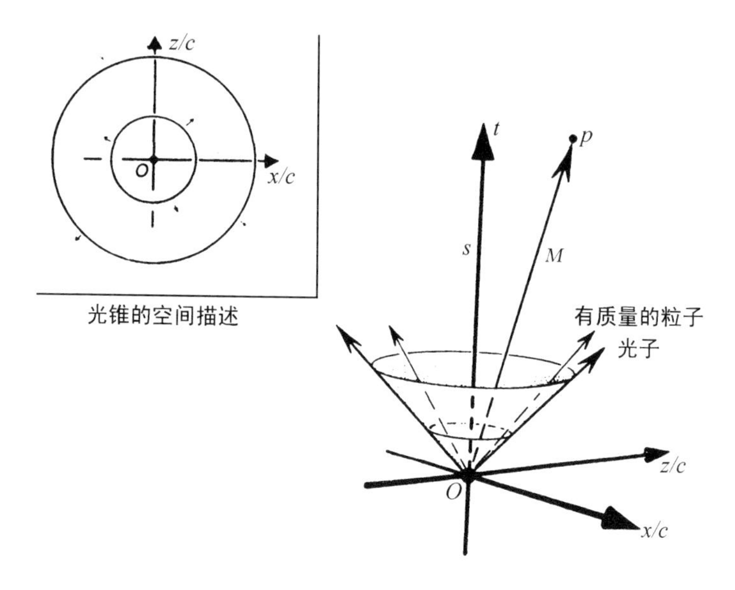

图5.16　闵可夫斯基时空（仅有两维空间）中的一个光锥，描述了在时空原点的事件O处发生的爆炸的闪光的历史

光锥。为了领略其意义，可以想象在事件O处发生一次爆炸。（此爆炸在时刻$t=0$发生在空间的原点。）从爆炸发出的光的历史正是此光锥。在二维空间中看，闪光是以基本的光速c向外运动的圆圈。在全部三维空间中看，变成以光速c向外运动的一个球面——光的波前的球面——但是我们在这儿压缩了空间方向，所以只得到了一个圆圈，正如从一块石头落到水池中去的那一点发出的涟漪的圆圈那样。如果我们在向上的方向连续截割光锥的话，就能在此时空中看到这一圆圈。这些水平面代表随时间坐标t增加时不同的空间的描述。相对论的一个特征是，一个物质粒子不能以比光速更快的速度运动（后面还要讲到）。所以从爆炸出来的物质粒子必须落到闪光的

后头。用时空的语言来说，这表明所有这些粒子的世界线必须在光锥内部。

用称作光子的粒子比用电磁波来描述光更为方便。此刻我们暂时可以将一个“光子”当作一个电磁场高频振动的小“波包”。在下一章我们将要讨论的量子描述中，这个术语的物理意义将会更清楚。但在这里“经典”光子对我们也是有用的。在自由空间中光子总是以基本速度c沿直线运动。这表明在闵可夫斯基时空图中光子的世界线总是画成一条和垂直线倾斜45°的直线。在O点处的爆炸产生的光子描写了一个中心位于O的光锥。这些性质在时空的所有点都应成立。原点并没有任何特别之处；点O和任何其他点无区别。这样的时空的每一点都必须有一个和在原点光锥具有同样意义的光锥。如果我们宁愿使用光的粒子描述的话，则任何光束的历史亦即光子的世界线，在每一点上总沿着光锥，而任何物质粒子的历史必须在每一点的光锥的内部。这一切从图5.17可以看到。所有点处的光锥族可以被看成时空的闵可夫斯基几何的一部分。

什么是闵可夫斯基几何？光锥结构是其最重要的方面。但是闵可夫斯基几何有比这更丰富的内容。它有一种和欧几里得几何的距离极相似的“距离”的概念。在三维欧几里得几何中，按照标准的笛卡儿坐标，从坐标原点到某一点的距离r可写作

$$r^2=x^2+y^2+z^2。$$

[见图5.18（a）。这正是勾股定理——或许二维的情况更熟悉些。] 在

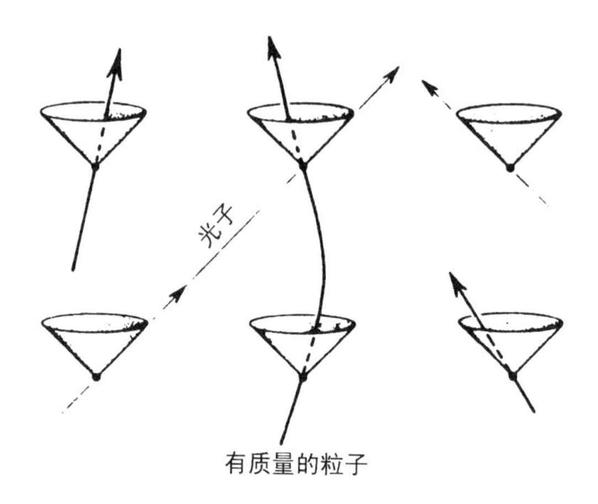

图5.17 闵可夫斯基几何图

我们的三维闵可夫斯基几何中，其表达式非常相似［图5.18（b）］，根本的差别是我们有两个负号：

$$s^2=t^2-(x/c)^2-(z/c)^2。$$

更正确地讲，我们应该有四维闵可夫斯基几何，当然距离表达式应写作

$$s^2=t^2-(x/c)^2-(y/c)^2-(z/c)^2。$$

此表达式中“距离”s的物理意义是什么呢？假定有一点其坐标为$(t, x/c, y/c, z/c)$［或者在三维的情形$(t, x/c, z/c)$；见图5.16］，并且在O的（未来）光锥的内部。则直线段OP可以代表某一个物质粒子——比如说由我们爆炸发射出的某一个特定粒子的一部分历史。线段OP的闵可夫斯基“长度”s有直接的物理解释，它是粒子所实际

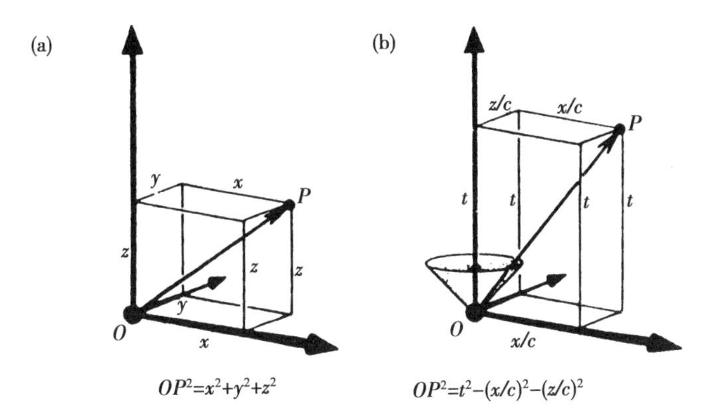

图5.18 （a）欧几里得几何和（b）闵可夫斯基几何的“距离”测量的相互比较（后者的“距离”表示经历的“时间”）

经验的事件O和P之间的时间间隔！这就是说，如果有一非常可靠和精确的钟附在该粒子上[15]，那么在事件O和事件P记录下的时间的差刚好是s。和通常预料的相反的是，坐标值t本身不描述精确的钟测量的时刻，除非它“静止”地处于我们的坐标系中（亦即x/c，y/c和z/c取固定值），这表明在图中钟有一条“垂直”的世界线。这样，只对于“静止”（亦即具有“垂直”世界线）的观察者“t”才表示“时间”。按照狭义相对论，量s为每一位从原点以均匀速度离开的观察者提供正确的时间量度。这是非常令人吃惊的——和伽利略－牛顿的简单取坐标值t为时间测量的“常识”十分矛盾。我们注意到，只要有任何运动，则相对论性（闵可夫斯基）的时间测量s总是比t要小（因为从上式我们知道，只要x/c，y/c和z/c不全为零，则s^2比t^2小）。运动（亦即OP不沿着t轴）总是使得在和坐标值t相比较的钟“变慢”。如果运动速度和c比较很小，则s和t就几乎一样，这就解释了为何我们不知道“运动着的钟走得慢”的事实。在另一种极端情况下，速度刚好为光速，P就处在光锥上，我们发现$s=0$。光锥刚好是它从O起，闵可夫斯基“距离”（亦即“时间”）为零的集合。这样，光子根本没有“经历”任何时间流逝！（我们不允许更极端的情况，P运动到光锥外面，因为这一来s变成虚的了——也即负数的平方根——也就是违反了物质粒子或光子不能运动得比光快的规律。[1]）

可以把闵可夫斯基“距离”一样好地应用于时空中的任何一对点上去，其中一点处在另一点的光锥之内——这样，一个粒子可以从一点运动到另一点。我们简单地考虑将O移到时空中的某一不同点。两点间的闵可夫斯基距离是一台从一点匀速运动到另一点的钟经验的时间的间隔。当此粒子允许为光子时，闵可夫斯基距离变成零，我们两点中的一点就必须处在另一点的光锥上——这个事实可用来定义那一点的光锥。

闵可夫斯基几何的基本结构以及世界线的“长度”的古怪测度包含了狭义相对论的精华。在这里，世界线的“长度”被解释作物理钟所“测量”（或“经历”）的时间。特别是读者也许熟悉的相对论中的“双生子佯谬”：双生子中的一个留在地球上，而另一个以接近于光速的巨大速度旅行到邻近恒星上去，然后再返回。当他返回之时，人们发现两人衰老得不一样。旅行者还很年轻，而他那位待在家里的兄弟却已垂垂老矣。这按照闵可夫斯基几何很容易描述——人们可以看到，这个现象虽然令人迷惑，实际上并非荒谬。我们在图5.19中用世界线AC代表留在家中的那个双生子，而旅行者的世界线包括AB和

1. 然而，对于由于s^2负值而分隔开的事件，量$c\sqrt{(-s^2)}$有一种意义，对于看到这两个事件同时发生的观察者而言，它即是通常的距离（参见后面）。

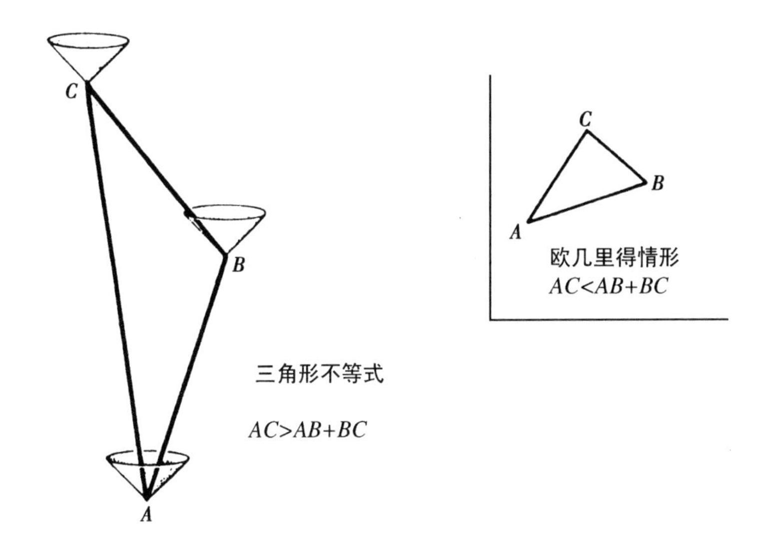

图5.19　按照闵可夫斯基三角形不等式来理解狭义相对论中所谓的“双生子佯谬”（为了比较，我们也给出了欧几里得的情形）

BC两段，这代表去和回的航行的两个阶段。留在家中的那个双生子所经历的时间由闵可夫斯基距离AC所测量，而旅行者所经历的时间由两段闵可夫斯基距离AB和BC的总和[16]给出。这两个时间不同，而且我们有

$$AC>AB+BC,$$

此不等式的确表明留在家中的那个所经历的时间比旅行者更长。

上面的不等式看起来和通常的欧几里得几何中的著名的三角形不等式（A，B，C，现在变成了欧几里得空间中的三点），亦即

$$AC < AB + BC$$

相当类似。该不等式断言，一个三角形的两边的和总比第三边大。我们并不把这个当成佯谬！从一点到另一点（这里是从A到C）之间的距离依赖于我们采取的实际途经，这是起码的常识。（在现在情形下，这两种途径为AC以及更长的折线ABC。）它是两点（此处为A和C）之间的最短距离为连接它们的直线（直线AC）度量的特例。不等式符号在闵可夫斯基情况下的反向是因为定义“距离”时的符号改变所引起，因此闵可夫斯基的AC比折线ABC“更长”。闵可夫斯基“三角形不等式”是更一般结果的特例：连接两个事件的最长的（在经历最长时间的含义上）世界线为直线（亦即加速度为零）。如果两个双生子从同一事件A开始并终结于同一事件C。第一个双生子没有加速地从A旅行到C，而第二个加速，则他重新相遇时，前者总是经历了更长的时间流逝。

以与我们直觉相矛盾的方式，引进这样的时间测度的奇怪概念，似乎是有点荒谬。但是现在已有极大量的实验证据支持它。例如，许多亚原子粒子以一定的时间尺度衰变（亦即分裂成其他粒子）。这些粒子有时以非常接近光速的速度运动（譬如从外空间到达地球的宇宙线或是人造的粒子加速器中的粒子），它们的衰变时间精确地以从上述考虑导出的方式变迟缓。以下事实会更令人印象深刻，现代的钟（“核子钟”）可以做得如此精密，以至于时间变化效应可被快速低空飞行的飞机携带的钟直接检测出来，结果和闵可夫斯基“距离”测度s，而不和t相一致。严格地讲，考虑到飞机的高度，就牵涉到广义相对论的一个小的附加的引力效应，但是这些也都和观测相一致；（参

阅下一节。)此外，还有许多其他紧密地和整个狭义相对论框架相关的效应，它们都经常接受了严密的验证。爱因斯坦的著名的关系式

$$E=mc^2,$$

即是其中之一，这表明能量和质量等效。在本章的结尾我们要遇到这一个关系式的一个令人哭笑不得的推论！

我还没有解释相对论原理如何和这类事体相协调。以闵可夫斯基几何的观点看，以不同的均匀速度运动的观察者怎么会是等同的？图5.16中的时间轴（“静止观察者”）怎么能和其他直的世界线，比如 OP（“运动观察者”）完全等同？让我们先考虑欧几里得几何，很清楚，就几何整体而言，任何两条直线都是完全等同的。人们可以将整个欧几里得空间在自身上“刚性”地滑动，使得其中一条直线和另一条直线的位置重合为止。考虑一个二维亦即欧几里得平面的情形。我们可以想象在一个平面上“刚性”地移动一张纸，使得画在纸上的任一条直线和平面上的已给定的直线相重合。这个刚性运动保持几何结构不变。虽然稍不明显一些，这些议论类似地在闵可夫斯基几何中也成立。在这里人们必须小心地理解“刚性”的含义。现在我们用一种古怪的材料取代那张滑动的纸——为了简单起见，我们首先研究二维的情况——该材料在一个45°方向上伸长而在另一个45°方向上压缩时两条45°线必须仍保持为45°线。从图5.20可看到这一点。在图5.21中我试图描绘三维的情形。这种称作庞加莱运动（或非齐次洛伦兹运动）的闵可夫斯基空间的“刚性运动”似乎显得不“刚性”，但它保持了所有的闵可夫斯基的距离。而“保持所有距离”在欧几里得

情况下正是“刚性”的意义。狭义相对论原理声称，物理在这种时空的庞加莱运动之下不变。尤其是，世界线为我们原先闵可夫斯基图画（图5.16）的时间轴的“静止”的观察者S和以OP为世界线的“运动”观察者M有完全一样的物理。

每一坐标平面t等于常数代表观察S的任一“时刻”的空间，亦即他认为同时（发生在“同一时刻”）的一组事件。我们称此平面为S的同时空间。当我们过渡到另一观察者M，就必须将原先的同时面族抛弃，而取代以M的同时面族[17]。我们注意到图5.21中的M的同时面显得向上倾斜。按照欧几里得几何的刚性运动思考，则会以为这倾斜

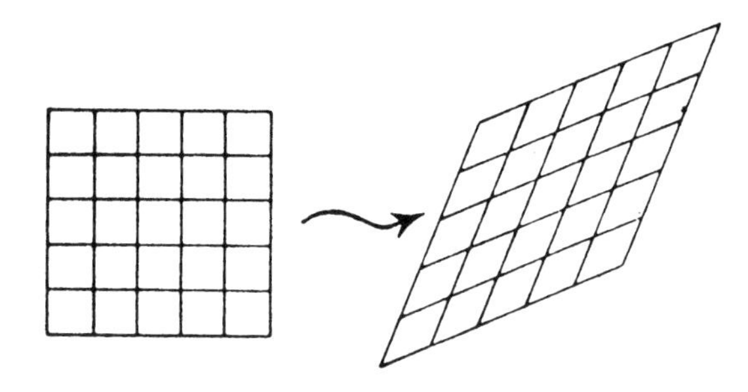

图5.20　二维时空中的庞加莱运动

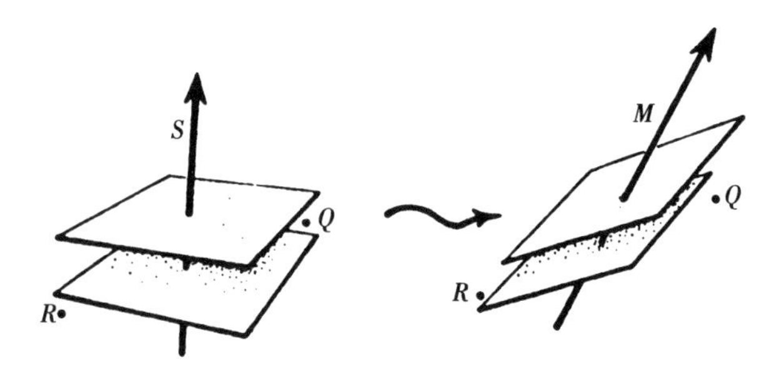

图5.21　三维时空中的庞加莱运动。左图画出S的同时性空间，而右图为M的同时性空间。注意S认为R比Q早，而M认为Q比R早（此处的运动被认为是被动的，这只是因两个观察者S和M对同一时空所做的不同描述所引起的）

似乎方向错了，但在闵可夫斯基情况下正是我们所预料的。当S认为所有在t为常数的平面上的事件同时发生时，M却持不同观点：从他看来，在他的每一个倾斜的等时空间上的事件才显得是同时的！闵可夫斯基几何本身并不包含“同时性”的唯一概念，而每一位匀速运动的观察者各有自己的“同时性”概念。

考虑图5.21中的两个事件R和Q。依S看来，事件R在事件Q之前发生，因为R处于比Q更早的同时面上；但是，依M看来，情况刚好相反，Q处于比R更早的同时面上。这样，一个观察者认为事件R早于Q发生，而另一个观察者认为Q比R早发生！（只有当R和Q所谓类空地分隔开也就是一个事件处在另一事件的光锥之外，并因此没有物质粒子或光子能从一个事件运动到另一个事件时，这才会发生。）只要事件在相隔非常远的距离上发生，甚至非常小的相对速度也会导致重大的时序差异。假定在仙女座大星云（离开我们银河系最近的大星系，大约是2000亿亿千米那么远）处发生了一个事件，地球上两个观察者相遇时将他们的钟对好，由于他们的运动速度不同，他们俩对该事件发生时刻的判断可有几天的差别（图5.22）。对于其中一个人来说，试图去歼灭地球行星上生命的空间飞船队已上路了；而对于另外一个人来说，甚至是否要发射这个飞船队的决定都尚未做出。

爱因斯坦广义相对论

我们回忆一下伽利略关于任何物体在引力场中同样快下落的伟大的洞察。（这是洞察的而不完全是直接观察的结果。由于空气阻力作用，羽毛和石头不会一起下落！伽利略的洞察在于意识到，如果空

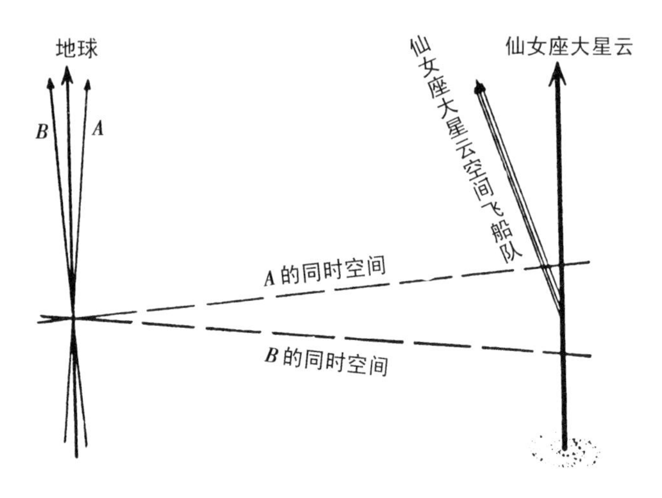

图5.22　两个人A和B相互很慢地穿过，但是他们对于仙女座大星云空间飞船队是否在他们遭遇的时刻已经出发有不同的观点

气阻力可减少到零，它们就会一起下落。）这一直觉的深刻意义整整花了3个世纪的时间才被意识到，而成为一个伟大理论的奠基石。这就是爱因斯坦的广义相对论——引力的一个非同寻常的描述。正如我们很快就要理解到的，为了实现它，我们需要引进弯曲的时空的概念。

伽利略的洞察和"时空曲率"有何关系呢？我们知道在牛顿的理论中粒子被通常的引力所加速。这样的一个与之如此不同的思想，怎么能重新产生并且改善那个理论的所有超等的精确性呢？此外，伽利略古老的直觉包含着以后没被合并到牛顿理论中的某种东西，这怎么可能呢？

由于最后一个问题最易于回答，让我们从它开始。在牛顿理论中，是什么制约着在引力作用下的物体的加速度？首先，引力作用到物体上，牛顿引力定律告诉我们这必须和物体质量成正比。伽利略的直觉是发生在牛顿引力定律中的“质量”和牛顿定律中的是同一“质量”。（可以用“正比于”来取代“同一的”。）正是它保证了引力作用下的物体的加速度实际上与它的质量无关。在牛顿的一般理论中完全没有要求这两种质量概念的同一性。牛顿只是把它当成一个假设。的确，在平方反比律方面电力和引力是类似的，但电力所依赖的是与牛顿第二定律中的质量完全不同的电荷。“伽利略直觉”不能应用于电力：在电场中物体（带电的物体）不会以同样的速度下落！

现在，我们就简单地接受伽利略关于引力作用下的运动的洞察，并探究其含义。设想伽利略从比萨斜塔上释放两块石头。如果在一块石头上有一镜头指向另一块石头的摄像机，那么其提供的摄像是一块在空中徘徊的石头，就像引力对它没有影响似的（图5.23）！这正是因为在重力下所有物体都以同样速度下落。

我们在这里不管空气阻力。因为在太空中实际上没有空气，所以太空飞行给我们提供了这些观念的一个更好的验证。现在，太空中“下落”简单地表示在引力作用下沿着合适的轨道运动。这个“下落”没有必要是冲着地球中心的直线下降。运动也可以有水平分量。如果此一水平分量足够大，那它就能围绕地球而不必朝向地面的方向“下落”！在引力下的自由轨道上旅行只不过是一种优雅（并且非常昂贵）的“下落”方式。正如前面使用摄像机，现在一位做“太空行走”的航天员看到他的宇宙飞船在他之前徘徊，表观上不受在他之前的地球的巨大的球体的引力的影响（图5.24）！这样，人们只要过渡到自由下

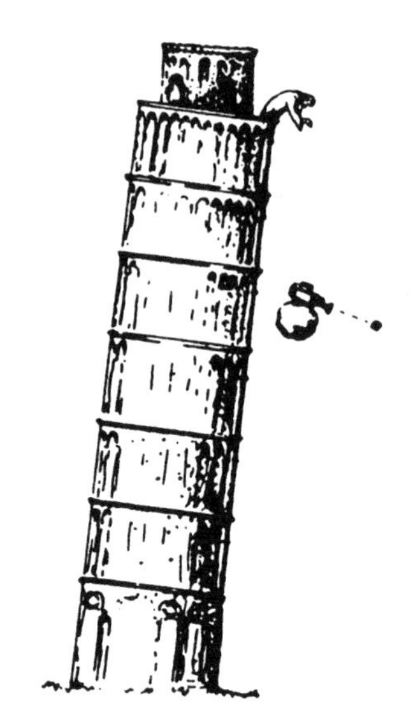

图5.23　伽利略从比萨斜塔上释放两块石头（和一台摄像机）

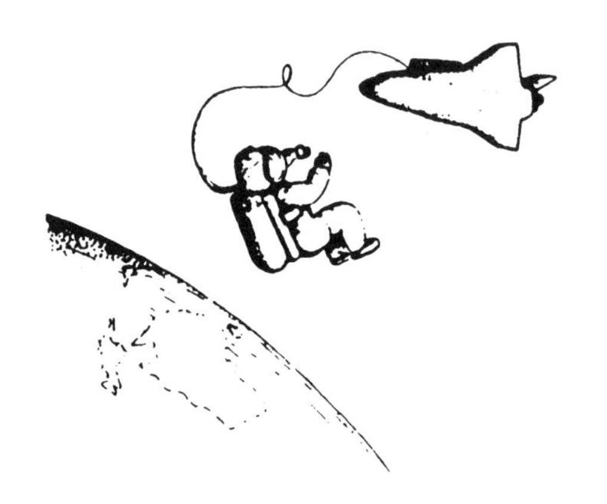

图5.24　航天员看到他的宇宙飞船在他之前徘徊，如同不受引力影响似的

落的“加速参考系”去，就可以局部地消除引力效应。

因为引力场效应正和加速度效应一样，所以可用自由下落的方式来对消引力。事实上，你如果处在一台正在加速上升的电梯之内，就会简单地觉得表观引力场的增大；如果电梯加速下降，则引力场减弱。如果悬挂电梯的绳索断了，那整个下落加速度就完全抵消了引力的效应（不考虑空气阻力和摩擦效应），而电梯内的乘客就像上述的航天员那样显得在空中自由浮动，直到它撞到地面上为止！甚至在火车和飞机上，加速度会使一个人感到引力的强度和方向不和他视觉提示的应是“往下”的方向一致。这是因为加速度和引力效应是互相类似的，人的感觉不能将它们区分开来。爱因斯坦把引力的局部效应和加速度参考系的效应等效的事实称为等效原理。

上述的考虑是“局部的”。然而，如果人们允许去做足够精密的（不完全局部的）测量，他就能在原则上断定在“真正”引力场和纯粹加速度之间的区别。在图5.25中我用稍微夸张的方式显示出由许多粒子构成的原先静止的球面，在地球引力作用下自由下落时如何受（牛顿）引力场的非均匀性的影响。该引力场在两个方面不均匀。首先，因为地球在有限距离的某处，靠近地球表面的粒子向下加速比远处的粒子更快（由于牛顿平方反比律引起）。第二，由于同一个原因，在水平方向上不同位置的粒子加速度的方向也有些微差别。球面由于这种非均匀性引起了微小变形而成为一个“椭球面”。由于它靠近地球的部分遭受到比远处的部分稍微更大的加速度，它在向地球中心方向（以及相反的方向）被拉长。由于加速度在沿地球中心方向稍微向内侧的作用，它在水平方向变狭窄。

这种畸变效应被称为引力的潮汐效应。如果我们用月亮来取代地球的中心，并且粒子的球面用地球表面取代，则我们刚好得到由于月

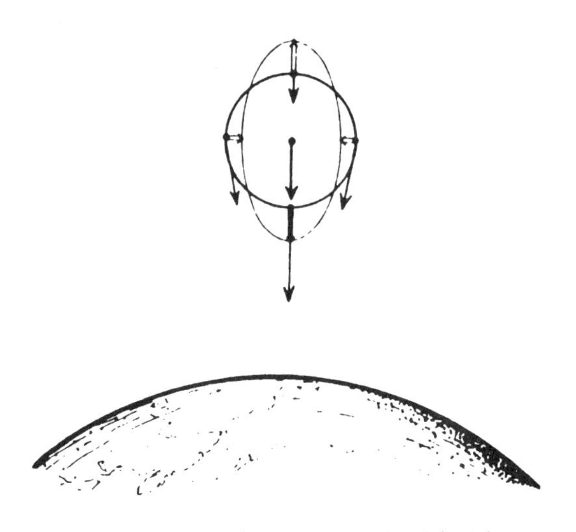

图5.25 潮汐效应。双箭头表明相对加速度(外尔)

亮的影响而在地球表面产生的潮汐，鼓出的部分正是朝着和背着月亮的方向。这个不能用自由下落“消除”的引力场的一般特征正是潮汐效应。(潮汐畸变的大小实际和离开吸引中心的距离成立方反比律，而不是平方反比律的关系。)

牛顿引力的平方反比律可按照这个潮汐效应得到一个简单的解释：由原先[18]球形而畸变成的椭球的体积等于原先球体(就认为该球面围绕着真空好了)的体积。这种体积性质是平方反比律的特征，它对于其他的力的定律不成立。下一步，我们假定球面围绕着的不是真空而是总质量为M的某物体。此物体的引力产生附加的向内去的加速度分量。这样，由原先粒子球面变形成的椭球体积就会收缩，其收缩量和M成正比。我们让球面以固定的高度围绕着地球(图5.26)，所发生的体积减小效应即为一个例子。由地球引力导致平常的向下

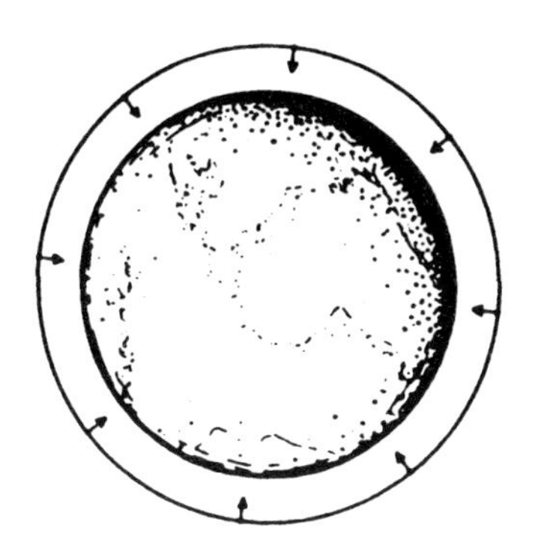

图5.26　当球面围绕着物体（此处为地球）时，就有一个纯粹向内的加速（里奇）

（亦即向内）加速就是引起球形体积减小的同一个原因。这种体积减小效应印证了牛顿引力定律继续存在的部分，也即此力和吸引物体的质量成正比。我们画出这种情形的时空图。我在图5.27上画出球面（在图5.25中画成了一个圆圈）上粒子的世界线。我在这里是用使球面的中心显得处于静止（“自由下落”）的坐标系。广义相对论把自由下落运动看作“自由运动”——和无引力物理中的“均匀直线运动”相类似。这样，我们试图在时空中用“直”的世界线来描绘自由下落。然而，从图5.27看出“直”这个字在此处的用法显得混乱。这只不过是术语的问题。我们以后就将自由下落的粒子的世界线称作时空的测地线。

这是一个好术语吗？“测地线”在通常情况下的含义是什么呢？我们考察二维曲面的类似情形。测地线为在曲面上（局部的）“最短程”的曲线。如果我们想象在此曲面上拉伸一根绳子（不要太长，否则它会滑走），那么这根绳子在曲面上就和一条测地线相重合。我在图5.28上给出了两个曲面的例子，第一个具有“正曲率”（和球面类

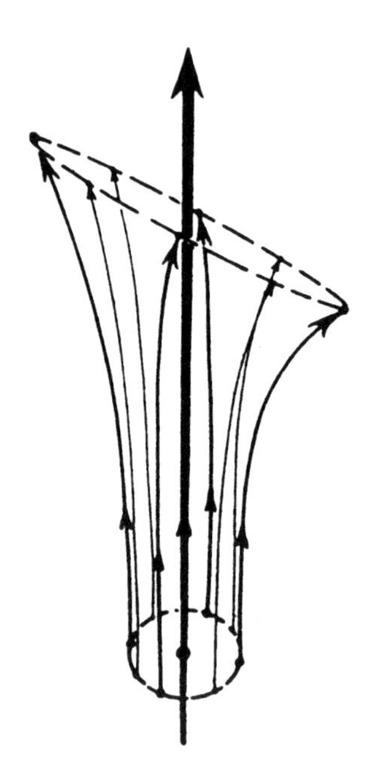

图5.27 时空曲率：画在时空中的潮汐效应

似)，而第二个具有"负曲率"(一个马鞍形的面)。在正曲率曲面上，两条互相邻近的一开始相互平行的测地线会相互靠近；对于负曲率曲面，它们会相互离开。如果我们想象，自由下落粒子的世界线在某种意义上像是曲面上的测地线，则可以看到在前面讨论的引力潮汐效应和曲面的曲率效应之间有种精确的相似性——但是现在情形下正的和负的曲率效应会同时存在。我们可从图5.25和图5.27看到，时空的"测地线"在一个方向上互相离开(当它们和地球在同一直线上时)——正如图5.28中负曲率曲面的情形——在另一方向上它们互相靠近(当它们相对于地球处于水平的方向上)——正如图5.28中正曲率曲面的情形。这样，我们的时空曲率确实似乎具有类似于我们

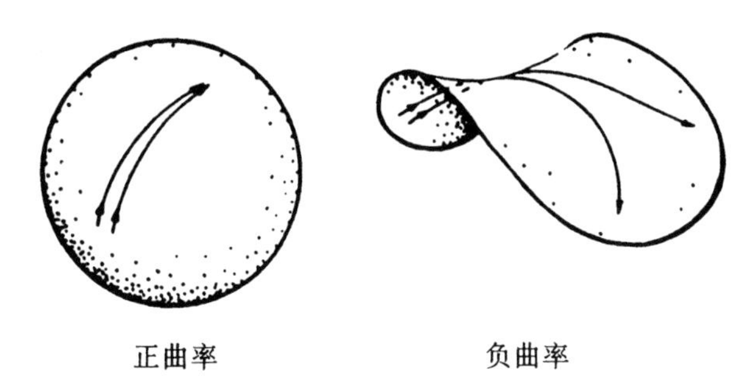

图5.28　曲面上的测地线。在正曲率处测地线收敛，而在负曲率处它们发散

两个曲面的"曲率"，但是由于更高的维数而变得更为复杂，在不同的位移上牵涉到正和负的曲率的混合。

这就显示了如何用时空"曲率"的概念来描述引力场。这种描述的可能性归根结底是从伽利略的直觉而来的（等效原理），它允许我们用自由下落来消除"引力"。实际上我到此为止还没必要超出牛顿理论的范围。这个新的图像只是为此理论提供了重新表述[19]。然而，当我们将此图像和狭义相对论的闵可夫斯基描述——亦即现在我们知道应用于不存在引力情况下的时空几何相结合时，就得到了新的物理。其最终的结合物即为爱因斯坦的广义相对论。

回想一下我们从闵可夫斯基得到的教益。引力不存在时，时空中定义了两点之间的特殊类型的"距离"测度。我们在时空中有条描述某粒子的世界线，则沿着此世界线测量的闵可夫斯基"距离"表示这个粒子实际经历的时间。（在前一节我们事实上只考虑沿着与直线段一致的世界线的"距离"，但这个断言对于任意弯曲的世界线"距离"的测量也成立。）如果没有引力场——亦即没有时空曲率时，闵可夫斯基几何是准确的。但是在引力存在时，我们只能将闵可夫斯基几何当作一种近似——如同平面是弯曲曲面几何的近似描述一样。我们如果用放大倍数越来越大的显微镜去考察曲面——使得曲面的几何伸展到越来越大的范围去——则该曲面就显得越来越平坦。我们说一个弯曲曲面在局部上像是一个欧几里得平面[20]。我们可以以同样的方式说，在引力存在时，时空在局部上像闵可夫斯基几何（也就是平坦的时空），但是我们在更大的尺度下允许某种“弯曲性”（图5.29）。特别是，正如在闵可夫斯基空间中一样，时空中的任一点都是一个光锥的顶点。但是这些光锥不像在闵可夫斯基空间中的那样以完全一致的方式排列。我们将在第7章的一些时空模型的例子中看到这种明显的非一致性（参阅426页的图7.13和图7.14）。物质粒子的世界线的朝向总在光锥之内，而光子的世界线总是沿着光锥。正如在闵可夫斯基空间中一样，沿着任何一条这样的曲线，总存在测量该粒子所经历的时间的闵可夫斯基“距离”的概念。正如在曲面的情形，这种距离测度定义了与平空间不同的曲面的几何。

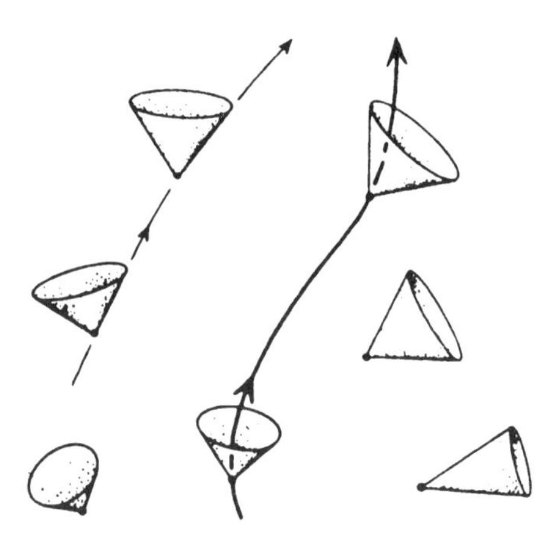

图5.29 弯曲时空图

和上述的二维曲面情况相似，时空中的测地线可有类似的解释。但是我们必须记住闵可夫斯基和欧几里得情形的不同之处。时空中的测地的世界线取（局部）最大的距离（亦即时间），而不是取（局部）最小的长度。按照这一规则，引力作用下的自由运动粒子的世界线，实际上是测地线。这样，尤其是在引力场中运动的天体可用测地线来描写。在空虚的空间的光线（光子的世界线）也是测地线，并且是具有零“长度”的测地线[21]。我在图5.30中作为例子画出了地球和太阳的世界线的略图，地球绕太阳的运动是一根绕着太阳世界线的螺旋状的测地线。我也标出了从一个遥远的恒星到达地球的光子。因为按照爱因斯坦理论，光线被太阳的引力场所偏折，所以其世界线显得稍微有些“弯折”了。

我们还要看看如何将牛顿的平方反比律包括进来，并按照爱因斯

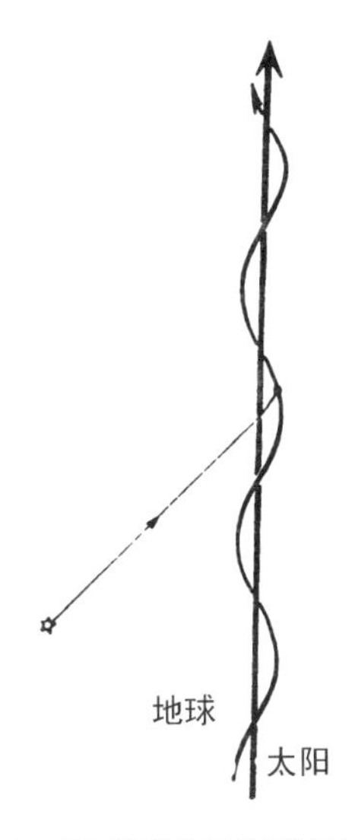

图5.30 地球和太阳以及从遥远恒星处来的被太阳所偏折的光线的世界线

坦相对论作何种修正。让我们回到在引力场中下落的粒子球面的例子上来。我们记得，如果球面围绕的只是真空，则按照牛顿理论，球的体积一开始不会改变；但是如果围绕的是一个总质量为M的物体，则会产生和M成正比的体积减小。这种规律在爱因斯坦理论中（对于小球面）刚好是一样，除了决定此体积减小的不完全是M，还有一附加的“通常非常小的”来自被围绕物质中的压力的贡献。

四维时空的曲率必须描写在任何地方在任何可能方向运动的粒子的潮汐效应。它的完整数学表达式由被称为黎曼曲率张量的量所给出。这个东西是有点复杂，在每一点具有20个称作分量的数。不同的分量是在时空中在不同方向上的不同曲率。黎曼曲率通常写作R_{ijkl}。但是因为我不想在这里解释这些小指标的意义（事实上也不想解释张量的意义），我就简单地将它写作：

黎曼。

存在一种将此张量分解成两部分的方法，第一部分是外尔张量，第二部分是里奇张量（各有10个分量）。此分解可表达如下：

黎曼=外尔+里奇。

（其具体表达式在目前并不特别有用。）外尔张量**外尔**是测量我们自由下落的球面的潮汐畸变（亦即形状的初始变形，而非尺度的变化），而里奇张量**里奇**测量其初始体积改变[22]。我们记得，牛顿引力理论要求下落球面所围绕的质量和这初始体积的减小成正比。粗略地讲，它告诉我们，物体的质量密度，或等效的能量密度（因为 $E=mc^2$）—— 应该和里奇张量相等。

事实上，这基本上就是广义相对论的场方程—— 也即爱因斯坦场方程—— 实际的断言[23]。然而，关于这些还有许多技术上的细节，最好不在这里纠缠。只要知道存在一个称作能量-动量的张量，它将有关的物质和电磁场的能量、压力和动量都组织在一起。我把这一张量叫作**能量**，则爱因斯坦方程可非常粗略地写作：

里奇=能量。

（正是在**能量**张量中"压力"的出现以及为了使整个方程协调的条件要求，使得压力正如前述的也对体积缩小效应有所贡献。）

此方程似乎没有牵涉到外尔张量。但它是一个重要的量。在空虚的空间里感受到的潮汐效应纯粹是由外尔引起的。事实上，上述的爱因斯坦方程意味着，存在将**外尔**和能量相联系的微分方程，颇像我们以前遇到的麦克斯韦方程[24]。的确，把**外尔**当作用 $\boldsymbol{E}$、$\boldsymbol{B}$ 这一对量描述的电磁场量（实际上也是一个张量—— 麦克斯韦张量）的引力类似物是一种富有成果的观点。在一定的意义上可以讲，**外尔**实际上是引力场的测定。**外尔**的"源"是**能量**张量。这和电磁场（$\boldsymbol{E}$，$\boldsymbol{B}$）的源是（$\boldsymbol{\rho}$，$\boldsymbol{j}$），也即麦克斯韦理论的电荷和电流的组合的情形很相似。这种观点将有助于第7章的讨论。

如果注意到在爱因斯坦理论和牛顿在两个半世纪前提出的理论

之间，虽然在形式和内在的观念之间有如此深刻的差别，但在观测上要找到差异却非常困难，人们会十分惊异。假如所考虑的速度和光速c相比较小很多，并且引力场不太强（使得脱逸速度比c小得多，参阅第7章422页），那么爱因斯坦理论的结果实质上和牛顿的一样。但是，在这两个理论的预言的确不同时，爱因斯坦理论更准确。现在已有几个令人难忘的实验，证明爱因斯坦新理论完全成立。正如爱因斯坦所坚持的，在引力场中钟走得慢一些，此效应以不同的方式得到直接的测量。光和无线电波的确被太阳所偏折，并被遭遇者稍微地延迟——也很好地检验了广义相对论效应。空间探测器和运动行星，正如爱因斯坦理论所要求的那样，对牛顿轨道要做小修正，这些也被实验所证实。（特别是从1859年起天文学家就开始忧虑的被称作“近日点进动”的水星运动的失常，1915年为爱因斯坦所解释。）也许最令人印象深刻的是，对一个包括一对微小的大质量恒星（假定为两个“中子星”，参阅422页）的称作脉冲双星系统上的一系列观测，其数据和爱因斯坦理论非常接近，并间接地证实了一个在牛顿理论中根本不存在的效应，即引力波的辐射。（引力波是电磁波的引力类似物，以光速c来传播。）还没有找到任何被确证的和爱因斯坦广义相对论相冲突的观测。正因为这种种奇异的现象，使我们坚信爱因斯坦理论是对的！

相对论因果性和决定论

我们记得在相对论中，物质不能运动得比光快——也就是说，它们的世界线必须处于光锥之中（图5.29）。（尤其在广义相对论中，我们必须用这种局部的方式描述事物。光锥并不均匀地排列着，所以讲非常远的粒子的速度是否超过这里的光速并没有多大意义。）光子的世界线沿着光锥，但对于任何粒子都不能允许其世界线处在光锥之外。事实上，更一般的陈述应是，不允许任何信号在光锥外传播。

要理解为什么这样，可以参考闵可夫斯基空间图（图5.31）。假定我们有一台能发出比光传播得更快的信号的仪器。利用这台仪器，观察者W从他的世界线的事件A发出一个到达遥远的事件B的信号，B刚好处于A的光锥的下面。从W的观点看，可以画成图5.31（a）的样子。但从第二个观察者U的观点看，应重新画成图5.31（b）的样子，U正在进行着离开W（譬如讲，从AB之间的某点开始）的快速运动。对于U而言，事件B显得比A还更早地发生！［正如前面（257页）提到的，这种“重画”是一个庞加莱运动。］从W的观点看，U的同时性空间看起来是“向上倾斜”的，这就是为何事件B从U的观点看显得比A还早的原因。这样，对于U而言，W似乎是在往时间过去的方向上发出信号！

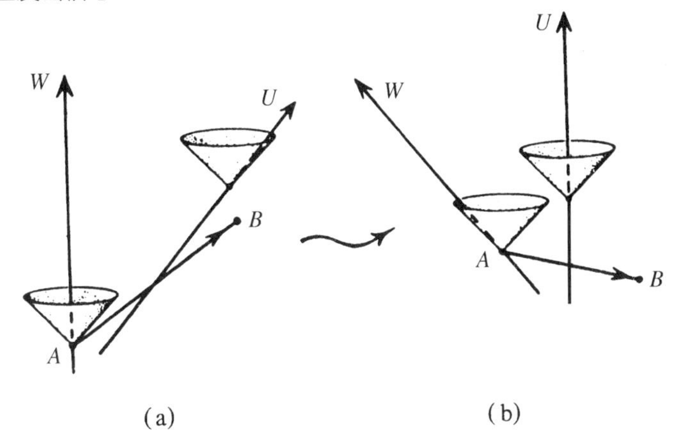

图5.31 从观察者W看来比光更快的信号，在观察者U看来变成在时间上向后行进。右图（b）只不过是左图（a）以U的观点重新画出（这种重画可视作庞加莱运动。可将其和图5.21相比较——但这里以（a）到（b）是采用积极的而非消极的意义上的变换）

这还不算什么矛盾。但是如果还有一个从U的观点看对称的（由于狭义相对论原理），离开U以和W相反的方向运动并装备有与W一样的仪器的第三个观察者V，他也能发出一个刚好比光还快的信号。从他（亦即V）的观点看，该信号是向U的方向返回。从U的观点看来，这信号又是发向过去，但这回是沿着相反的空间方向。V可以在接到W发出的原始信号的B时刻发出第二个信号到W去。从U看来，该信号在比原先发射事件A更早的事件C处到达W（图5.32）。但比这更糟糕的是，实际上事件C在W自身的世界线上比事件A更早，W在发出A信号之前即经历了事件C！观察者V发回到W的信号由于W的预先安排，可以简单地重复B处收到的。这样，W就会在自己的世界线更早的时刻收到后来想发出的同一个信号！将两个观察者分隔足够大的距离，我们就可以使得返回信号比原始的信号早一个任意长的时间间隔。也许W原始的信号是说他折断了腿，他可在此事件发生之前接受到返回信号，然后（假定）用他自己的意志，采取行动去避免事故发生！

这样，超光速地发射信号和爱因斯坦的相对论原理一道会导致

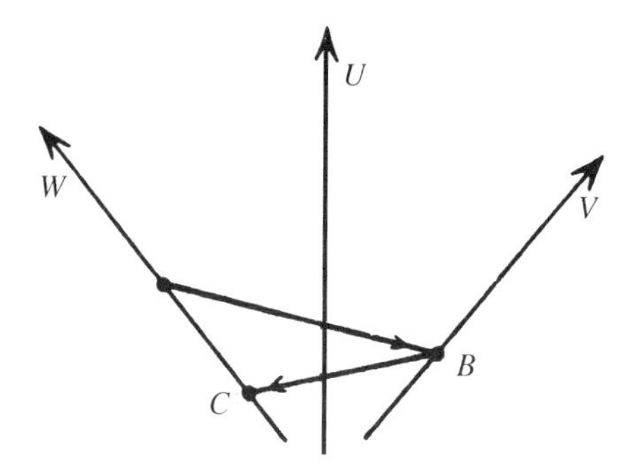

图5.32　如果V装备有和W一样的超光速信号的仪器，但该仪器的指向和W的相反，它就可以被W用来向他自己的过去发送信息

和我们“自由意志”的正常感觉的严重冲突。实际上的情形比这还要更严重。因为我们可以设想，也许“观察者W”仅仅是一台机械仪器，它的程序是如果收到“不”的信号时即发出“是”的信号，反之亦然，而V也可以是一台机械仪器，如果收到“不”的信号时即发出“不”的信号，反之亦然。这就导致了和我们以前遇到的[25]同样的矛盾。现在似乎和观察者W是否有自由意志“无关”，并且告诉我们超光速信号发射仪器不存在物理学上的可能性。这会在下面给我们带来一些令人困惑的推论（第6章366页）。

让我们接受，任何种类的信号——不仅仅是通常物理粒子所携带的——必须被光锥所限制。上面的论证实际上只牵涉到狭义相对论。但是在广义相对论中，这一个狭义相对论的规则仍然定域地成立。正是狭义相对论的这种局部有效性告诉我们信号必须被光锥所限制，所以它也应该适用于广义相对论。我们将会看到这一点如何影响这些理论决定论的问题。我记得在牛顿（或哈密顿等）理论中，“决定论”意思是说在一特定时刻的初始值完全固定了其他时刻的行为。如果在牛顿理论中采用时空的观点，则给定初始值的那个“特定时刻”即是四维时空中的某一个三维“截面”（亦即那一时刻的整个空间）。在相对论中，不可能为此而挑出一个全局的“时间”概念。通常的步骤是采用一种更灵活的做法。任何人的“时间”都可以。在狭义相对论中，可采取某个观察者的同时面，并用此同时面来取代上述的“截面”以赋予初始值。但在广义相对论中，“同时空间”的概念并没有很好地定义。从而人们使用更普遍的类空面[26]的概念。我们在图5.33画出了这样的一个面；它的特征是处于它上面的每一点的光锥之外——这样，在局部上它和同时空间很相似。

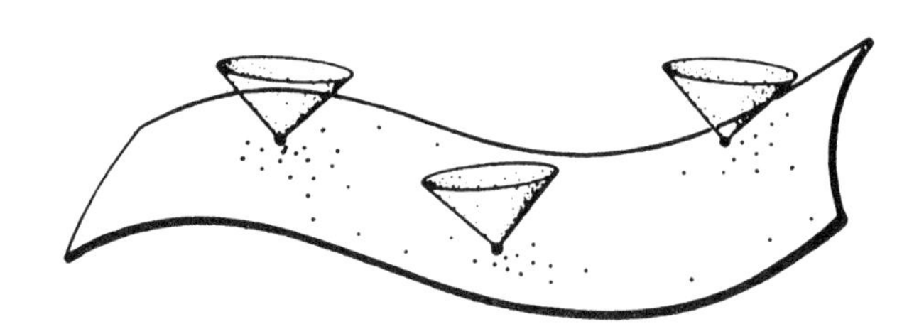

图5.33 在广义相对论中被挑选来赋予初始值的一个类空面

在狭义相对论中，决定论可以表述成为在任何给定的同时面S上的初始值，固定了整个时空中的系统的行为的这一事实。（尤其是在麦克斯韦理论中这一点成立——它的确是“狭义相对性”的理论。）然而，人们可以有更强的陈述。如果想知道处在S的未来的某一事件P处发生的事，则只需要知道S上某一（有限的）有界的区域内，而不必是整个S上的初始值即可。这是因为“信息”不能传递得比光还快，而S上的任何离得太远的以至于光信号不能到达P的点不能对P有何影响（图5.34）[1]。这实际上比在牛顿理论中出现的情形更令人满意。在那里，人们为了能对将来某一时刻要发生的事件做任何预言，原则上要知道整个无限的“截面”上发生的事。牛顿式信息的传播速度不受任何限制，牛顿的力是瞬息性的。

广义相对论中的“决定论”比在狭义相对论中复杂得多，我在此只做少许评论。首先，我们为了赋予初始值必须使用一个类空面S（不仅仅是一个同时面）。人们发现，如果像通常那样假定对**能量**张量有贡献的物质场的行为是决定性的，则爱因斯坦方程的确给出了引力

1. 也许我们可以说，波动方程和麦克斯韦方程类似，（参阅242页的脚注）也是一个相对论性方程。这样，我们早先考虑过的普埃尔-里查兹“可计算性现象”也是一个只对在S的有界区域中的初始值而言的效应。

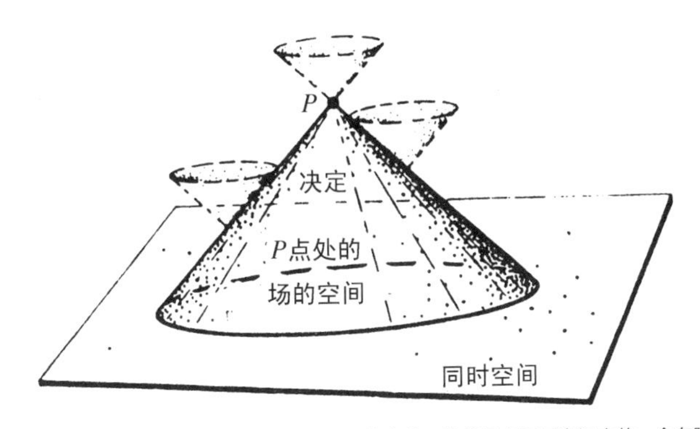

图5.34　在狭义相对论中，发生在P的事件只依赖于在同时空间中的一个有限区域的数据。这是因为传递到P的效应不能比光走得更快

场的局部的决定性的行为，然而，这里事情相当复杂。时空的几何自身——包括它的光锥的"因果性"结构——现在成为实际上要被确定的一部分。由于我们预先不知道光锥结构，所以不能得知S的那一部分为确定未来某一事件P的行为所必须。在某种极端的情况下，甚至有整个S都不够的情形，而因此就损失了全局的决定性！这里牵涉到非常困难的问题，它们和一个在广义相对论中称为"宇宙监督"的未被证明的猜测相关。这猜测和黑洞形成有关系（参阅提普勒等1980年；参阅第7章423页以及425页处的脚注和436页）。情况似乎很可能是，和"极端"的引力场的情形相共存的"决定性失效"和人类尺度的事件几乎没有任何直接关系。但是，从这里也可以看出，广义相对论中的决定论的问题绝不像人们设想的那样干脆利落。

经典物理的可计算性：我们的立场如何

我在这一章从头到尾，不但总是要同时留心与决定论不同的可计算性的问题。而且，我还要试图指出，在谈论到"自由意志"和精神现象时，可计算性的问题至少和决定论性的问题一样重要。但是，正如我们不得不相信的那样，在经典理论中决定论本身也不是那么清楚的。我们看到了带电粒子，运动的经典洛伦兹方程所引起的一些困扰的问题。(回忆狄拉克的“脱逸解”。)我们还注意到，在广义相对论中存在一些决定论的困难。在这些理论中，只要没有决定论，当然也就不可计算了。然而上面引用的情形中似乎没有一种因为缺乏决定性而和我们有许多直接的哲学方面的关系。在这些现象中还是没给我们的“自由意志”留下余地：在第一种情况，因为点电荷的经典洛伦兹方程(正如狄拉克解决的那样)被认为在提这些问题的水平上在物理上不合理；第二种情况，由于经典广义相对论所引起的这些问题(黑洞等)的尺度和我们自己大脑的尺度差别太大。

现在，我们在经典理论中关于可计算性的境况如何呢？可以合理地猜测，如果超越了我刚才提出的因果性和决定性的差别的话，则广义相对论中的情形和狭义相对论不会有大的差别。任何在物理系统的未来行为被初始值所决定的地方，用我们在牛顿理论情况下类似的推论，则其未来的行为似应也被那些数据可计算地决定[27](除了上面考虑过的，普埃尔-里查兹遭遇到的波动方程的不可计算性的“无益的”非可计算性的类型——这种情况对于光滑地变化的数据不会发生)。的确，在我迄今讨论过的任何物理理论中，很难看到任何重大的“不可计算”的因素。可以肯定预料到的是，在这许多理论中会发生“混沌的”行为，只要初始数据做非常微小的改变，就会对结果的行为产生巨大的影响。(看来在广义相对论中真是如此，参阅*Misner 1969*，*Belinskii et al. 1970*。)但是，正如我在前面所提到的，很难看出这类不可计算性亦即“不可预言性”对要“驾驭”物理定律的可能的不可计算因素的仪器有何“用处”。如果“大脑”可以任何方式利用不可计算的因素，那么这种因素必须是非经典物理的。我们需要在浏览了量子理论之后，重新回来审查这个问题。

质量、物质和实在

让我们简略地清查一下经典物理所呈现的世界图像。首先时空担负着主要任务：提供舞台给所有不同的物理现象。其次是任意不停活动着的物理对象，但这些活动由精密的物理定律所约束。共有两类物理对象：粒子和场。关于粒子，除了各个都有自己的世界线以及具有各自的（静）质量和也许还有电荷等，我们很少提到它们的实际性质或特殊品质。另一方面，场的特性非常明确——服从麦克斯韦方程的电磁场以及服从爱因斯坦方程的引力场。

在处理粒子时存在一种互相冲突的情形。如果粒子的质量是如此微小，以至于其对场的影响可以忽略，则可称作检验粒子——而它们对场的响应的运动是毫不含糊的。洛伦兹力定律描述检验粒子对电磁场的响应，而测地线定律描述它们对引力场的响应（如果两种场都存在时，是上述情形的适当的结合）。这些粒子在这里必须被认为是点粒子，也就是具有一维的世界线。然而，当粒子对场（并因而对其他粒子）的效应必须考虑时——亦即，这些粒子成为场的源时——那么该粒子必须认为是在某种程度上在空间中散开的对象。否则在每个粒子的紧邻处的场会变得无穷大。这些散开的源为麦克斯韦方程提供了所需要的电荷——电流分布（ρ，$\boldsymbol{j}$），也为爱因斯坦方程提供了所需要张量**能量**。除此之外，所有这些粒子和场所处的时空具有直接描绘引力的可变的结构。“舞台”参与到在它上面表演的情节中去！

这就是经典物理在有关物理实在的性质方面给我们的教导。很清楚，我们在中学学到了许多，但同时我们又不可过于自得，以为我们一时形成的图像不会被某种以后更深刻的观点所推翻。我们在下一章会看到，甚至相对论所带来的革命性变革在与量子力学相比较时都会显得黯淡无光。但是，我们和经典理论以及它对物质实在的描述方面缘分还未尽。还有件使我们惊奇的事！

什么是“物质”？它是实际的物理对象，亦即世界的“东西”由之构成的实体。它是你、我以及我们的房子由之所组成的材料。如何量化物质？初等物理教科书为我们提供了牛顿的清楚的答案。它是一个对象或一群对象的质量，它是所包含的物质的测度。这看来的确是对的——没有任何其他的物理量能在作为总物质的真正量度这一点上和质量认真地作较量。况且它是守恒的：任何系统的质量，也就是物体内容的总量总是保持不变。

爱因斯坦狭义相对论中的著名公式

$$E=mc^2$$

还告诉我们质量（m）和能量（E）是可以互换的。例如，一个铀原子会衰变分裂成小块，如果能够使这些小块处于静止，则这些小块的总质量会比原来铀原子的质量小；但是若把每一块的运动的能量——

动能（参阅214页[1]）——也计算在内，再除以c^2（因为$E=mc^2$）以转化为质量值，则我们发现总量实际上是不变的。质量的确是守恒的，但由于部分是由能量组成，它作为实在物质的量度显得不那么清楚了。能量毕竟依赖于物质运动的速度。一列直达列车的运动的能量相当大，但是如果我们刚好坐在此火车上，则按照我们自己的观点，火车根本没有运动。运动的能量（虽然单独粒子的杂乱运动的热能不会）会因为适当地选择观点而被"减少到零"。一种称作π^0介子的亚原子粒子的衰变是一个鲜明的例子，爱因斯坦的质量-能量关系的效应在这个场合达到了极致的程度。它肯定是一种具有定义得很好的（正的）质量的物质粒子。大约10^{-16}秒之后，它几乎总是分解（像上述的铀原子那样，但要更快速得多）成仅仅两个光子（图5.35）。从和π^0介子一起处于静止的观察者看来，每个光子携带走一半能量，这的确是π^0介

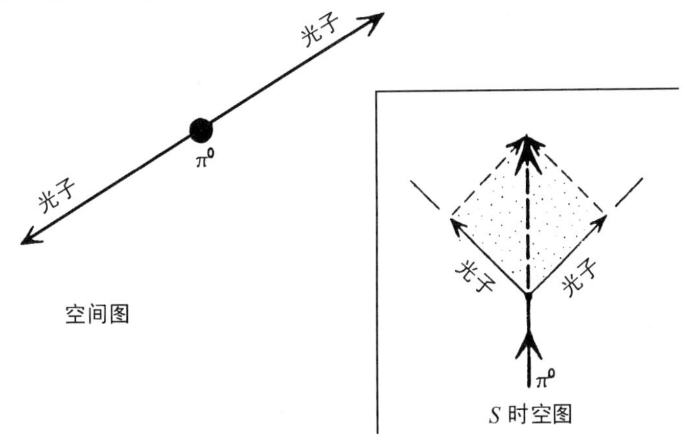

图5.35　一个有质量的π^0介子衰变为两个零质量的光子。从时空图可以看出能量-动量的四维矢量是守恒的：按照平行四边形加法定律（阴影所示），π^0介子四维矢量是两光子四维矢量之和

1. 在牛顿理论中，一个粒子的动能为$\frac{1}{2}mv^2$，此处m为质量，v为速度；但在狭义相对论中，表达式要稍微复杂些。

子质量的一半。然而这光子"质量"具有一些模糊的性质：它是纯能量。如果我们能在一个光子的方向上快速地运动，我们就能将其质量-能量要减小到什么程度就减小到什么程度——光子的内禀质量(或正如我们很快就要讲到的静质量)实际上为零。所有这一切为质量守恒描绘出一幅协调的图像，但是它和我们过去的不完全一样。在某种意义上，质量仍是"物质的量"的测度，但在观点上有显著的改变：既然质量等效于能量，那么系统的质量，正如能量那样依赖于观察者的运动！

值得花时间将我们得到的观点表述得更明白一些。取代质量作用的守恒量是称为能量-动量四维矢量的整体。在闵可夫斯基空间中可把它画成从原点O出发的一个箭头(矢量)，它指向O点未来光锥的内部(或者在光子的极端的情况下，处于光锥之上)；见图5.36。这个和物体世界线指向一致的箭头包含有能量、质量和动量的所有信息。这样，此箭头端点在某观察者坐标系中测量的"t值"(或"高度")表示观察者看到的物体的质量(或能量除以c^2)，而动量(除以c)由其空间分量所提供。

这个箭头的闵可夫斯基"长度"是称为静质量的重要的量。它描述和此物体同处静止的观察者所看到的质量，人们也许会采取将此当作"物体的量"的好的量度的观点。然而，它没有可加性：如果一个系统分裂成两半，则原先的静止量并不是结果的两个静质量的和。回想一下π^0介子衰变的情形。π^0介子具有正的静质量，而分裂成的每个光子的静质量为零。但是，可加性对于整个矢量(四维矢量)的确成立，我们现在必须在画在图5.36中的矢量加法定律的意义上进行

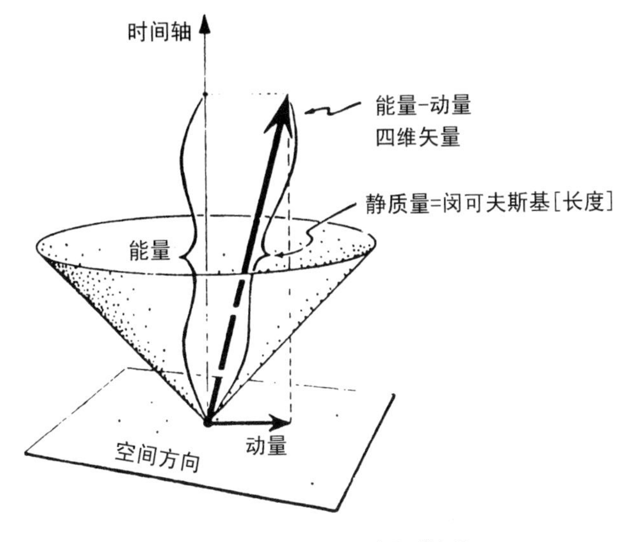

图5.36　能量-动量四维矢量

“相加”。现在我们“物质的量”正是用整个箭头来测量！

让我们现在考虑麦克斯韦电磁场。我们知道它携带能量。按照 $E=mc^2$，它还应该有质量。这样，麦克斯韦场又是物质！由于麦克斯韦场非常密切地参与到将粒子捆绑在一起的力中，所以这一点我们肯定必须接受。在任何物体中的电磁场一定对其质量有重要的贡献[28]。

关于爱因斯坦引力场又如何呢？在许多方面它和麦克斯韦场很类似。和在麦克斯韦理论中的运动带电体会发射电磁波相似，运动的大质量物体（按照爱因斯坦理论）也会发射出引力波（参阅272页）——它正如电磁波一样以光速传播并携带能量。然而，此能量不是以标准的方式测量的，它是前面讲到的张量**能量**。在（纯粹）引力波中，此张量实际上处处为零！尽管如此，人们可采用如下观点，时空曲率（现在全部由张量**外尔**给出）多多少少能代表引力波中的“东西”。但是引力能是非定域的，也就是说，人们不能靠考察一个有限区域的时空曲率来决定能量的度量。引力场的能量——并因此质量——的确是非常滑的鳝鱼，我们无法将其钉死在任何清楚的位置上。尽管如此，我们必须严肃认真地对付。它肯定在那里，必须把它考虑在内才能使质量的概念在大范围内守恒。已找到一个可用于引力波的好的（并且是正的）质量测度（*Bondi 1960*，*Sachs 1962*），但它的非定域性变成这种样子，在两次辐射爆之间的时空的平坦区域中（和飓风眼中的静区很类似）此测度有时为非零，在该处其实完全没有曲率（参阅*Penrose and Rindler 1986*，P 445）（亦即**外尔**和**里奇**均为零）！在这种情形下，我们看来不得不做出结论，如果此质量-能量必须存在某处的话，则应该处于这个平坦的空的空间中——一个完全没有任何种类的物质和场的区域。在这些古怪的情形下，我们“物质的量”或者在哪里，在此空的区域中的最空虚之处，或者根本哪里也不存在！

这看来纯粹是佯谬。然而，它的确定含义正是，我们最好的经典理论——它们也的确是超等的理论——所告诉我们关于世界的“实”物质的性质。按照经典理论，且不必说我们即将探索的量子理论，物质实体比人们所设想的更模糊得多。它的测量——甚至它是否存在——很清楚地依赖于一些微妙的问题，并且不能仅仅定域地确证！如果这种非定域性都使人迷惑不解的话，我们还要准备迎接更大打击的来临。